BON SANG
NE PEUT MENTIR

Bon sang

FRANK G. SLAUGHTER

ne peut mentir

 PRESSES DE LA CITÉ — PARIS 1956

Le titre original de cet ouvrage est :
THE SEMINOLE
Traduction de Doringe.

Ce tirage a été exécuté
sur bouffant pur alfa Cellunaf.

UN MESSAGER
PRIS ENTRE DEUX ATTACHEMENTS

I

COACOOCHEE

PENDANT TOUTE cette matinée, Coacoochee et moi avions chassé dans les savanes desséchées le long du Saint John's. C'était lui qui avait levé le cerf à midi et, par un coup heureux, l'avait abattu tout près de la petite anse où j'avais amarré mon sloop. C'est à peine si je lui enviais sa réussite ; le travail sur la plantation de mon père adoptif (où j'occupais le poste de régisseur) devenait plus lourd avec chaque nouveau printemps et, ces jours, mon œil de chasseur n'était pas trop précis.

En outre, je savais que la chasse, aujourd'hui, n'était qu'un rite, un prélude à des choses plus sérieuses. Quand mon frère de sang dans la nation séminole m'avait convoqué sur la rive occidentale du fleuve, il avait en vue un but plus important que l'affût d'un cerf. Ici, sur la frontière de Floride, au printemps de 1835, la tension n'avait fait que croître de façon ininterrompue. Peu d'hommes blancs auraient osé se risquer à traverser seuls le Saint John's ; si j'étais venu si loin, c'était parce que j'avais déjà servi d'ambassadeur entre deux mondes hostiles.

A présent — fortement appuyé sur ma pagaie tandis que le canoë de mon ami remontait une crique couleur de chocolat qui s'ouvrait à l'ouest du fleuve, — je me refusais à rompre son long silence. Je n'avais pas besoin de mots pour savoir que nous nous dirigions vers le village indien situé au-delà de la frange marécageuse bordant cette partie du Saint John's. Dans moins d'une heure, je me trouverais face à face avec Asi-Yahola lui-même et j'apprendrais de sa bouche des mots qui, peut-être, annonceraient un chapitre entièrement nouveau de l'histoire.

Cela ressemblait tout à fait à Coacoochee de ne point mentionner Asi-Yahola pendant notre long affût. Quand enfin il m'adressa la parole, continuant à nous guider entre les souches de cyprès, il ne détourna pas son regard.

— Mon frère Charlo a-t-il confiance en moi ?

— Oui, Chat Sauvage. Jusqu'à la mort.

Quoiqu'il sût assez bien l'anglais, le fils du roi Philip parlait en langue séminole sur son propre domaine — et j'avais répondu de même manière. Le surnom dont il se servait (Charlo est la traduction indienne de *truite*) ne différait pas tellement de mon prénom chrétien : il m'avait été donné à cause de mon adresse de nageur — la natation étant le seul sport où je le surclassais. Chat Sauvage était le propre surnom de Coacoochee dans sa tribu, je l'employais maintenant avec une pointe de ressentiment. Tout habitué que j'étais aux approches tortueuses du Séminole, je ne pouvais trouver aucun plaisir à ce voyage ; mes pensées, en cet instant, étaient aussi sombres que les arbres surchargés de mousse, pareils à des fantômes autour de nous.

— Charlo craint-il de venir si loin ?

— Un homme craint ses ennemis — jamais ses amis.

Alors Coacoochee sourit, et le grave visage cuivré sembla plus jeune. Il me fut presque possible de retrouver le garçon insouciant que j'avais connu en des temps plus heureux : il était difficile de croire que l'ombre d'une guerre non déclarée s'étendait entre nous, presque aussi tangible qu'un glaive nu.

— Quoi que tu voies aujourd'hui, dit-il, revenant au parler moins cérémonieux dont nous avions jadis si librement fait usage entre nous, garde une pensée toujours présente à ton esprit : même si l'avenir semble hostile, nous ne pourrons jamais être ennemis.

II

OSCEOLA

Au marais succéda bientôt — tel est souvent le cas dans ce pays de contrastes violents — une vaste et sauvage perspective de ces landes couvertes de pins si caractéristiques de la Floride centrale. La crique révéla enfin sa nature véritable : elle naissait d'un lac clair comme du cristal qu'alimentaient des sources cachées. Sur ses rives, des squaws s'activaient aux plantations de printemps.

Le village, double cercle de huttes coniques aux toits de palmes, était perché sur une falaise dominant le lac. La plupart de ces loges étaient, afin d'y assurer le plus de fraîcheur possible, montées sur des plates-formes portées par des pilotis, et, si elles semblaient désertes, c'était uniquement parce que les habitants de ce petit village ramassé avaient fait retomber les portières en peau de daim et cherché refuge à l'intérieur.

Les hommes blancs et les hommes rouges ne se rencontraient guère ces temps-ci, sauf des deux côtés du Feu du Conseil à quelque powwow militaire.

Grâce à l'absence de tout élément mâle adulte, la scène était curieusement paisible pour une nation qui se trouvait au bord d'une guerre ouverte.

Il y avait partout des enfants qui pataugeaient et éclaboussaient l'eau limpide du lac, ou qui annonçaient à leur manière les points du jeu de boules si cher aux Séminoles. Une sphère de bois dans sa gaine de peau, qui s'élevait du terrain de jeu en un arc inquiétant, menaça le crâne de Coacoochee tandis qu'il amenait son *dugout* (1) le long de la berge. Adepte

(1) *Dugout* : littéralement « creusé hors de ». Canot fait d'un tronc d'arbre évidé. (N. du T.)

de ce sport violent, je n'eus point de peine à saisir la balle en plein vol et à la réexpédier aux joueurs.

Je leur rendis gaiement leurs salutations, ébouriffant quelques jeunes têtes quand je reconnaissais au passage le fils d'un ami. Je m'arrêtai à l'ombre d'un jasmin-trompette en fleur pour enlever dans mes bras un bébé râblé et pour adresser un cérémonieux bonjour à sa mère qui se tenait tout près :

— Heureuse rencontre, Rosée du Matin !

Toschee, le fils de l'homme qui m'avait convoqué, piailla d'allégresse quand je le lançai en l'air pour le rattraper à nouveau dans mes bras. Sa mère (son nom, Chechoter, signifiait Rosée du Matin en langue séminole) baissa modestement les yeux à mes paroles. Je ne pus faire autrement que d'admirer les belles lignes pures de son corps sous sa tunique de matrone, lourd vêtement dont l'ampleur grotesque ne faisait que souligner son âge tendre. Le visage, qui surmontait douze cercles de perles d'os, était d'une perfection à tenter le ciseau d'un sculpteur. Tout comme l'homme fier qui était son époux, Chechoter avait toujours représenté pour moi l'image même et le résumé de ce monde à part.

— Ton père adoptif est-il toujours souffrant, Charlo ? questionna-t-elle d'une voix qui ne dépassait pas le murmure.

Des yeux étaient fixés sur nous, je le savais, et elle n'osait risquer de se montrer trop amicale avec un Blanc, fût-il frère de sang de la tribu.

— La goutte le tracasse quelque peu.

— Dis-lui que nous espérons nous arrêter à Millefleurs dans quelques jours.

La visite annuelle des Séminoles à la plantation était, depuis aussi longtemps que je pouvais m'en souvenir, une circonstance heureuse, et le fait que Chechoter escomptait une paisible traversée du Saint John's était d'un favorable augure.

— Rosée du Matin voudrait-elle me conduire à la loge de son mari ?

— C'est là le privilège d'un homme, répondit-elle, et cette fois elle murmura vraiment, tandis que Coacoochee venait vers nous depuis la rive du lac. Montre-lui le chemin de la paix, Charlo. Si un tel chemin existe.

Nous nous séparâmes sur cette note presque étouffée, cependant que Chat Sauvage me dirigeait fermement vers l'esplanade en terre battue qui était le terrain du Conseil.

— Asi-Yahola attend son frère blanc, remarqua-t-il d'un ton sévère. Faut-il que celui-ci s'attarde dans la compagnie d'une squaw ?

Je souris malgré ma préoccupation. Coacoochee avait autrefois fréquemment joué le rôle d'un hidalgo : en temps de carnaval, à Saint-Augustin, je l'avais regardé valser avec les filles d'officiers d'état-major et je l'avais entendu chanter des chansons d'amour, en un espagnol très passable, sous les balcons de Charlotte Street. Même en ce temps-là, je pressentais que ces ornements de la civilisation n'allaient pas plus profond que l'épiderme.

— Où est Asi-Yahola en ce moment ?

— Dans la maison du chef — où pourrait-il être ailleurs que là ? Il t'y recevra seul.

Je m'inclinai pour reconnaître un tel honneur, cependant que nous nous arrêtions devant le plus vaste des « chickees ». Coacoochee croisa les bras sur sa poitrine et recula d'un pas — ce qui signifiait clairement que le privilège m'était réservé de soulever le pan de peau de daim. J'entonnai cérémonieusement la requête demandant le droit d'entrer (à voix assez forte pour que tout le village pût entendre) et pris soin d'attendre sur le seuil qu'une profonde voix de gorge me l'accordât.

Une épaisse couche de fourrures couvrait le sol de la loge, cercle à peu près parfait enclos dans le grand cône de chaume de palmier. Asi-Yahola, assis sur une peau d'ours, était, dans ce bain de clarté verdâtre, immobile autant qu'une statue d'or rouge. Durant un instant qui me parut interminable, il continua de me regarder sans que bougeât ce masque de basilic. Puis sa main droite se souleva lentement, la paume tournée vers l'extérieur, dans l'immémorial geste de paix.

— Mes yeux s'éclairent et mon cœur s'échauffe à la vue de Charlo, dit-il.

— Ainsi font les miens en revoyant le Soleil Levant.

La poignée de main d'Asi-Yahola était ferme ; les doigts qui encerclèrent mon poignet, dans l'étreinte indienne fraternelle, serraient presque douloureusement.

— Assieds-toi près de moi, Charlo.

On a écrit beaucoup de choses à propos d'Oscéola (ainsi les chroniques épellent-elles son nom, ainsi, pour la clarté du récit, l'épellerai-je désormais). La plupart des légendes sont de pure fantaisie ; il en est de pires que malicieuses. Puisque la légende finit toujours par ternir la mémoire de celui qui l'inspire, je n'ai guère espoir de le recréer tel qu'il fut réellement — tel que je le vis en cet après-midi, dans la pénombre verte de son chickee. Son image, pourtant, s'élève devant moi aussi claire qu'hier, aussi claire qu'alors. Pendant que nos mains étaient enlacées, il m'apparaissait comme l'arche vivante d'un pont qui rejoindrait l'instable et périlleux présent au passé depuis longtemps défunt où l'Indien était monarque de la Floride entière.

A voir lucidement les choses, il était tout, sauf le primitif qu'il semblait être. Indien, de la nation creek, qui s'était allié de corps et d'âme à la nation séminole, on le connaissait parfois sous le nom de Powell — qui était celui d'un commerçant écossais avec qui sa mère avait été mariée pendant un certain temps. D'aucuns insinuaient même que Powell était son père véritable. Ce qui est certain, c'est que l'homme eut sur lui une influence considérable pendant sa jeunesse.

La mère d'Oscéola avait quitté la case du trafiquant au cours d'une des innombrables guerres tribales qui furent de tout temps le fléau des Creeks Elle avait emmené son fils avec elle vers le territoire des Florides, en même temps que d'autres membres insurgés à la manière des Red Sticks (1). Grâce à ses prouesses dans tous les jeux et à la chasse, il était tout de suite devenu populaire, et chaque année qui s'écoulait augmentait la force et le prix de sa voix au Feu du Conseil. A présent que la guerre semblait quasiment inévitable, sa voix était en vérité la voix même des Séminoles,

---

(1) *Red Sticks* : les Bâtons Rouges, les Indiens Creeks irrédentistes qui demeurèrent hostiles aux Etats-Unis après la guerre de 1812. Ils érigeaient dans leurs villages des perches rouges, en symbole de guerre. (N. du T.)

quoi qu'il n'eût jamais défié la priorité de totems tels que le roi Philip ou que Micanopy, le vieux gouverneur, qui était le chef titulaire de la nation.

Oscéola était, aujourd'hui, en tenue de visite de cérémonie — et cela suffisait, en soi, à m'avertir de l'importance de ma convocation. Sa tunique de daim était aussi blanche que de la craie, de même que ses hauts leggings et ses mocassins brodés de croissants de lune. Des gorgerets en argent martelé, en forme de croissant, pendaient sur sa poitrine, des amulettes de même dessin pendaient à ses oreilles, et des charmes de style similaire étaient tissés dans les manches bouffantes de sa tunique. Le turban, qui cachait en partie ses cheveux noir de jais, était orné avec prodigalité d'aigrettes et de plumes d'ibis et maintenu par des aiguillettes d'or. Malgré ce luxe et cet éclat, rien ne semblait voyant, rien n'était vulgaire dans l'aspect de ce chef de guerre des Séminoles. Les splendides accoutrements d'Oscéola se plaçaient sur sa personne puissante avec autant de naturel que son air d'autorité souveraine. Il ne paraissait pas moins royal au cours des ans où il partageait un bivouac de chasseur ou plongeait nu, armé de nos lances de pêche, dans la grande source vive au-dessus de l'Oklawaha.

— Qu'y a-t-il dans l'esprit de Charlo qu'il m'étudie si attentivement ?

Je rougis légèrement à cette question : ce n'était pas la première fois qu'il lisait mes pensées. Je répondis, audacieux :

— Certains disent que tu pousses la nation à rompre ses traités. Je me demandais dans combien de temps ta main se lèverait contre moi.

— Il n'y a point de querelle entre nous, Charlo. Il n'y en aura jamais.

— Pas entre toi et moi, *jefe,* dis-je, employant le mot espagnol pour chef, chef de clan.

Oscéola, tous ses amis le savaient, était l'homme de plusieurs langages.

— Si l'avenir reposait entre mes mains, tu n'aurais point eu besoin de m'appeler ici aujourd'hui.

— Tu sais pourquoi je t'ai convoqué ?

— Non, Soleil Levant. Mais je puis le deviner.

Il y eut de nouveau un moment de silence — un interminable moment. Mais je me gardai bien de le rompre. Les motifs de plainte des Indiens étaient nombreux. Leur terrain de chasse en Floride centrale était encore vaste et rigoureusement fixé par traité. Pourtant de nombreux Séminoles déploraient le fait que des régions plus vastes encore, vers le nord, où ils avaient, jadis, librement mené leurs courses errantes, étaient désormais fermées à leurs migrations saisonnières.

Il y avait aussi la demande sans cesse plus bruyante, plus véhémente sans cesse, de leur déportation *in toto* dans des réserves lointaines de l'Arkansas. Un autre grief brûlant était né des perpétuelles violations de leurs frontières par une population blanche — qui croissait régulièrement dans le territoire de la Floride et s'étalait en conséquence. A chaque printemps, les haches de ces frontaliers insouciants abattaient des arbres, pour construire de nouvelles cabanes sur les landes que les Indiens avaient toujours considérées comme leur appartenant. Des explosions de violence étaient presque quotidiennes à Saint-Augustin — avec la déportation ou la guerre comme seules solutions apparentes.

— Pas plus tard qu'hier, dit Oscéola, des chasseurs d'esclaves ont brûlé l'un de nos villages nègres et ont emmené six Noirs — ils en laissaient trois morts parmi les cendres.

— Est-ce pour cela que tu m'as envoyé chercher ?

— Pourrais-je avoir une raison plus légitime, Charlo ?

C'était là une mauvaise nouvelle. Elle eût été mauvaise n'importe quand, mais présentement elle pouvait porter le coup fatal aux précaires espoirs de paix qui subsistaient encore. Ainsi que s'en rendaient compte tous ceux qui étudiaient le problème séminole, un élément insoluble était la présence parmi eux d'une population noire assez importante. Dès les premiers temps, les esclaves évadés avaient cherché — et trouvé — asile dans les nations indiennes. Ils y étaient bien traités. D'aucuns avaient racheté leur servitude, étaient devenus propriétaires terriens à plein droit, d'autres avaient conclu des mariages avec leurs hôtes à la peau rouge. Inévitablement, ceux qui traquaient ces fugitifs avaient formé une vorace horde de loups aux frontières séminoles. Frappant où et quand et comme ils pouvaient, armés de mandats où les évadés étaient décrits en termes volontairement vagues, ces chasseurs d'esclaves pouvaient effectuer des arrestations sous le couvert de sanctions légales. Les chefs indiens avaient depuis longtemps accepté de renvoyer les nouveaux fugitifs à leurs propriétaires. Les trafiquants de bois d'ébène n'en continuaient pas moins à enlever de force les alliés des Séminoles aussitôt qu'ils les découvraient — saisissant fréquemment ceux-là mêmes qui étaient nés dans les villages indigènes, et donc incontestablement libres.

— Etait-ce Wilburn ?

— Qui d'autre ?

Le nom d'Elijah Wilburn, cheville ouvrière de toutes ces entreprises, entraîneur de tous les chasseurs, était le mot le plus affreux, le plus maudit qu'un Séminole pût prononcer. Ma propre haine pour cet homme était tout aussi intense, tout aussi brûlante. Plus d'une fois, dans les bodegas de Saint-Augustin, nous avions été à un rien d'en venir aux mains.

— Cette fois-ci, reprit Osceóla, il a été vu, pris sur le fait, dans l'acte d'enlèvement. On l'a entendu jurer qu'il arrachera de force de nos villages jusqu'au dernier Noir si nous refusons d'émigrer vers l'ouest. Ce genre d'homme ne comprend qu'un seul langage.

— Vous répondrez donc à la force par la force ?

— Les envahisseurs ne s'en sont pas tirés sans dommage. L'un d'entre eux, un nommé Buell, fut capturé pendant leur retraite. On me dit que Wilburn le prise très haut. Pour l'heure, il sue dans ma prison. Je t'ai demandé de venir, Charlo, pour que tu sois témoin de son châtiment. Ensuite, mon désir est que tu rapportes ce que tu auras vu au général, à Saint-Augustin.

— A ta volonté, *jefe,* dis-je. As-tu l'intention de prendre le scalp de Buell ?

— Cet homme est un hors-la-loi dans notre pays. Les soldats blancs pendent les hors-la-loi. Pourquoi l'épargnerais-je ?

Je courbai la tête, plus que jamais conscient des yeux noirs qui n'avaient pas une seconde cessé de fixer mon visage.

— Oscéola est le maître de sa propre maison, dis-je. Qui suis-je, pour changer ses ordres ?

— Viens, Charlo. Nous regarderons ensemble depuis la plate-forme de mon chickee.

III

LE DERNIER AVERTISSEMENT D'OSCEOLA

De tout le temps qu'avait duré notre solennelle entrevue, le chef avait à peine quitté une immobilité de statue. Maintenant qu'il se levait et marchait vers la plate-forme sur pilotis, je me rappelai qu'il pouvait se mouvoir avec autant d'agilité qu'un chat. Et aussi qu'il était plutôt trapu que grand : les épaules qui tendaient à craquer la tunique blanche comme neige étaient larges et aussi massives que du chêne. Malgré quoi, il y avait de la majesté dans le mouvement du bras qui relevait la portière.

— Comme tu vois, Charlo, nous sommes prêts à donner à l'homme blanc une leçon qu'il n'oubliera pas.

Le village, qui avait semblé parfaitement vide dans la paisible chaleur de midi, avait, depuis, essaimé en masse vers la rive du lac, où il formait un vaste demi-cercle. En dépit de l'agaçante poussière et des gambades des enfants, un certain ordre régnait. On sentait que cette foule avait un but commun, une même pensée : tous les yeux étaient fixés sur une petite hutte à la fenêtre aveugle, qui s'élevait, seule, au milieu d'une clairière entre les pins. Là s'étirait une double file de guerriers, une double file espacée avec précision, qui commençait à la porte barrée et finissait juste avant le bord de l'eau. Chaque homme était armé soit d'une hachette, soit d'une massue de guerre. Chaque visage était figé en une menace solennelle. Ce qui se préparait était la cérémonie que les militaires appellent passer par les baguettes ou par les bretelles, et les marins passer à la bouline — l'un des plus anciens châtiments connus.

Coacoochee, dans l'eau jusqu'aux genoux, une flèche ajustée à son arc, m'adressa un sourire de malice quand je m'avançai vers le bord de la plate-forme pour me placer à côté d'Oscéola. Le chef séminole s'assit en tailleur, ce qui ne lui enleva rien de sa dignité. Sans le moindre changement d'expression, il claqua des mains — un seul coup, vif et sec. L'un des guerriers sortit du rang pour débarrer la porte ; un autre fit de même pour entrer dans la hutte, d'où il émergea un poing serré au col de chemise de Buell.

Le trafiquant de bois d'ébène tituba dans la lumière, clignant des yeux comme un hibou en mue. Beuglant de peur quand il comprit la menace mortelle qui l'attendait, il voulut regagner la douteuse sécurité de sa prison, trébucha à reculons, mais un coup de pied bien appliqué le remit dans la direction voulue. En quelques secondes, il fut en route vers le lac, tantôt courant, tantôt se traînant, tournoyant sur lui-même, les épaules soulevées afin de parer — de tenter de parer — les coups qui pleuvaient de toutes parts.

Ce qui suivit ne fut pas beau à voir, et pourtant je n'en pus détourner les yeux. Les massues de guerre, encore qu'elles s'abattissent furieusement, ne brisaient pas les os ; les tomahawks, étincelant en traits d'acier sous le soleil, ne faisaient qu'érafler les oreilles ou le crâne de l'homme, que déchiqueter ses vêtements en lanières — c'était du travail de précision. Je ne pus pas une seule fois obtenir une claire vision du visage de Buell : un chapeau à large bord tiré sur ses yeux l'aveuglait à demi pendant qu'il poursuivait son avance cahotée. Mais j'étais suffisamment proche pour entendre son souffle haletant, angoissé, pour remarquer la sueur qui lui perlait aux joues comme une avant-courrière de la mort. Quoi qu'il advienne, pensai-je, le pauvre type a déjà dans une certaine mesure payé pour le crime de Lije Wilburn.

La course de la prison jusqu'au lac fut terminée en quelques instants. La dernière massue retomba au moment où Buell s'étalait dans l'eau, barbotant, appuyé sur les genoux et sur les mains. Une main descendit comme une flèche pour rele-

ver le bord du chapeau qui lui couvrait les yeux. Oscillant
comme un ivrogne qui a perdu toute possibilité d'équilibre,
le misérable se laissa aller, se vautra un moment dans l'eau
peu profonde, comme s'il ne pouvait se croire en vie. Puis,
pouce par pouce, par pouce douloureux, il parvint à se redresser, prenant le plat-bord d'un canoë pour soutien. Avec ses
vêtements en lambeaux et le chapeau de planteur grotesque-
ment posé sur son crâne, il avait plus que jamais l'air d'un
épouvantail à moineaux.

Mais il y avait quelque chose d'indéniablement humain dans
son soupir de soulagement quand il fut parvenu à se hisser
à bord du dugout où il se laissa tomber. Il saisit une pagaie
et se mit à souquer farouchement vers l'eau profonde.

Même alors, j'étais sûr qu'il n'échapperait pas vivant.
J'avais entendu parler d'autres victimes de la baguette qui
n'avaient résisté de la sorte que pour être finalement abattues,
à peu près comme un chat rattrape d'un coup de griffe la
souris qui croit pouvoir fuir. Je retins mon souffle quand je
vis Coacoochee écarter les jambes, planter ses deux pieds bien
d'aplomb dans l'eau peu profonde et viser le long de la
flèche dont l'empennage était calé contre sa joue. Un grand
cri monta du village assemblé, meute réclamant le sang de la
bête aux abois.

Les yeux d'Oscéola croisèrent les miens et il me dédia le
plus fugitif des sourires avant de lever haut sa main droite
— le signal qui épargne la victime. Un murmure de désappoin-
tement courut le long de la berge du lac. Le Chat Sauvage,
bouche bée, tourna vers la plate-forme du chef un regard effaré
avant d'abaisser son arc en silencieuse acceptation de l'ordre
donné. Tel un homme sauvé d'un cauchemar, j'étais en transe,
au point de ne pas saisir clairement ce qui suivit, quand mon
frère de sang leva une seconde fois sa flèche et l'expédia à la
poursuite du dugout.

La flèche se planta, frémissante, dans le flanc du canoë ;
la deuxième fit éclater le bois du banc de nage. La troisième,
qui partit avec une vitesse chantante alors que le dugout
était déjà à une bonne centaine de yards de la côte, enleva le
chapeau de Buell et l'envoya voler au-dessus des flots —
ultime trait d'ironie destiné à rappeler au trafiquant de chair

humaine que c'était délibérément qu'on s'était abstenu de lui donner la mort.

Le chef séminole ne se joignit pas au déferlement d'insultes et de huées qui accompagnèrent Buell dans sa fuite. Il ne parla que quand le dugout se fut évanoui dans les ombres et les brumes du marécage, sur la rive lointaine, invisible.

— Il est parfois difficile de penser avec un cerveau d'homme blanc, Charlo. Ai-je eu tort de l'épargner ?

— Je ne saurais que me réjouir de ta clémence, répondis-je. Puis-je en connaître la raison ?

— Si Jack Buell a appris la crainte aujourd'hui, il se peut que quelque chose de cette peur atteigne son maître. En tout cas, mon avertissement aura plus de force quand tu auras transmis mon message à Saint-Augustin.

Oscéola parlait en tons fermes et clairs, laissant sa voix porter jusqu'à la foule en ébullition qui, à présent, bordait sa hutte.

— Va trouver le général qui a nom Finch, Charlo. Dis-lui que tu as été témoin de mon dernier avertissement; mon dernier acte de clémence. Si les chasseurs d'esclaves se risquent encore à passer nos frontières, nous combattrons le feu par le feu. En échange de chacun de nos alliés noirs déloyalement enlevé, nous nous assurerons un captif blanc. Et, pour chaque noir assassiné, nous tuerons deux blancs. Par réciprocité.

— Et s'il fait fi de vos paroles ?

— Tu connais bien le général Finch. Il respecte ton opinion. Dis-lui que ceci n'est pas une vaine menace, Charlo. Dans quelques jours, je serai en personne à Saint-Augustin pour contresigner l'avertissement.

Quelques minutes plus tard, alors que, nous séparant, nous nous serrions la main au bord du lac, Oscéola répéta son message. En termes identiques. J'écoutai avec la grave attention qui convient à un porte-parole, je saluai Coacoochee, puis, à tour de rôle, les autres chefs secondaires, tout en m'installant au banc de nage d'un dugout pour regagner le Saint John's, où m'attendait mon sloop.

L'après-midi commençait à décliner pendant que je levais mon camp. Je me répétai, une fois encore, le message avant de hisser la grand-voile et de laisser mon sloop m'entraîner dans la large courbe du fleuve — première enjambée de ma course vers l'aval et vers Millefleurs... L'impression qu'une tragédie couvait n'avait pas cessé d'oppresser mon esprit : j'avais beau m'y essayer, je ne parvenais pas à croire que le fait d'avoir épargné Buell servirait la cause de la paix.

Comme l'avait dit Oscéola, ce n'était pas chose facile pour un Séminole que de penser avec une cervelle d'homme blanc — et moins que jamais en ce vindicatif printemps de 1835, alors que chaque jour qui passait semblait élargir le fossé qui séparait les races. Une chose était certaine : le chef de guerre des Séminoles ne se laisserait pas aiguillonner davantage sans allumer la torche qui enflammerait toute cette frontière inquiète et tourmentée.

DEUXIEME PARTIE

OU LE MESSAGER CONNAIT D'AUTRES ÉMOTIONS

I

MILLEFLEURS

QUAND JE RENTRAIS de ces expéditions, il était bien rare que je regarde les toits de Millefleurs sans que mon cœur s'emplisse d'allégresse. Cette fois-ci n'était pas une exception.

Quand mon bateau vira gracieusement dans la chaude brise du sud-est et fila vers son mouillage à l'appontement de mon père adoptif, je sentis une fois de plus mes inquiétudes glisser de mes épaules.

Trois heures plus tôt, au seuil du chickee d'Oscéola, la froide haleine de la guerre m'avait étreint le cœur. Ici, avec les verts arpents d'Emile Michaud qui offraient leur souriante bienvenue au bord du Saint John's, il était facile de prétendre que, sur cette terre inondée de soleil, la civilisation était venue pour y rester.

Michaud avait jalonné cette vaste concession une bonne trentaine d'années auparavant, alors que la Floride somnolait encore sous le gouvernement de l'Espagne. Il s'était fait des amis parmi les alcades. Aujourd'hui, ses liens avec Tallahassee, la capitale du territoire, n'étaient pas moins fermes — et il était aimé de même par chacun des sachems du terrain de chasse des Séminoles, de l'autre côté du fleuve. Jusqu'alors,

Millefleurs leur avait rendu semblable confiance ; nulle meurtrière ne défigurait le haut portique blanc qui faisait face au
Saint John's — une rareté dans la Floride centrale de
l'époque, alors que chaque plantation isolée était un véritable
camp en armes, fortifié en vue de son premier raid indien.

Aujourd'hui, le domaine de mon père adoptif était dans
tout son beau. L'orangerie à laquelle la propriété devait son
nom était en pleine floraison ; le parfum de ces myriades
de fleurs d'un blanc neigeux venait jusqu'à moi par-dessus
le fleuve, pendant que je faisais courir à mon sloop une dernière bordée. Flanqué par l'orangerie vers le sud, le manoir
semblait beaucoup plus ancien qu'il ne l'était effectivement —
anachronisme dans le désert où les demeures de l'homme
blanc n'étaient guère que des cabanes au seuil de boue séchée.
L'avenue de chênes verts qui, partant de l'appontement, aboutissait au portique complétait cette image de sérénité, de
force opulente et profondément enracinée.

Je devais beaucoup à cette opulence et à l'homme qui l'avait
créée.

II

OU CHARLES PAIGE, DIT CHARLO, DIT CARLOS, SE PRESENTE

Je suis né Charles Paige, dans une ferme du Yorkshire,
dont mon père était locataire. Quand je rencontrai pour la
première fois Emile Michaud, je ne pouvais même pas me
dire Américain. Mon père n'avait été qu'un simple petit
cultivateur en Angleterre ; ma mère, que je n'ai jamais
connue, était une Ecossaise frontalière. Ces années d'East
Reading ne sont même plus un souvenir aujourd'hui. J'avais
juste douze ans quand mon père signa un accord avec l'agent
britannique de Michaud, contrat par lequel il s'engageait à

servir sur la plantation de Michaud jusqu'à ce qu'il eût
gagné l'argent de son passage et le mien.

En l'an de grâce 1819, nous embarquâmes ensemble pour
le Nouveau Monde. Cinq semaines plus tard, dans un ouragan hurleur et déchaîné, le brave navire *Prospect* coula sur
un récif à l'embouchure du Saint John's. La plupart des
passagers et des marins périrent — mon père était du
nombre. Un maître d'équipage et moi, accrochés au même
caisson à eau vide, dérivâmes avec le flux jusqu'à une plage
frangée de palmettes, sur la rive nord du fleuve. Petit à
petit nous parvînmes à Cowford — à l'endroit où s'élève
aujourd'hui la cité de Jacksonville ; les villageois nous donnèrent asile jusqu'à ce qu'un message pût parvenir, en amont,
à Millefleurs.

Quelques jours plus tard, un sloop arriva à Cowford pour
me transporter à la plantation. Si j'avais été plus âgé — ou
moins naïf au sujet de mes frères humains — j'aurais pu
me demander pourquoi Emile Michaud m'avait si promptement envoyé chercher, alors que, selon les lois de la frontière, aucune obligation ne l'y contraignait. Je revois encore
son sourire quand il m'accueillit dans l'ombre du grand portique. Je retrouve l'inquiétude dans sa voix quand il s'informa de ma santé. Avec sa crinière léonine et sa drôle de
barbe pointue, mon futur mentor évoqua aussitôt à mes
yeux une image de Charlemagne que j'avais vue dans mon
enfance. Pour ce qui est de cela, son allure de grand seigneur ne fit que confirmer mon impression. Faut-il ajouter
que, dès le premier instant, je l'idolâtrai ?

— Et dis-moi, qu'allons-nous faire de toi, mon brave ?

— Mon père vous devait une certaine somme d'argent
pour les frais de notre passage, répondis-je, sentant qu'il me
fallait répondre comme un homme. Laissez-moi travailler
pour vous rembourser.

— Tu parles comme un Anglais adulte, monsieur Charles
Paige — bien que tu ne sois guère plus haut qu'un têtard.

— Un Américain, monsieur, je l'espère.

— Correction acceptée. Si notre fortune tient bon en
Floride, nous serons tous Américains ici. Sais-tu lire ? ou
écrire ?

— Je sais les deux, monsieur. Et compter aussi.

— As-tu la main agricole ?

— Je l'avais dans le Yorkshire.

— Bon. Nous en avons besoin ici, à Millefleurs. Ce sol produira en abondance le moment venu. Mais il lui faut, d'abord, de la nourriture et de l'amour. Evidemment, tu devras terminer tes classes avant de te mettre au travail pour de bon. Le docteur Sanchez s'occupera de cela : c'est mon plus ancien ami à Saint-Augustin.

Actuellement encore, je ne sais pas au juste si ce fut un caprice romantique de l'âme de Michaud qui l'induisit à m'accepter — comme si j'étais tombé du bleu du ciel — à la place du fils qu'il n'eut jamais. Quoi qu'il en soit, dès ce premier instant, j'appartins à Millefleurs. Jusqu'à ce que j'eusse atteint mes seize ans, date à laquelle ma formation pour le poste de contremaître commença pour de bon, j'eus tout loisir de me découvrir moi-même, et presque absolument à ma guise. Quand je n'étais pas à mes études, je courais libre, aussi indépendant qu'un cerf, savourant toutes les délices du désert, et grandissant, me formant — littéralement — en même temps que le domaine.

Cela aussi — et je m'en rends aujourd'hui clairement compte — faisait partie du dessein d'ensemble tel que mon mentor l'avait imaginé. Dans son esprit, j'étais un véritable enfant de la nature, goûtant à ce que deux mondes différents offraient de meilleur — comme le fils qu'il n'avait point eu.

Bien sûr, entre ces insouciants vagabondages, il y avait de longues heures d'étude, mais je découvris vite que mes aventures parmi les livres présentaient presque autant d'attraits que mes parties de chasse en pays séminole ou que les expéditions pendant lesquelles, en compagnie de Coacoochee, nous guettions longuement le poisson-chat géant de Great Spring.

Après Emile Michaud lui-même, le docteur Arnaldo Sanchez fut le modeleur de ma jeunesse ; je serai toujours reconnaissant à ce magister juste mais exigeant. Il était à l'époque, et de très loin, l'homme le plus instruit de Floride. Docteur en médecine, avec une clientèle qui avait Saint-

Augustin pour centre, il était par excellence l'étudiant de la nature humaine, et la Floride entière était son bailliage.

Sanchez eût-il été moins épris de la bouteille, il aurait pu devenir une puissance dans ce pays turbulent où la moitié de la population était encore d'origine espagnole. Avec son cerveau agile pour me guider et la bibliothèque bien fournie de Millefleurs comme terrain de recherche, j'explorai à la fois la littérature et la science, fis de l'espagnol ma seconde langue et devins un très acceptable latiniste. Sanchez avait, parmi ses patients, de nombreux Séminoles, et il arrivait assez fréquemment que, pour soigner quelque malade, nous partions avec nos livres dans l'arrière-pays. Avec le temps, je m'aperçus que je pouvais, moi aussi, guérir les fièvres et réduire les fractures. L'étude de la tradition indienne était beaucoup plus qu'une fantaisie pour mon maître. En fait, ce fut grâce à son exemple que j'appris à bien comprendre les problèmes des Séminoles — et la nécessité criante de leur fournir une solution.

Pour mes vingt et un ans, Emile Michaud m'informa que j'avais depuis longtemps remboursé par mon travail la dette de mon père ; en témoignage spécial de sa faveur, mes papiers de citoyenneté furent enregistrés à Tallahassee, faisant de moi un Américain en fait aussi bien qu'en nom. Avec les amis que j'avais à Saint-Augustin, il me fut facile d'obtenir le grade de capitaine dans la milice territoriale (honneur qui n'était en aucune façon onéreux et que je justifiai de mon mieux chaque fois que mes devoirs à Millefleurs me permettaient d'assister à un exercice) à la caserne de Francis Street.

Comme j'aurai par la suite à parler plus longuement de la milice de Floride, je me contenterai ici de reconnaître que mon grade de capitaine me valut une sorte de distinction, quand je servis de cavalier à l'une des filles du général Hernandez lors d'un bal donné à cette même caserne. Néanmoins, pour ce qui était de prestige véritable, cela ne signifiait pas grand-chose, car la péninsule avait toujours eu ses *vigilantes,* et la milice officielle n'était, à l'époque, qu'une extension de cette force de police primitive. Il va de soi qu'aucun de nous n'était disposé à rien accepter, outre la discipline rudimentaire, et que nous ne reconnaissions pas volontiers l'aùtorité des quelques durs à cuire de l'armée qui vivaient à la caserne, commandaient notre artillerie et nous instruisaient chichement dans le maniement d'armes, l'école de compagnie et le protocole militaire.

Saint-Augustin avait pris récemment une apparence plus martiale grâce à l'arrivée d'un régiment complet de dragons venant du Nord. La rumeur publique assurait que ces éclatants guerriers blanc et bleu (qui, sur cette frontière, servaient d'infanterie, ce qui ne les empêchait pas, lorsqu'ils se promenaient en crânant par la ville, de se montrer de véritables cavaliers) avaient été expédiés en Floride pour deux raisons. D'abord, la simple arrivée d'une telle force convaincrait les Séminoles que ce qu'ils avaient de mieux à faire, c'était d'en venir à une entente. Ensuite leur présence rappelait aux territoriaux (qui, après tout, étaient destinés à supporter le poids entier de l'action quand elle s'étendrait) qu'une autorité plus haute et plus sévère que leurs propres commandants leur donnerait des ordres à l'avenir...

Déjà, dans les bodegas, les têtes s'étaient échauffées. Le fait que ceux du pays avaient « marqué le point » dans la plupart des « bagarres aux poings » n'avait pas arrangé une situation difficile.

— Ainsi va le monde, Carlos, avait souligné le docteur Sanchez. Dans tous les métiers et partout, le professionnel méprise et méprisera toujours l'amateur.

— Je croyais que l'armée était une carrière, dis-je.

— C'est un métier comme un autre, *niño mio*. Si les soldats meurent dans leur uniforme, tel est aussi le cas des maçons et des briquetiers. Le fait demeure que les hommes qui vivent selon et d'après des règles doivent infailliblement haïr ceux qui ne le font pas.

— Malgré quoi, c'est l'amateur qui gagne les guerres en Amérique.

— On ne peut plus vrai. Et ce sera plus vrai encore si on en vient à se battre ici même. C'est une leçon que le 1er dragons pourrait bien apprendre — vienne le moment.

III

OU L'ON CONSTATE QUE LES REVES,
QUELS QU'ILS SOIENT, SONT FRAGILES

« Si l'on en vient à se battre ici même... » En dépit de mon bon moral, ces mots revenaient me hanter quand, mon quartier de venaison sur l'épaule, je fis le tour de la maison, à Millefleurs, pour rentrer par la porte de la cuisine.

Si je parvins à repousser cette menace, ce fut parce que des affaires plus pressantes réclamaient mon attention. Grâce à la routine que j'avais instaurée et perfectionnée au cours des ans, Millefleurs aujourd'hui fonctionnait avec la régularité d'une horloge. La coutume toutefois voulait que je visite chacun de nos contremaîtres, ce que je fis après avoir laissé mon gibier aux mains de la cuisinière. Le soir tombait quand enfin je trouvai le temps de me rendre auprès de mon père adoptif.

Je savais qu'Emile Michaud m'avait vu arriver, assis qu'il était sous le portique à côté de son verre d'avant le dîner. Ces derniers temps, j'avais fréquemment senti son regard sur moi quand il pouvait m'observer sans être observé de son côté. Je l'ai appelé mon père adoptif, et c'est bien ce qu'il était ; je pouvais, aussi justement, me dire que j'avais adouci sa solitude d'homme sans enfant. Toutefois, je ne pouvais prétendre au moindre titre de parenté avec lui. Il était exact qu'Emile Michaud avait répondu de moi et pour moi à Tallahassee quand la citoyenneté américaine m'avait été accordée, mais mon adoption à Millefleurs n'avait jamais été légalisée. Dans les registres territoriaux, je n'étais porté ni comme fils adoptif ni comme héritier, et pour une bonne raison : le légitime ayant droit à ces honneurs existait déjà en Europe.

En quittant la France, mon mentor n'avait emmené avec lui, pour partager son exil, que sa sœur unique. Ils s'étaient arrêtés quelque temps à Edimbourg pour remettre leurs affaires en meilleur ordre ; la sœur s'était mariée là-bas, se refusant à affronter les périls du Nouveau Monde. Elle et son Ecossais de mari avaient laissé orpheline une fille prénommée Marie comme sa mère. Emile Michaud commençait à peine, à l'époque, à s'installer solidement en Californie, mais il avait accepté la charge de l'enfant, bien qu'un océan s'étendît entre eux.

A mesure que sa fortune s'affermissait, il avait pris ses dispositions pour qu'elle fût élevée à Londres et à Paris. Des nouvelles de sa réussite lui étaient parvenues récemment, de New York, avec de fréquents envois de livres et de journaux. Marie MacDowell (qui ne signait articles et volumes que de ses initiales) promettait de rivaliser avec des bas bleus aussi célèbres que, par exemple, Harriet Martineau, dont les ouvrages si vivants occupaient une place de choix dans la bibliothèque de Millefleurs.

La raison et la logique me disaient que Marie MacDowell avait le premier droit à l'affection de son oncle. Je n'avais aucunement été surpris quand, à côté du docteur Sanchez, comme je servais de témoin à l'enregistrement du plus récent testament d'Emile Michaud, j'avais entendu qu'elle hériterait de la plantation et que j'étais nommé exécuteur testamentaire, en même temps que régisseur à vie si l'héritière souhaitait me garder à son service. Pourquoi me serais-je attendu à ce qu'Emile Michaud fasse davantage pour moi — alors qu'il avait déjà tant fait ? L'espoir avait pourtant continué à me tirailler l'esprit, malgré tous les arguments du sens commun.

J'avais réfléchi sur chacun des mots écrits par Marie MacDowell — les articles de journaux à la signature énigmatique, aux initiales qui déguisaient l'auteur, et qui toujours défendaient, en France ou en Angleterre, les droits du plus faible, de celui qui avait le dessous, de l'opprimé. Si j'avais ignoré son identité — ou son sexe — j'aurais instantanément adopté ses vues, j'aurais acclamé ses impraticables projets pour d'illusoires lendemains. Mais, telles que se présentaient les choses, je ne pouvais ressentir qu'un antagonisme imprécis, une inimitié d'autant plus exaspérante qu'elle n'avait ni substance ni foyer.

Parce que j'avais beaucoup voyagé entre Savannah et

Charleston, lesté d'une bourse bien garnie, mon expérience avec des femmes d'un certain genre était assez étendue ; j'ai toujours eu l'œil aventureux, le cœur disposé à prendre l'amour où je le trouvais et l'esprit assez léger pour accepter la fausse monnaie à défaut de la vraie. En dehors de quelques bals mondains à Saint-Augustin à l'époque du carnaval, mon commerce avec les dames avait été strictement limité. Ma connaissance de l'espèce bas bleu se bornait aux œuvres de Miss Martineau et à quelques autres de sa race.

Il va de soi que je mettais Marie MacDowell dans le même sac, que je voyais en elle l'exemple classique de la vierge imbibée de vinaigre. J'avais été choqué en apprenant de la bouche de son oncle qu'elle venait d'épouser à Londres un Américain, un certain major Alan Campbell, attaché militaire à notre ambassade, et qu'au moment de ses justes noces elle n'avait que vingt-quatre ans, quatre ans de moins que moi.

Le major avait amené son épouse en Amérique il y avait quelques semaines, et, n'ayant pas eu de permission pour sa lune de miel, il avait formé le projet de visiter la Floride afin de remédier à cette privation. Il m'était facile de comprendre que le ménage avait décidé de s'assurer sans délai l'affection d'Emile Michaud — pour ne rien dire de son domaine. Il était encore plus facile de conclure que le régisseur de Michaud, s'il désirait conserver sa place au soleil, devait aiguiser son esprit et se trouver prêt à anticiper les désirs des conjoints.

Je pensais à tout cela en m'habillant pour le dîner. Je lissai attentivement mes cheveux avec une paire de brosses militaires, j'étudiai mon profil dans la glace d'entre-fenêtre : du fait que je travaillais toujours nu-tête, même par les jours les plus chauds, ma peau était presque aussi foncée que celle d'un Séminole — mais j'eus la satisfaction de constater que mes traits ne s'étaient pas durcis à la perspective de la lutte que je devrais bientôt engager contre cette intruse. Repoussant ces pensées mélancoliques, je descendis et traversai le grand hall du manoir, envahi par les ombres du crépuscule.

Emile Michaud était assis sous le portique, dans un fauteuil d'osier ; à côté de son coude, la carafe n'était qu'à moitié vide, mais je savais qu'elle devait être remplie avant l'heure du coucher. A présent qu'il approchait d'une belle vieillesse, ses désirs étaient simples : un verre de bon bordeaux, une vue sur le fleuve à l'heure où les premières chauves-souris se mettent en chasse entre les fûts des cyprès, une oreille disposée à l'écouter, telles étaient ses notions de paradis terrestre. Depuis d'innombrables couchers de soleil, j'étais son auditoire d'un seul homme, de sorte que je repris tout naturellement ma place et nos habitudes, serrant sa main entre les miennes, puis m'installant sur le bord de la terrasse, le dos appuyé à un pilier.

— Quelle nouvelle, mon père ? (Nous avions coutume de converser en français quand nous étions seuls. Michaud lui-même avait inventé la fiction parentale.)

— Dis-moi d'abord les tiennes. Pourquoi n'as-tu apporté à mes cuisines qu'un quartier de venaison ?

Je lui lançai un coup d'œil aigu. Sa voix me semblait plus lasse que je ne l'aurais voulu, et les traits de son visage paraissaient fléchir un peu, comme la face d'un vieux lion. La crinière qui ombrageait son front était devenue d'un blanc de neige et sa barbe d'homme oisif avait perdu beaucoup de son lustre. Seuls, les yeux gardaient l'éclat et la vivacité qui m'avaient chauffé le cœur dès notre première entrevue. Ils ne vacillèrent pas lorsque je lui parlai de ma rencontre avec Coacoochee et des événements menaçants qui s'étaient produits dans le village séminole.

— Ils ont bien fait de laisser partir Jack Buell, dit-il. Les choses vont déjà assez mal à Saint-Augustin. Jusqu'à Sanchez qui avance que les Indiens doivent partir si on veut avoir un jour la paix en Floride.

— Et vous ?

Avant de répondre, Emile Michaud regarda distraitement le fond de son verre vide.

— Les choses étaient plus simples quand je me suis installé ici. Le flot de l'histoire coulait lentement en ce temps-là et il y avait assez de place pour tout le monde. J'aurais juré alors que jamais un colon blanc ne convoiterait le terrain de chasse des Séminoles.

Ses yeux se tournèrent vers la barrière du Saint John's,

large d'un mille, dont le flot d'un bleu de fumée tournait au gris avec le soir. Sur la rive occidentale, les ·pins tranchant sur le ciel enflammé par le couchant paraissaient redoutables et farouches comme autant de monstres préhistoriques.

— On nous apprend aujourd'hui que les savanes Alachua ont le sol le plus riche de toute la Floride. Ce qui signifie évidemment qu'un jour plus ou moins proche elles seront défrichées en vue du fermage — même si le sang doit couler dans les sillons.

— J'ai chassé dans le sud lointain, dis-je. Près de la région que les Indiens Payahokees nomment la mer Herbeuse. Peut-être les Séminoles pourraient-ils être persuadés de s'y installer.

— Oscéola a souvent parlé de la mer Herbeuse comme d'un moyen de se tirer de difficultés. Mais la question des esclaves ?

— Ils font partie de la nation. Pourquoi ne pourraient-ils pas gagner le sud tous ensemble ? A tout le moins, cela retarderait la guerre d'une génération.

— Tu vois juste, Charles. Cela résoudrait le problème pour un certain temps — si le gouvernement voulait rappeler Lije Wilburn, arrêter son activité et conclure un accord pour dédommager les propriétaires d'esclaves fugitifs.

Michaud secoua les épaules tout en remplissant son verre.

— Oublions pour l'instant les problèmes du gouvernement. Dis-moi, Coacoochee est-il toujours aussi beau à voir ?

— Il pourrait passer pour un *don,* s'il le voulait.

— Tout comme tu pourrais passer pour un Séminole.

Le vieil homme rit doucement et vida son verre.

— Le Chat Sauvage et toi avez toujours fait une paire magnifique et fougueuse. Vous avez été frères au sens le plus complet du mot. Sais-tu qu'il fut un temps où je rêvais de faire donner à Coacoochee une éducation, une formation complètes et de lui octroyer par contrat un millier d'arpents lorsqu'il succéderait à son père le roi Philip ?

— Ce serait à peine faisable aujourd'hui.

— A peine. Comme la plupart des rêves, le mien n'avait guère de rapport avec la réalité. Il n'y a pas si longtemps, j'espérais que la nation entière pourrait être civilisée — avec des habitations stables, son propre gouvernement, même des presses à imprimer, comme les Cherokees. Le président Jackson et le ministère de la Guerre en ont décidé autrement. Les Cherokees préparent déjà la voie pour demain. Avec le temps, il faudra que les Séminoles fassent de même.

— Nous n'en devons pas moins faire ce que nous pouvons pour éviter une effusion de sang, même si ce n'est qu'une vaine espérance.

— C'est vrai, Charles. Dis ce que tu voudras quand tu verras le général Finch. J'appuierai tes sentiments.

— Quand puis-je entreprendre le voyage ?

— Le plus grand des deux sloops est prêt à partir, répondit mon père adoptif. Tu peux descendre le fleuve au clair de lune et dormir à l'appontement de Picolata. J'aimerais que tu sois à Saint-Augustin demain.

Voyant ma surprise, il sourit largement.

— Pendant que tu étais à la chasse avec Coacoochee, j'ai appris que Marie et son mari sont arrivés par le dernier paquebot de New York. Naturellement, ils ont hâte de voir Millefleurs ; je souhaite que tu les conduises ici.

— Le major Campbell peut, bien sûr, trouver un courrier militaire pour leur montrer le chemin.

La protestation s'était automatiquement échappée de mes lèvres.

— Vous savez combien on a besoin de moi ici, au printemps.

— C'est un ordre, Charles, dit-il du ton sévère qu'il n'employait que rarement. Le discuterais-tu ?

— Votre désir sera obéi, mon père, fis-je avec mauvaise humeur. Il ne me paraît pas moins que la dame et son mari pourraient se procurer leur propre escorte.

— Ne me dis pas que tu redoutes de rencontrer une femme écrivain ?

— C'est pire que redouter ! Il y a longtemps que je me suis rendu compte que j'aurais à prendre les ordres de Mrs. Campbell, un jour ou l'autre. L'image que je me suis faite de cette situation n'a rien de très séduisant et je ne suis pas pressé de l'aider à prendre place dans le cadre !

— Moi non plus, Charles.

Je lui lançai un rapide regard, mais ses yeux riaient et pétillaient.

— Quand j'ai fait de ma nièce mon héritière, je comptais que les choses auraient tourné tout différemment. Marie est ma seule parente, je ne puis faire autrement que de lui laisser ce que je possède de fortune. Mais j'espérais qu'elle arriverait jeune fille à Millefleurs. Une jeune fille que tu aurais pu épouser et qui aurait partagé le domaine avec toi.

Je voyais qu'il pensait chacune de ses paroles ; nous avons toujours été honnêtes l'un vis-à-vis de l'autre.

— J'ai déjà démontré précédemment que je suis un rêveur, continuait Emile Michaud. J'avais le sentiment que ce rêve-là du moins avait de bonnes chances d'aboutir. Les livres de la jeune personne et ses lettres prouvaient qu'elle avait une cervelle ; je ne demandais qu'à lui donner la formation la meilleure et la plus complète que l'argent puisse acheter — sans rien lui promettre de plus. Jusqu'à ce qu'elle épouse Campbell, elle gagnait elle-même sa vie à Londres, sans l'ombre d'idée qu'une fortune l'attendait ici.

— Un mariage d'amour, par conséquent ?

— Ça m'a tout l'air.

Michaud soupira profondément.

— Quand un Anglo-Saxon se mêle de faire la cour... J'ai supposé que la première chose qu'il cherchait était une dot... Qui s'imaginerait que ce major épouserait une intellectuelle, sans espérances connues ?

— Vous êtes cynique, mon père.

— Le cynisme, mon fils, est le privilège de l'âge. Tu me croiras si je te dis que j'espérais que Marie te choisirait.

— Comment pouviez-vous être certain que je l'aurais choisie ?

— Tu n'as jamais refusé d'accomplir aucun de mes souhaits. Aurais-tu rejeté le dernier — et le plus·important ?

Les yeux de Michaud brillaient à présent d'un feu vif. Sans aucune raison précise, je me souvins de la clarté verte dans le chickee d'Oscéola et des paroles de défi qu'avait prononcées le Séminole. En cette seconde, l'Indien et le Français auraient pu être deux jumeaux têtus, cramponnés à une vision qu'ils n'abandonneraient qu'à la mort. J'avalai une boule qui soudain gênait ma gorge et me hâtai de changer de sujet.

— Parlez-moi davantage du major Campbell.

— Je ne sais pas grand-chose moi-même. Seulement qu'il est de la Nouvelle-Angleterre et un gentleman. Après une courte permission ici, il est désigné pour le service actif à Fort King.

— C'est plutôt bizarre de voir un attaché militaire demander à prendre du service actif en campagne, en Floride !

— Les carrières se feront également ici, mon garçon, s'il y a une guerre. De toute façon, un bon époux doit s'intéresser aux biens de sa femme. En outre, Marie m'écrit qu'elle a une commande de son éditeur de Londres. Elle doit écrire une série d'articles sur cet arrière-pays. Une étude sur les Séminoles et leur lutte pour survivre — c'est sa propre phrase. Par accord spécial, ses dépêches paraîtront originellement dans le *New York Herald*.

» Ce qui te donne peut-être une idée de son importance ! »

TROISIEME PARTIE

LA SOIRÉE DE SAINT-AUGUSTIN

I

OU CHARLES PAIGE OCCUPE
UNE HEURE OISIVE
A SE REMEMORER L'HISTOIRE DE LA VILLE

C'ETAIT L'HEURE DE la sieste quand j'entrai dans Saint-Augustin. Puisque la ville dormait derrière ses stores baissés, j'avais déjà, en traversant par le ferry de San Sebastian, résolu d'en faire autant. A l'hôtel Livingstone, je ne donnai qu'un bref coup d'œil au registre des arrivées afin de m'assurer que le major Campbell et Madame n'y étaient pas descendus. J'éprouvai une obscure satisfaction à apprendre que nous ne logerions pas ce soir sous le même toit.

Depuis que j'avais promis à Emile Michaud d'aller présenter mes respects à son héritière, je n'éprouvais plus aucune hâte à entreprendre mes occupations. Je décidai de commencer par tâter le pouls de la ville, bourrée de soldats comme toujours et impatiente de célébrer le carnaval annuel qui commencerait au coucher du soleil. La grande fiesta de printemps avait toujours fait partie intégrante de la vie à Saint-Augustin. Bien avant l'heure dite, les rues proches de mon hôtel seraient, je le savais bien, pleines de dragons reluqueurs, de filles aux yeux de biches enveloppées de leurs mantilles jusqu'aux paupières, d'hidalgos qui parlaient avec le zézaiements propre à la Castille et de mauvais garçons qui ne parlaient que leur langage particulier.

A la brune ces joyeux drilles, et tous ceux qui voulaient se divertir, commenceraient à converger vers la plage pour le *paseo,* la promenade qui y avait lieu traditionnellement, chaque soir, d'un bout de l'année à l'autre.

J'appris par le portier de l'hôtel que le général Finch avait quitté la ville le jour précédent pour une tournée d'inspection dont il ne reviendrait que le lendemain. Cela, c'était une bonne nouvelle, car je ne me sentais pas en dispositions favorables pour affronter, en qualité d'avocat des Séminoles, ce soldat endurci. Il m'était beaucoup plus agréable de suivre l'esclave domestique aux pieds nus qui portait mon sac de voyage vers ma « suite » habituelle, deux pièces hautes de plafond d'où la vue s'étendait par-dessus les toits de la cité, les balcons de Charlotte Street et les vénérables chênes de la plaza.

Je me retrouvai dans l'ombre de mes persiennes à regarder Saint-Augustin, une ville qui, malgré son authentique caractère d'antiquité, n'était pas encore autre chose qu'un village démesuré. Après de nombreuses visites, je connaissais par cœur ces rues tortueuses et biscornues, et cependant, quoique la ville fût chaleureusement accueillante, je m'y sentais souvent un étranger... Il en allait différemment à Savannah et à Charleston, qui sont américaines jusqu'à la moelle, et dont le langage était familier à mon oreille. Saint-Augustin, cet après-midi, était un morceau de vieille Espagne, transféré sur le littoral de Floride que rongeait le soleil. Je n'avais jamais vraiment appris sa langue, bien que son castillan fût mieux que passable.

D'où je me tenais, je voyais le tracé de la douve vers le nord, les portes de ville qu'avaient construites les *conquistadores,* le castillo sur sa colline élevée de main d'homme. A l'ouest, après une frange marécageuse, je pouvais suivre du regard le fil du San Sebastian et repérer le lieu où il rejoignait l'estuaire du Matanzas qu'emplissait et vidait la marée. Les Espagnols avaient bien choisi l'emplacement de leur cité, péninsule virtuellement à l'abri des attaques sauf par le nord, où ces antiques protections avaient pendant des siècles repoussé tous les arrivants — pas tous. Non. Sir Francis Drake avait mis la péninsule à sac en 1586, alors que Saint-Augustin était dans son enfance. Oglethorpe, descendant en trombe de Géorgie pour donner l'assaut à la ville, avait contraint la population à se réfugier dans le castillo, que ses canons avaient pilonné jusqu'à obtenir une reddition, une soumission totales... J'étais prêt à présent à me glisser sous l'abri de la moustiquaire où je comptais user l'après-midi à sommeiller, quand ma pensée revint vers Oséola : avec la force et la puissance d'une nation indienne derrière lui, pourrait-il imiter les deux Anglais ?

II

POUR ETRE UN REGISSEUR, ON N'EN EST PAS MOINS UN GENTLEMAN...

Il s'en fallait d'un rien que la nuit soit entièrement tombée quand je me réveillai — à cette heure entre chien et loup où les guitares palpitent de partout et de nulle part dans Saint-Augustin, et où le cœur d'un jeune homme chante sa propre réponse à leur défi. Qui pourrait me blâmer d'avoir fredonné les premières mesures d'une *jota* tout en m'insérant dans ma culotte de daim collante, dans des bottes qui brillaient comme des miroirs, une chemise à jabot de mousseline plissée et une vaste cravate ? Mon habit, en toile couleur de pêche, était coupé à la dernière mode de Londres.

Sous mon sombrero à calotte plate incliné suivant un angle quelque peu cascadeur, un cigare entre les dents, je sentais que j'aurais pu passer pour un nabab en voyage d'agrément plutôt que pour un régisseur de l'arrière-pays.

Dans George Street, je m'arrêtai chez un coiffeur pour me faire donner un coup de fer. A ma bodega favorite, au coin de Treasury Street, je m'offris la première libation de la soirée, un verre de rhum cubain.

Ce mois-ci, le docteur Arnaldo Sanchez était de service comme chirurgien contractuel à la caserne Saint-François ; tôt ou tard, je le savais, je devrais aller à sa recherche, mais j'avais décidé de m'y rendre par un détour et d'éviter, pour le moment du moins, les courants les plus tumultueux du carnaval. Je me refusais encore à donner un nom à mon manque de confiance en moi, mais j'étais résolu à repousser jusqu'au tout dernier moment possible une rencontre avec les Campbell et me fournis pour ce faire d'excellentes excuses — du moins m'efforçai-je de les trouver telles.

J'arrivai finalement, à force de flâner en direction du nord, aux portes de la cité, côtoyai la douve et passai sous les murs du castillo accroupi sur sa colline comme un crapaud monstrueux. Construite en blocs de *coquina* (1) patinés par le temps (matériau très en usage dans la région), la forteresse était le symbole d'un sombre passé ; même sous l'éclat du coucher de soleil printanier, elle évoquait un tombeau. Gamin, j'avais escaladé ses murs et exploré ses donjons — ce qui ne m'empêchait pas de ressentir toujours un frisson quand je passais dans son ombre... A présent que notre drapeau flottait au-dessus de sa plus haute guérite, la vénérable relique avait été rebaptisée Fort Marion — mais la plupart des Floridiens continuaient à l'appeler le Castillo de San Marco. Les histoires de fantômes errant sur ses terre-pleins, de gémissements et de cris de souffrance jaillissant de ses profondes oubliettes, dureront à Saint-Augustin aussi longtemps que ces remparts sévères...

Ce soir, cela faisait un curieux effet d'entendre un clairon américain sonner dans la cour intérieure et déchirer l'air de ses notes aiguës, de regarder la sentinelle en uniforme et en shako faire la pause sur la barbacane. Tout comme la gueule des canons pointant aux embrasures, la présence d'un soldat exactement au-dessus du pont-levis était surtout une question de prestige, de parade et d'effet à produire : quatre

(1) *Coquina :* sorte de pierre assez tendre, blanchâtre, composée d'un agglomérat de coquilles marines et de débris de coraux. Utilisée comme pavage dans certaines parties des U. S. A.

hommes et un caporal constituaient actuellement toute la garnison du fort, sa fonction essentielle consistant désormais à servir de prison à des malfaiteurs endurcis...

Pour quelque raison que je ne pouvais comprendre (à l'époque j'aurais à peine pu y reconnaître une fugitive vision de la tragédie qui allait s'y dérouler), je ressentais ce soir plus profondément que jamais mon frisson d'horreur... Obéissant à la même force intérieure, je croisai mes doigts (1) et détournai obstinément les yeux, en passant devant la lourde masse grise.

Une promenade le long de la digue de mer, un second verre de rhum à la bodega de Los Hermanos, sur la plaza, me rendirent promptement ma bonne humeur et, quand je passai sous les arcades blanchies à la chaux de la caserne pour dénicher le docteur Sanchez à l'infirmerie, j'avais recommencé de fredonner la *jota*.

Mon ancien maître était en train de réduire une fracture au bras d'un sergent et transpirait en travaillant. Le pichet que chirurgien et patient partageaient pendant cette épreuve était posé entre eux sur un appui de fenêtre — et j'y pris moi-même une rasade avant d'enlever mon habit et de me mettre en devoir d'aider le docteur.

Arnaldo Sanchez était une vraie boule de beurre et jamais ne manquait de me rappeler Sancho Pança, compagnon de l'immortel Don Quichotte. L'excellent docteur avait, grâce à une magnifique chevelure blanche et à un profil grassouillet qui rappelait l'un des derniers — et décadents — souverains espagnols, quelque chose d'un peu théâtral. Même en ce moment où il n'était couvert que de sous-vêtements, il donnait l'impression d'être costumé, comme s'il venait de débarquer tout droit d'une époque plus flamboyante.

A y regarder de près, Sanchez n'était espagnol que de façon assez vague : produit d'un père minorquin et d'une mère italienne, son sang n'était que faiblement teinté de celui des *conquistadores*.

Une fois le bras du sergent confortablement calé entre des

---

(1) Croiser le majeur par-dessus l'index, geste de superstition pour détourner le mauvais sort.

attelles et une écharpe, et l'homme parti vers le quartier en jurant et sacrant tout son soûl, Sanchez ferma d'un coup de pied la porte de l'infirmerie. Le sourire qui relevait en coin sa moustache triomphante (cela lui ressemblait bien de s'accrocher à cette moustache en un temps où presque tous les hommes étaient rasés de près) me disait assez que j'étais le bienvenu.

— Tu devrais monter plus souvent à Saint-Augustin, Carlos, dit-il en ce doux espagnol ronronnant qui venait tellement plus spontanément sur sa langue que l'anglais. Emile peut fort bien se passer de toi, à présent que son coton a levé. Mais tu es ici pour les affaires de la plantation, je le devine à ton air hargneux.

— Comment le savez-vous, *señor médico* ?

— Ne perdons pas de temps en explications. Voici moins d'une heure, je bavardais avec le major Alan Campbell, je sais exactement en quoi consiste ta mission. La trouves-tu si désagréable ?

— Aimeriez-*vous* vous trouver comme laquais au service d'une dame-journaliste *et* de l'homme qui, un jour ou l'autre, donnera ses ordres à Millefleurs ?

— Il me reste encore à rencontrer la dame, dit Arnaldo Sanchez ; je ne puis donc répondre à ta question d'une façon complète. Mais son mari m'a semblé plutôt agréable. Un peu distant et supérieur — tu sais, la fameuse nuque roide dont parlent les Ecritures — comme tous ceux de l'armée, mais aucun doute n'était possible quant à son importance.

Je gémis intérieurement et tendis le bras vers la cruche : l'image ne collait que trop exactement sur celle que j'avais envisagée.

— Le major m'a-t-il demandé ?

— Il n'y a pas manqué — et il a manifesté quelque impatience de ce que tu ne l'aies pas cherché.

— Où logent-ils ?

— Pour l'heure, ils sont les hôtes du général Hernandez à sa maison de Charlotte Street. Suis mon conseil, Carlos : va présenter tes respects pendant que tu es encore sobre.

— Insinueriez-vous que j'ai trop bu ?

— En aucune façon. Je sais que tu as la tête dure et la

jambe légère. Mais c'est un vieil usage de Floride de boire beaucoup en temps de carnaval. Tu auras besoin d'avoir la cervelle lucide quand il s'agira de croiser le fer avec la dame.

— Devrons-nous croiser le fer ?

— Reconnais que tu es préparé à la détester à vue, Carlos.

Je me mis à rire avec lui. Cela donne toujours un certain choc de découvrir qu'un autre homme démêle mieux que vous vos propres mobiles. Je questionnai :

— Pouvez-vous m'en blâmer ?

Le vieux docteur s'étendit confortablement sur sa table d'opération ; c'était une de ses positions favorites quand il était sur le point de se lancer dans une dissertation philosophique.

— Le rhum, dit-il, est l'une des plus anciennes inventions qui permette d'atténuer la souffrance de vivre. Et aussi les rêves éveillés que l'homme tisse pour cacher ses craintes. Sois honnête, Carlos. Dans ces rêves, n'étais-tu pas le maître du domaine ?

Ces phrases étaient d'une indiscutable vérité. Je ne discutai donc pas, j'admis :

— J'ai toujours souhaité être plus et mieux que le régisseur d'Emile Michaud, cela va de soi. A présent que son héritière est en Floride, mon intention est de m'en accommoder au mieux.

— Alors va donc présenter tes devoirs à la *casa* Hernandez. Invite le major et sa femme à la *fiesta,* pour leur montrer que tu es sans rancune.

— Je ne suis pas du tout en humeur de fiesta.

— Je détecte une note fausse, dit Sanchez. Tu n'as jamais, pour autant que ma mémoire soit fidèle, manqué un carnaval. Cela te donnerait-il meilleur moral si je te disais que Coacoochee est en ville ? On m'assure qu'il cherche Wilburn et qu'il brille du désir de se bagarrer.

C'étaient là, en vérité, de troublantes nouvelles. Le goût du Chat Sauvage pour les mascarades était bien connu à Saint-Augustin. Du temps que les relations avec les Séminoles étaient amicales, il avait été l'hôte bienvenu d'une douzaine de demeures. L'histoire pourrait n'être pas la même cette fois-ci.

— Oscéola est-il avec lui ?

— Bien sûr ! affirma le docteur. On ne les voit pas souvent l'un sans l'autre ces temps-ci.

— Peut-être bien suis-je moi-même brûlant du désir de me bagarrer. Si je *me* mettais, *moi,* à la recherche de Wilburn ?

— Quel est ton sujet de querelle avec lui ?

La question était raisonnable et je n'avais aucune réponse prête. Comme beaucoup de Floridiens, le docteur Sanchez avait opté pour la voie moyenne dans la brûlante question de la déportation des Indiens. Malgré toute sa tolérance, je n'avais pas encore pu le convaincre qu'un affranchi séminole, surtout s'il penchait du côté foncé, pût être considéré comme son égal. Je répondis avec légèreté :

— Qui a besoin d'un motif pour chercher querelle en période de carnaval ? Wilburn et moi avons déjà terminé nos discussions en frappant du poing sur les bars une douzaine de fois pour le moins. Pourquoi ne continuerions-nous pas en essayant de frapper du poing chacun sur la mâchoire de l'autre ?

— Particulièrement ce soir, par exemple ? Quand cela pourrait éviter à Coacoochee de passer la nuit dans une cellune du castillo ?

— Vous lisez dans ma pensée, *señor médico.* Je suis un homme de paix. Et même je suis suffisamment paisible, assez profondément paisible, pour entamer une rixe dans un cabaret si j'y vois un moyen d'empêcher une guerre.

— Agis à ta guise, Carlos. Promets-moi seulement que tu prendras part à la fiesta jusqu'à minuit et que tu te présenteras à la résidence Hernandez. Ce que tu feras ensuite est ton affaire et rien que ton affaire.

— Vous avez ma promesse, assurai-je. De toute manière, il n'est pas admis qu'à Saint-Augustin un gentleman se bagarre avant minuit, même en temps de fiesta.

III

... VOIRE UN *CABALLERO* VULNERABLE AUX FLECHES DE L'AMOUR

La plaza, quand je la traversai pour la seconde fois, était bourrée de fêtards masqués. En majeure partie, c'était une multitude inoffensive, tournoyant comme des lucioles parmi les groupes de dragons qui flânaient par là, occupés à leur passe-temps favori qui était d'écraser la milice du regard. Jusqu'à présent, personne n'en était venu aux mains, ce que j'appris en me mêlant à la foule, m'arrêtant de temps à autre pour accepter un verre de mes camarades officiers de la territoriale — ou pour le leur offrir. Les froncements de sourcils n'avaient encore été que chiqué et faux semblant, histoire de montrer une humeur innocemment — bien qu'assez grossièrement — badine et juvénile. Mais, ainsi que l'avait prophétisé Sanchez, le tableau changerait après minuit.

Les Indiens étaient nombreux parmi la masse qui, dans le dernier solennel rigodon du *paseo,* tournait en sens inverse des aiguilles d'une montre, avec, pour centre, le monument espagnol moussu et pour dais le vénérable chêne vert. Bon nombre des visiteurs, traînant là les pieds, étaient des guerriers parés de quelques vestiges d'élégance de blancs.

Leurs squaws marchaient un pas ou deux en arrière ; sous les flambeaux du carnaval, les visages n'exprimaient qu'un intérêt placide... Je pris pour un signe réconfortant la présence de si nombreux Séminoles, car, depuis un certain temps, l'homme rouge était *persona non grata,* et, comme tel, prié de quitter la ville dès le crépuscule tombé.

J'avais la résolution — certaine et correcte — de me présenter à une heure avouable à la *casa* Hernandez, — malheureusement je comptais de nombreux amis parmi tous ces flâneurs et il s'en fallut de peu que dix heures sonnent lorsque je me dirigeai vers Charlotte Street et vers le portail familier. A ce moment-là, un guitariste traînait sur mes talons, et un galopin du trottoir nommé Amadeo, qui pouvait gazouiller les chansons des Baléares aussi mélodieusement qu'un rossignol, trottait en souriant à mes côtés. Ces deux musiciens n'attendaient que mon signal pour entonner la *serenata* qui m'avait servi de carte de visite chaque fois que je venais galamment taquiner les filles du général.

A cette minute précise — je le confesse sans honte — mon but en venant ici n'était pas des plus catholiques. Le général Hernandez, membre de l'état-major Finch, était absent ce soir ; ses filles devaient être au bal Canova avec leurs *novios* et leurs chaperons. Le fait qu'une lumière brûlait dans la *sala* de réception ne pouvait que signifier que les hôtes du général avaient choisi de rester à la maison.

Je fis un signe à mon orchestre de fortune, pénétrai hardiment dans le patio et, baigné par un rayon de lune, je me tins debout sous la fenêtre. Je me disais que, si Marie Campbell était déjà couchée, je filerais tout droit vers le cabaret d'Archer et le rendez-vous que je m'étais fixé avec Lije Wilburn. Si elle était éveillée et sur pied, il était plus que temps que j'aille offrir mes services.

La *sala* de chez Hernandez n'était qu'à quelques pieds au-dessus du niveau de leur jardin clos, de sorte qu'il était facile de voir ce qui se passait à l'intérieur. La pièce était vide — sauf pour la présence d'une grande fille brune assise au bureau du général et qui écrivait à une allure folle. Son dos étant tourné vers la fenêtre, je ne pouvais me faire d'elle une idée bien nette, mais sa façon de redresser vivement la tête, quand elle hésitait à propos d'une phrase, trahissait la patricienne. Patriciens aussi sa silhouette baleinée, les volants et les fronces de sa robe d'un noir mat dont la coupe et la simplicité portaient la marque d'une *couturière* parisienne.

Désormais, c'était tout ou rien ; je levai la main pour un second signal, indiquant que la musique allait devoir accompagner mon prochain mouvement en avant. Le guitariste pinça un bel accord ; Amadeo entonna les premiers vers de *La Golondrina* avec une ferveur qui aurait fait honte à un ange. Dès que retentirent les premières notes plaintives, je franchis le balcon, enlevant d'un geste large mon sombrero.

Déjà la fille avait quitté son bureau et tournait vers moi son visage. Nos yeux se rencontrèrent et je sus que mon cœur ne serait plus jamais le même.

Je n'avais pas devant moi, je m'en aperçus immédiatement, une simple femme, mais un ange qui n'avait encore posé qu'un pied sur le seuil de la vie et que son innocence couronnait comme une auréole posée sur ses nattes. Je n'aurais su dire si elle était espagnole ou américaine. Pendant la saison du carnaval, les Hernandez recevaient royalement, et elle aurait pu appartenir à l'une des grandes familles de La Havane : de toute évidence, il n'était pas possible qu'une telle beauté locale ou régionale eût échappé à mon œil vigilant... Quand elle m'adressa la parole en espagnol (et nulle langue n'aurait pu être mieux en rapport avec la circonstance), mon impression prit de plus en plus forme de certitude : ce zézaiement n'avait été enseigné que par des maîtres formés à Madrid. Dès les premiers mots qu'elle prononça, j'oubliai radicalement les Campbell :

— Voulez-vous entrer, *señor* ?

— Je ne demande pas d'autre invitation, fis-je en un castillan presque à la hauteur du sien. Toutes les portes sont ouvertes par une nuit de carnaval.

— Vous faites-vous toujours annoncer par une chanson ?

— C'est une très ancienne coutume de Saint-Augustin, *señorita*.

Je considérai l'angle auquel se levait son menton et je me demandai si j'oserais pousser plus loin mon avantage. Puis ses douces lèvres s'ouvrirent en un sourire, et je sus qu'elle connaissait aussi bien que moi les règles de ce jeu. Quand elle prit sur le bureau un brin de dentelle pour masquer peu ou prou son visage, je compris qu'elle aussi avait entendu la *jota* palpiter sur la plaza. Et j'estimai raisonnable de supposer qu'elle s'était servie de sa plume dans la seule intention de tromper son ennui. Je questionnai :

— Attendez-vous quelqu'un, *señorita* ?

— Vous, *caballero mio*.

Mon jeu me plaisait davantage à chaque mot. Et tellement qu'il me fallut un effort pour me rappeler le but originel de ma visite : pour la dernière fois, je repoussai Marie Campbell hors de mon esprit jusqu'au matin suivant. Ce soir, aucun nom ne devait être prononcé entre nous — ma brune sirène connaissait aussi bien que moi les coutumes du carnaval.

— C'est un crime qu'une dame aussi charmante demeure enfermée ce soir, dis-je. M'accorderiez-vous l'honneur d'une danse sur la plaza ?

— Mais très certainement ! Est-ce que je ne viens pas de vous dire que je n'attendais que vous ?

Quelque chose aurait dû me donner l'éveil, dans ce ton gentiment moqueur, mais j'avais passé l'instant où le bon sens aurait encore pu contenir mon imagination : je fis un grand pas en avant et levai sa main jusqu'à mes lèvres — une petite main, fragile comme de la porcelaine dans sa demi-mitaine de dentelle. Je repris un élan :

— Dites-moi que vous m'attendez depuis le commencement du temps... Je le croirai aussi.

— A parler franchement, répliqua-t-elle en souriant, je n'attends que depuis le crépuscule. Cela suffira-t-il pour le présent ?

— *Perfectamente !* assurai-je en passant son bras sous le mien.

Ce ne fut que quand nous prîmes pied sur le trottoir pavé, — après que j'eus payé et congédié Amadeo et mon guitariste — que j'osai enfin appeler par son nom véritable le serrement qui me blessait le cœur. C'était l'amour, l'amour à la première rougeur, l'amour au premier émoi. Et l'Amour, de toute son aventureuse carrière, n'avait jamais lancé de flèche plus droit au but.

IV

OU CHARLES AJOUTE
LES MEILLEURES RAISONS DU MONDE
A CELLES QU'IL AVAIT DEJA
POUR CHÂTIER WILBURN

A la première baraque de la rue, j'achetai un masque pour moi et, pour poser sur la mantille de ma compagne, un chapeau de paille tressée aux joyeux coloris.

Sur les dalles du vieux marché de la plaza, nous scandâmes allégrement les rythmes de la *jota* — et je ne fus en aucune façon surpris de trouver à la belle inconnue autant de nerf et de feu qu'à n'importe quelle fille qui dansait ce soir-là.

Plus tard, sans y être invités, nous allâmes danser un quadrille au bal de Casanova, où, parmi les autres danseurs masqués jusqu'aux yeux, la grâce de mon inconnue s'inséra aussitôt dans la mesure et la dignité de l'ensemble... Tout cela, évidemment, faisait partie de l'esprit même du carnaval. En faisaient partie aussi les bonbons de sucre de canne que j'achetai pour elle à Saint-George Street, la *zarzuela* à laquelle nous assistâmes côte à côte dans le théâtre dont la tente était dressée près de la caserne, le duel de confetti auquel nous nous livrâmes avec un groupe de dominos sur le mur de la digue.

En faisait à vrai dire partie, lui aussi, le baiser que nous échangeâmes à minuit, tandis qu'une fusée s'élevait des remparts du castillo — avertissement à tous les citoyens raisonnables qu'il était temps de verrouiller leurs portes. Ses lèvres, si pleines et si rieuses dans la blanche clarté de lune, avaient répondu chaleureusement à ma caresse — mais plutôt en salutation amicale qu'en baiser de passion : je sus que ce n'était que joyeuse manière de confirmer la mascarade à laquelle nous avions participé.

Je ne desserrai mes bras qu'à regret, l'étreinte avait été

suave — et douce à en être presque impossible à supporter.

— Il est temps de nous dire bonsoir, *querida mia*.

— Etait-ce bonsoir ? J'espérais que c'était bonjour.

— A compter de cet instant, la nuit appartient aux *putas*, dis-je. Il est grand temps que les dames se retirent.

J'avais parlé sans réfléchir : le terme que j'avais employé et qui désigne les femmes de la plus ancienne profession qui soit n'était guère de ceux qu'on destine aux oreilles convenables. A ma surprise, ma compagne se contenta de rire.

— Comment pouvez-vous savoir que je suis une dame ? Et, pour ce qui est de cela, pouvez-vous prouver que vous êtes un gentleman ?

Elle avait parlé anglais cette fois, avec un roulement d'*r* encore plus séduisant qu'amusant. Si choqué que je fusse par sa question à double détente, je parvins à garder mon sang-froid.

— Les histoires ne doivent pas être avalées en entier à la fiesta, remarquai-je. Les paroles et la musique n'appartiennent pas au même monde.

— Vous ne demandez même pas qui je suis ?

— Pour cela, demain fera l'affaire.

— Nous sommes demain, à présent, *chico* !

Elle avait repris l'espagnol qui nous était venu si naturellement.

— Et la fiesta ne fait que commencer ! Remmenez-moi, je veux *tout* voir !

— Nous avons traversé la ville d'un bout à l'autre.

— Nous avons encore à visiter le San Sebastian : je veux voir le saloon de Jack Archer, et les loges qui sont derrière.

Cette fois je sursautai pour de bon.

— Qui donc vous a dit de telles choses, *querida* ?

— Ne me jugez pas d'après ma conduite de cette soirée, murmura-t-elle. Mettez-moi à l'épreuve, vous verrez que je ne vous ferai pas honte. Croyez-moi, je suis un caméléon qui prend la couleur de son entourage.

— Le fait demeure qu'il y a certains endroits où une dame ne se rend point, dis-je sévèrement. La boutique à grogs de Jack Archer est de ceux-là. Il y aura des têtes cassées dans ce bar avant le matin.

— Jusqu'ici, admit ma sirène, vous avez été un compagnon idéal. Me déserteriez-vous quand la soirée commence à peine ?

Elle s'était remise à parler anglais. Je m'entendis répondre dans la même langue, un peu plus vite que ma cervelle en plein tourbillonnement ne l'avait voulu :

— Pour deux sous, je relèverais le défi !

Sur quoi elle prit mon bras aussi promptement que l'aurait fait une écolière avec son chaperon en remorque. Nous ne parlâmes plus jusqu'à ce que nous ayons dépassé la maison du Gouvernement et enfilé une allée discrète qui coupait une haie de yucca, verte palissade qui, tout Saint-Augustin le savait, marquait la frontière entre la ville proprement dite et les lieux de chair et de péché du San Sebastian.

Tant que dura cette longue et fantomatique promenade, je me maudis aussi copieusement que silencieusement. Ce bout de femme accroché à mon bras était, la chose ne faisait aucun doute, une personnalité importante. Indiscutablement, j'aurais dû la laisser à sa propre solitude quand je l'avais découverte dans la *casa* du général. A présent que je m'étais aventuré si loin, baiser de carnaval et de minuit compris, j'aurais dû insister pour la reconduire dans la sécurité de la maison de Charlotte Street... Je mis cette conviction en paroles pendant que nous traversions le quai où s'ouvrait le bastringue d'Archer.

— Je devrais vous empoigner à l'instant même et vous emporter chez vous.

— Ne vous y risquez pas, rétorqua-t-elle. Je suis presque aussi grande que vous et presque aussi forte.

Malgré quoi et malgré le défi de ses paroles et de sa voix, elle se rapprocha quelque peu dès que nous arrivâmes près du saloon. Je l'avertis une fois de plus :

— Voici l'arène où les comptes se règlent. Les poings entreront en jeu avant longtemps !

— Avez-*vous* réglé des comptes chez Archer ?

Je me raidis :

— En ma qualité de capitaine de la milice, mon devoir est d'arrêter les querelles.

J'avais parlé d'une voix plus forte que ne le demandait la discrétion, car j'avais reconnu quelques ombres familières juste à la limite de la nappe de clarté qui coulait hors des portes du bar. Coacoochee et moi nous étions trouvés coude à coude au bord du plancher de danse de Casanova, au cours de la soirée. Je fus à peine surpris de le retrouver ici, arpentant d'un pas ferme et mesuré les abords de la bodega d'Archer. L'ombre plus massive qui suivait immédiatement la sienne était celle d'Oscéola, qui, lui aussi, avait assisté au carnaval, — peut-être comme simple spectateur.

— Pouvons-nous voir les loges à présent, *señor mio* ?

Je revins à ma compagne et à son insistant chuchotement et je secouai la tête.

— Ces dames de la nuit ne sont visibles que sur rendez-vous. Et, de plus, maintenant que nous sommes venus jusqu'ici, j'insiste pour vous reconduire chez vous.

— Je céderai pour ce qui est des loges, puisque vous y tenez. Ces dames de la nuit sont à peu près les mêmes partout. Mais *je tiens* à voir cette frontière américaine au cœur de l'antique Espagne.

Elle me quitta là-dessus trop soudainement pour que je pusse l'arrêter, poussa les portes à va-et-vient de la bodega et, en maintenant une ouverte, demeura debout là, aussi sereinement qu'une hôtesse au seuil de son salon, à examiner la scène bruyante et vulgaire. Un silence tomba sur la salle du bar quand les mauvais garçons, à l'intérieur, s'aperçurent de la présence de l'intruse. Puis tout aussitôt éclata un vacarme d'indécentes invites tandis qu'elle demeurait là, sans perdre un pouce de terrain. Ainsi que je m'y attendais, une voix domina toutes les autres, avant même que son propriétaire eût paru en titubant :

— Vos gueules, tous tant que vous êtes ! C'est moi qui l'ai vue le premier.

Lije Wilburn, comme toujours, empestait le rhum. Avec sa main pareille à un battoir, son crâne de grand singe, son traînement de pieds en accord avec tout le reste, il paraissait plus grand que nature pendant qu'il passait le bras autour de la taille de la jeune femme. Je franchis le seuil en trombe et m'aperçus qu'elle n'avait même pas crié. Coacoochee se trouva immédiatement à mon côté :

— Laisse-moi t'aider, Charlo !

BON SANG NE PEUT MENTIR

— Ce soir, c'est à moi seul qu'il appartient !

D'une poussée vigoureuse, j'avais détourné Coacoochee. Oscéola, les bras croisés, gardait au dehors la porte du bar. Un fou rire m'accueillit quand je m'avançai pour m'en prendre à Wilburn : celui-ci avait déjà retiré son bras de la taille de ma sirène, aussi vivement que si un serpent à sonnettes était logé entre les baleines de son corsage. Je vis pourquoi, quand la lumière toucha d'un vif clignotement un petit poignard reposant sur la paume de l'inconnue : elle avait pratiqué au bras du trafiquant d'esclaves une incision qui allait du coude au poignet, aussi nette que si elle avait été tracée par un chirurgien en salle de dissection.

— Merci, messieurs, dit-elle en anglais. J'en ai vu suffisamment.

— Vous peut-être. Lije Wilburn non ! répondis-je — et, ce disant, j'envoyai mon poing au creux de l'estomac du trafiquant.

Il m'avait tout au moins fourni une raison visible de le combattre. Je tournai prudemment autour de lui pendant que ses mains se levaient, et j'entendis la fille se reculer, le souffle court. Dans le bar, une constellation de têtes bloquaient à présent la porte. Ma querelle ouverte avec Wilburn était connue dans Saint-Augustin.

Le marchand de bois d'ébène, tête basse, me chargea immédiatement, balançant son poing gauche — mais j'avais l'expérience de cette tactique et savais comment l'éviter. Quand sa main droite se leva, pouce tendu, je plongeai dessous et me lançai contre l'épaule de mon adversaire avec une force qui le fit tournoyer. Avant qu'il ait pu se ressaisir et tenter une nouvelle fois de me faire sauter un œil (1), mon poing avait rencontré son nez avec vigueur. Un hurlement s'éleva dans la bodega quand on entendit s'écraser l'os.

C'était un combat sans lois ni règles. J'avais affronté

---

(1) Cette attaque, « la gouge », était fréquemment pratiquée dans les mauvais lieux et devait son nom au fait que le pouce, rigidement tendu, désoperculait l'œil comme aurait pu le faire l'outil de menuisier appelé gouge. Les matelots privés d'un œil au cours de rixes dans les cabarets des ports étaient nombreux. (N. du T.)

d'autres « gougeurs » avant celui-ci : si ce pouce avait atteint son but, Wilburn m'aurait séparé de mon œil exactement comme on fait sauter entre deux doigts un pépin de melon ou de pastèque. Avec le temps pour moi, je le contournai une fois de plus et une fois de plus lui lançai à toute force mon poing au creux de l'estomac. Le coup final, partant de la hauteur de mon genou, toucha son but, en plein cou de Wilburn, juste au-dessus de la pomme d'Adam. C'était Arnaldo Sanchez qui m'avait enseigné celui-là. Convenablement porté, il coupait à la fois le souffle et la parole de la victime. Quand Lije s'effondra tel un porc sous la masse, je sus que le *coup de grâce* avait été bien administré.

Pensant au docteur Sanchez, je ne fus pas autrement surpris de le voir debout au bord d'un cercle d'enthousiastes, tandis que les copains de Wilburn l'entraînaient au-delà des portes battantes. Je fus complètement assuré de ma victoire quand le vieux docteur me toucha le bras au passage et s'en fut, d'un pas légèrement incertain, réparer les dégâts que j'avais causés au trafiquant de bois d'ébène. Je ne fus pas autrement surpris non plus quand j'entendis, venant du quai du fleuve, un coup de sifflet aigu tandis qu'un cercle de baïonnettes m'entourait. Ce n'était pas la première fois que le 1ᵉʳ dragons envoyait une patrouille pour arrêter les bagarres commençantes.

— Tout va bien, monsieur, dis-je. Comme vous avez pu l'observer, j'avais mes raisons.

La jeune fille était de nouveau accrochée à mon bras, et ses yeux étaient aussi modestes et timides qu'on pouvait le désirer. A peine aurait-on cru qu'elle venait de se défendre à la pointe du poignard contre un butor ivre.

— *Muchas gracias, caballero,* murmura-t-elle. Sommes-nous aux arrêts ?

— Pas du tout. On nous rappelle simplement que nous nous sommes écartés trop loin.

Déjà les réguliers se retiraient et leur caporal, reconnaissant mon visage, aboyait un commandement.

— Ça ne m'ennuierait pas d'être arrêtée, déclara la sirène. Ce serait une conclusion qui conviendrait très bien à cette soirée.

— Puis-je vous ramener chez vous ? questionnai-je quand nous retrouvâmes le trottoir.

— Il semble que j'aie une escorte à présent.

Encore hors d'haleine après ma collision avec Wilburn, je n'avais qu'à demi conscience de la commotion qui ébranlait les rangs de la patrouille. Et voilà que je me trouvai face à face avec un officier étranger : un major grand, trop beau, qui aurait pu être tiré tout droit d'une boîte — d'un écrin militaire ! — sans qu'un poil de ses flamboyantes pattes de lapin fût dérangé. Pour l'instant, ses yeux légèrement protubérants étaient fixés sur ma compagne avec une expression où se mêlaient la fureur et l'incrédulité.

— Que signifie ? questionna-t-il. J'ai dû charger la garde de te découvrir, Marie.

Elle répondit très calmement :

— Je vous ai dit que je voulais voir tout Saint-Augustin, Alan. Le voir en son entier et en détail. Puisque vous n'aviez pas le temps de m'accompagner, j'ai dû chercher un guide ailleurs.

— Je ne crois pas connaître ce monsieur.

— *Señor caballero* — ou ferais-je mieux de dire Mr. Charles Paige, — permettez-moi de vous présentez mon mari, le major Campbell.

Troublé comme je l'étais par la proximité de la jeune femme, je fus lent à me rendre compte de la situation. L'incontestable clin d'œil qu'elle m'adressa pendant que son mari se détournait pour renvoyer la patrouille était presque aussi déconcertant que les manières de Campbell.

— Je ne vois pas que vous ayez grand-chose à objecter, Alan, continuait-elle. Après tout, Mr. Paige est le régisseur de mon oncle.

Ces paroles firent enfin jaillir dans mon cerveau une lumière éclatante.

Pour invraisemblable que le fait parût, il n'en était pas moins vrai : Marie Campbell et ma sirène de la fiesta n'étaient qu'une seule et unique (et bouleversante) créature. Dans ce subit et tardif éclair de compréhension, je me rappelai qu'au bal de Casanova, où nous n'avions guère fait que passer pourtant, je l'avais vue, entre deux figures de quadrille, causer avec une des filles Hernandez et je sus ainsi comment elle avait découvert mon identité, en dépit de ma faible mascarade...

Pour sauver ma vie, je n'aurais su dire si j'aurais voulu maudire cette petite comédie ou bien en rire avec elle. Face à son mari, visiblement trop raide et trop gourmé pour qu'on puisse tout lui expliquer, je me contentai de lui rendre un salut glacial.

— Mes compliments, Paige, dit-il. Il est regrettable qu'on ne vous ait pas averti que la curiosité de Mrs. Campbell est insatiable.

— Actuellement, mon ami, dit Marie Campbell, Mr. Paige ne peut plus ignorer cette paille dans ma nature. Je ne m'en excuserai pas : je ne puis vraiment rien écrire relativement aux troubles indiens en Floride sans décrire la principale ville de Floride, y compris ses dessous.

— A ta guise donc, dit le mari. Je ne te rappellerai pas que j'en suis encore à mettre le moindre bâton dans les roues de ta carrière.

Sur quoi il entra dans la bodega, dignement et à grandes enjambées, pour échanger quelques phrases avec le docteur Sanchez, sans m'honorer d'un second regard.

J'entendis un mouvement dans les ténèbres extérieures et je me rendis compte qu'Oscéola et Coacoochee observaient toujours la scène. J'élevai la voix et parlai autant pour eux que pour Mrs. Campbell :

— Je comprends parfaitement, Mrs. Campbell, dis-je. Un bon écrivain, quel que soit son sexe, n'en sait jamais trop long.

— Vous avez été un guide parfait, je ne saurais suffisamment vous remercier. J'espère que vous serez aussi généreux de votre temps à Millefleurs.

Je m'inclinai de la taille :

— Souvenez-vous que je suis déjà votre employé, dans un certain sens.

— Me ferez-vous visiter un village indien ? Et Great Spring, la grande source, dont j'ai tant entendu parler ?

— Chaque fois que votre oncle pourra se passer de moi,

dis-je — et je fus aussitôt récompensé par une rapide pression des doigts sur mon bras.

— Tout ira donc bien, señor Paige, dit-elle, en revenant à l'espagnol lorsque Campbell sortit de la bodega.

Je connus quelques instants de satisfaction perverse en me rendant compte qu'il ne comprenait pas cette langue. Je n'en changeai donc pas pour poser une dernière question à Marie :

— Dites-moi quelque chose, à titre d'information. Pourquoi ne m'avez-vous pas appris votre nom hier soir ?

— Je pourrais vous poser la même question, *caballero mio,* répondit-elle en prenant le bras de son mari. *Hasta la vista.*

QUATRIEME PARTIE

OU LA JOURNALISTE EN APPREND PLUS QU'ELLE NE S'Y ATTENDAIT

I

OU, MARIE DONNANT SON CŒUR A TOUS, CHARLO S'EFFORCE DE SE CONTENTER DE SA PART

TROIS JOURNEES avaient coulé. Le soir tombait sur Millefleurs et l'air était lourd du parfum des orangers si abondamment fleuris qu'ils semblaient couverts d'une écume blanche. Vers le sud du camp indien, les wigwams coniques, dressés en un demicercle régulier, s'inséraient tout naturellement dans le tableau, comme s'ils en avaient toujours fait partie. Il en était de même pour la jeune femme qui marchait allégrement à mon côté pour la dernière partie de notre tournée d'inspection. Depuis la minute même où son mari lui avait tendu la main pour l'aider à prendre pied sur l'appontement, Marie Campbell appartenait à la plantation d'Emile Michaud. Dès ses premiers pas sur la berge, la regardant s'avancer rapidement vers son oncle pour l'embrasser, j'aurais juré qu'elle avait vécu ici depuis son enfance.

Je m'étais attendu à une certaine tension pendant que je lui montrais nos égreneuses et nos granges et la longue rangée de cases blanchies à la chaux où logeaient les esclaves. Je m'étais attendu à me sentir plein de ressentiment tandis que, bribe par bribe, je renonçais pour elle à Millefleurs, je craignais de me mettre à la haïr autant que je la désirais... Or la renonciation me paraissait toute naturelle : ainsi que Marie elle-même l'avait dit, elle avait l'art de s'adapter à n'importe quel milieu, de s'y fondre.

Quand le groupe d'Oscéola était arrivé, pour la visite promise, elle s'était jointe tout simplement aux diverses activités du camp indien. A la voir s'exclamer sur la beauté d'une tunique brodée de perles, ou taquiner le joyeux petit Toschee, qui riait aux éclats en jouant avec la poupée que Marie avait fait surgir de nulle part en son honneur, un observateur étranger aurait juré qu'elle était depuis toujours l'amie intime de la grave et courtoise Chechoter.

Cette camaraderie ne me surprenait pas : je sentais, sous cette facilité gentille, le cerveau en quête des vues, des sons, des actions de ce pays nouveau, de tout ce qui allait nourrir les articles qu'elle enverrait dans le nord. Si elle était entièrement femme tandis qu'elle conversait avec Chechoter, une autre femme, elle était reporter en même temps... Son intérêt était sincère, authentique. Elle semblait, sur cette terre hostile, un véritable ange de paix, un ange qui aspirait à se trouver en amitié avec le monde entier.

Si son monde englobait aujourd'hui à la fois le major Campbell et Charles Paige, qui étais-je pour m'en plaindre ?

II

OU BLANCS ET ROUGES CONSTATENT QUE, SI MARIE COMPREND TOUT, LE MAJOR NE COMPREND PAS GRAND-CHOSE

— Est-ce que les Indiens campent ici chaque printemps, Charles ?

— C'est une annuelle visite d'amitié. Du plus loin que je me souvienne, je les ai toujours vus planter leurs tentes sur la prairie du sud. A l'automne, nous leur rendons leur visite, soit à l'Oklawaha, soit à Payne's Prairie. Les autres planteurs du Saint John's en font autant — ceux du moins qui croient à la cause séminole.

— Sont-ils nombreux à y croire ?

— Assez pour détourner une guerre, du moins je l'espère. Et assez de modérés du côté indien pour calmer temporairement les cerveaux brûlés. Mais cela ne pourra plus durer très longtemps.

Tout en causant, nous avions franchi le porche ouest de Millefleurs et nous nous étions installés sur la terrasse du bas pour regarder les Indiens jouer aux boules sur le rectangle vert qui séparait la maison du fleuve. Le tournoi était organisé en l'honneur de mon père adoptif. Celui-ci était installé dans la galerie, le major Campbell assis en face de lui avec une carafe entre eux. Sans tendre l'oreille, j'aurais pu affirmer que le major était une fois de plus occupé à tracer son propre portrait héroïque, l'image qu'il voulait répandre de lui, et comme toujours en termes grandiloquents.

Et, comme toujours, j'étais disposé à reconnaître que je le méprisais sans réticence. J'avais depuis longtemps décelé en lui un émissaire du ministère de la Guerre à Washington. Il avait beau se pavaner et se faire valoir, il n'était jamais qu'un porte-voix à peine capable de comprendre l'importance du message qu'il aurait à transmettre à Fort King.

C'était réconfortant de savoir que les instructions qu'il avait reçues lui enjoignaient de se hâter lentement. Le président Jackson — l'actuel occupant de la Maison-Blanche, le coriace adversaire des Indiens — insistait depuis longtemps sur l'absolue nécessité de faire émigrer l'homme rouge au-delà du Mississipi. Emigrer en masse, en totalité, jusqu'au dernier enfant. Une fois qu'ils auraient admis cette clause d'une importance capitale, le président semblait disposé à accorder aux Séminoles quelques concessions. J'avais clairement saisi ces choses au cours de mon entretien avec le général Finch à Saint-Augustin — et il me semblait raisonnable de préjuger qu'Oscéola, quand, après moi, il avait rencontré le commandant des forces américaines du territoire, avait reçu un accueil pareil.

— Dites-moi la vérité, Charles. La mission de mon mari réussira-t-elle ?

Je me trouvai tout décontenancé de constater que Marie Campbell avait traduit en paroles mes pressentiments informulés.

— Un certain nombre de chefs sont disposés à partir vers l'ouest, dis-je. Oscéola toutefois demeure la figure principale. On pourrait le considérer comme la conscience de la nation. En tout cas comme son âme et son cœur.

— Dans ce cas, Alan a peu de chances de conclure un marché.

En dépit de mes bonnes résolutions, je ne pus retenir un faible sourire :

— Les miracles se produisent, dis-je. Même à Fort King. Mais, si vous voulez mon opinion franche et sans détour, la base fait défaut.

— Dites ce que vous entendez par là, Charles.

— Votre mari sort de West Point (1), Mrs. Campbell. Il représente la fine fleur de l'armée. Mais il ne s'entendra jamais avec les Indiens.

— Appelez-moi Marie, Charles. Vous me connaissez suffisamment pour cela, depuis notre nuit de Saint-Augustin. Et, si vous y tenez, vous pouvez envoyer Alan au diable, je tâcherai de supporter le choc.

— Eh bien ! dites-moi par exemple ceci : a-t-il essayé d'apprendre la langue séminole ? A-t-il trouvé que cela valait la peine ?

— Je crains bien qu'il n'en ait pas eu le temps.

— C'est aujourd'hui le second jour du camp. Votre mari sait qu'il doit avoir à Fort King des pourparlers avec Oscéola et Coacoochee. A-t-il fait un effort pour les connaître ? A-t-il même daigné honorer le camp d'une visite ?

— Je l'ai prié de venir ce matin. Il m'a répondu qu'il avait des papiers à terminer.

J'aurais pu en dire davantage. J'aurais même pu poser —

(1) *West Point,* académie militaire, sur l'Hudson, au sud-est de New York.

ce que je n'avais point encore osé faire — la question relative au motif de son mariage. Mais je conservai pour moi ces pensées et nous nous mîmes à regarder le jeu de boules.

J'ai déjà parlé de ce jeu tout en vigueur et en acharnement et de sa popularité parmi les Séminoles. Cet après-midi, Oscéola et le Chat Sauvage étaient chacun capitaine d'une des équipes opposées. Pour l'instant, ils étaient engagés dans un duel sans avantage de part ni d'autre. Le terrain de jeu comptait peut-être deux cents pieds de long et était terminé à chaque extrémité par deux perches plantées en croix de Saint-André. L'objet de l'équipe attaquante était de faire passer la boule entre les branches inférieures de la croix, alors que l'équipe défensive faisait de son mieux pour protéger son but.

Des deux côtés, les joueurs étaient armés de longues lattes recourbées qui ressemblaient fort au battoir de l'ancien jeu de volant. A mesure que la partie progressait, il arrivait que les têtes et les corps prissent plus de coups que la balle elle-même, lorsqu'elle avait tendance à disparaître dans une mêlée de membres gigotants. Des joueurs s'étaient retirés, titubants, ensanglantés, dans un état d'épuisement qui ne diminuait pas pendant une seconde le bruyant plaisir ni les cris enthousiastes suscités par le tournoi. Pendant que nous regardions, Oscéola, se débarrassant d'une couple de ses concurrents, se dégagea enfin et, la boule bien calée dans la courbe de son battoir, courut, puis l'envoya à la volée entre les branches basses du but ennemi. La note rauque du sifflet d'os tenu par un arbitre auguste — ce n'était pas un moindre personnage que le roi Philip lui-même — annonça la fin de cette joute bizarre.

Oscéola, comme le voulait la coutume, s'avança jusqu'aux marches du porche pour recueillir les applaudissements de l'hôte. Marie battait des mains aussi vigoureusement que moi, mais son mari semblait beaucoup plus intéressé par la carafe que par le spectacle qu'il avait sous les yeux. Rien dans son attitude roide et plutôt déplaisante n'indiquait qu'il se fût même rendu compte de la présence immédiate du joueur vainqueur.

L'étincelle qui brilla dans l'œil du Séminole quand,

s'étant incliné devant Marie, il passa plus loin ressemblait assez à une lueur de mépris.

III

OU DEUX SOLITUDES
SE FONDRAIENT VOLONTIERS
EN UNE COMPAGNIE

L'apogée de chaque « campement de printemps » avait toujours été la danse — et ce soir ne fit pas exception. Une réplique du Feu du Conseil tribal avait été allumée sur la berge ; une cercle de guerriers — vêtus simplement d'une bande-culotte en peau de daim, mais les membres et le torse peints — avaient commencé à tourner suivant un rythme lent, presque religieux, observant à d'assez longs intervalles une pause, pendant laquelle ils émettaient une sorte de cri sourd et bas, une manière de grondement profond qui semblait sortir de leurs orteils.

Accoutumé au symbolisme de ce rite, je m'étais retiré légèrement à l'écart des invités, sous une tonnelle de jasmins, d'où je regardais la cérémonie. Je fus à peine surpris quand Marie s'éclipsa de la véranda et vint me rejoindre dans l'ombre du feuillage.

— Ne devriez-vous pas être sous le porche ?

— J'irai quand la danse commencera effectivement : ceci n'est guère qu'un prélude, une répétition.

Mais j'oubliai ma résolution quand les tambours se mirent à parler. J'éprouvais un frisson de possession à savoir Marie contente de s'attarder à côté de moi. Le temps semblait un rêve, le frémissement des pieds agiles une réalité qui effaçait les spéculations du major Campbell.

Primitive, sauvagement insistante, pleine d'un sens tragique que je n'aurais pu clairement définir, la danse énonçait un message : la différence entre la vie et l'individu, la proclamation d'un esprit qui ne mourrait jamais.

— Qu'est-ce que cela *signifie*, Charles ?

— Un défi aux démons qui tourmentent l'homme depuis ses origines. Le droit pour l'homme d'une place au soleil. Et, puisque nous en parlons, la naissance et l'amour et la mort. Redevenez enfant. Replacez-vous à l'aube de la création. Vous comprendrez très bien.

Le motif de la danse se dessinait à présent, les exécutants toutefois ne se mouvaient encore que lentement, continuaient leur mélopée nasale. Le pas était très particulier : entre les battements de tambour, chaque pied frappait une sorte de contre-rythme alterné. Peu à peu la mélopée prenait du volume, devenait un cri puissant que les danseurs renforçaient en creusant leur main gauche en coupe sous leurs lèvres :

> *U-hon-a-way, doli-heh*
> *Yo-abahir, ah-way-ha !*
> *Yo-yo ! U-hon-a-way !*
> *Yo-yo ! Ah-way-ha !*

Sous le clair ciel nocturne de Floride, cette sorte de complainte paraissait plus ancienne que l'homme. Danseurs et spectateurs formaient depuis longtemps un chœur :

> *Yo-yo ! Ah-way-ha !*

Même les voix claires des enfants se fondaient dans la mélopée, haussant le ton sur les *Yo-yo !* dont ils faisaient un accompagnement aigu à l'insistance des tambours, aux battements de pieds qui semblaient ébranler la mousse sur les arbres.

Tous les exécutants étaient luisants de sueur : le Feu du Conseil transformait leurs membres en cuivre vivant. De mesure en mesure, la cadence s'accélérait ; l'un après l'autre, les guerriers trébuchaient hors de la ronde, épuisés par l'allure qu'avaient imprimée les meneurs de jeu, si bien que, en fin de compte, le cercle constamment rétréci semblait raser les flammes.

Finalement, ne demeurèrent plus qu'Oscéola et Coacoochee.

Pendant quelques secondes, ils se firent face des deux côtés des braises ardentes, bondissant comme des coqs de combat devenus fous, et paraissant même, dans leur frénésie saltatoire, se défier mutuellement en un combat qui ne pourrait que les détruire l'un et l'autre. Puis, quand l'assemblée haussa la voix en un unique cri délirant, d'un bond ils s'écartèrent du cercle enflammé, terminant ainsi la danse.

— Vous aviez raison, Charles, dit la jeune femme à côté de moi. C'est aisé à comprendre — une fois qu'on est retourné à ses origines.

— Par malheur, c'est un joint que votre mari ne trouvera jamais.

— Du moins, moi je sais à présent pourquoi le Séminole aime la Floride. Si je parviens à faire passer cela dans mes articles, d'autres pourront comprendre aussi.

Le fait que ma pierre dans le jardin du major Campbell n'avait amené aucune protestation ne m'étonna pas excessivement. Non plus que le craquement de ses semelles dans la galerie et son « bonsoir » hésitant adressé à Emile Michaud. Chaque soir depuis son arrivée, l'homme de Mars s'était dirigé vers son lit en titubant : cela aussi faisait partie de son code ! Le major Campbell — mon père adoptif m'en avait depuis longtemps informé — descendait d'une des plus anciennes familles de Boston. Aristocrate qui avait hérité ses mauvaises manières d'un siècle précédent, il pouvait se mettre au lit tout botté si tel était son bon plaisir, pourvu qu'il fût prêt dès le matin à faire face à la gueule d'un canon ou au tomahawk d'un Séminole.

— Votre premier article est-il écrit, Marie ?

Question assez sotte en ce moment où, plutôt que de parler de sa carrière, j'étais poussé par mon instinct à la prendre dans mes bras. Néanmoins, je fus heureux de l'avoir posée.

— Il est sur le bateau de New York, dit-elle — et je me rendis compte qu'elle faisait le même effort que moi pour mettre son décorum à la hauteur du mien. Avec un peu de chance, il sera à Washington dans la quinzaine.

— Espérons qu'il amènera des résultats.

— Je ferai tout ce que je pourrai pour aider à maintenir la paix, Charles.

Obéissant à une impulsion dont je ne connaissais que trop le nom, je lui pris la main et appuyai un baiser au creux de sa paume. Je la sentais osciller vers moi. J'eus la folle certitude que ses lèvres étaient à moi si je le voulais — et que le baiser de cette nuit serait pour Charles Paige lui-même, et non pour un masque de carnaval. Juste à temps, je cherchai un refuge dans la dialectique.

— Peut-être échouerez-vous comme pacificatrice — si vous plaidez la cause des Séminoles. En dehors de la Floride, rares sont ceux qui leur accordent quelque sympathie.

— Ils appartiennent à ce pays, Charles, et ce pays leur appartient. Quel droit l'armée a-t-elle de les en déloger ?

— Pas le moindre ! Nous pourrions tous vivre ici ensemble — si nous essayions.

— *Vous* pourriez, j'en suis sûre. Vous faites partie de cette terre — autant et aussi bien qu'eux.

— En vérité, j'y suis un intrus, autant que vous... et que le major Campbell.

Elle prit avec simplicité le doux reproche, ainsi que je m'y attendais, mais elle avait retrouvé son équilibre avant de lever à nouveau ses yeux sur les miens, dans la pénombre embaumée de jasmin. Notre minute de tentation était derrière nous.

— On pourrait dire que je vous dépouille de votre héritage, reprit-elle au bout d'un moment. Tout juste comme l'armée calcule de dépouiller les Indiens du leur. M'en voulez-vous ?

— Pas depuis que je vous ai rencontrée.

— Merci pour cette réponse, Charles. Voulez-vous venir avec moi jusqu'à la source, avant que j'aille me coucher ?

Je lui donnai la main pour passer l'échalier qui séparait la roseraie d'Emile Michaud de la prairie du sud, car le sentier était difficile. Elle ne retira pas sa main quand nous arrivâmes au bord de la source sulfureuse où les pâtures de Millefleurs touchaient la jungle de cyprès qui longeaient le Saint John's.

A cette heure, l'eau était noire, ornée du mystérieux dessin qu'elle arborait la nuit : une arabesque qu'y traçaient les reflets des branches moussues, le miroitement des étoiles et quelque caractère intérieur qui, du fond de la terre de Floride, montait à sa surface. Les Indiens assuraient qu'elle était habitée par un esprit de paix et qu'il y attendait le moment d'apporter sa bénédiction à l'humanité. D'innombrables fois, j'avais, à la recherche de cette bénédiction, plongé dans ces profondeurs insondées. Ce soir, tandis que, la main de Marie dans la mienne, je me tenais sur la rive, mon esprit jouait avec une autre tentation — celle de prendre cette femme dans mes bras et de couler avec elle parmi ces bulles irisées. Le bon sens intervint à temps et je découvris que je pouvais lui lâcher la main, au prix seulement d'un léger serrement de cœur. Pendant un instant, je feignis d'examiner les abords de la source pour en chasser des serpents inexistants — le temps qu'il me fallut pour donner à mon cœur une chance de reprendre son allure normale. J'étais certain au moins d'une chose, c'est que, si mon propre problème semblait insoluble en ce qui concernait Marie Campbell, la nation séminole avait trouvé en elle une avocate inspirée. Déjà ils lui avaient donné un nom à eux — *Nakohocteh,* ce qui, dans leur langue, signifie la femme-des-livres. Si fort peu de chefs savaient lire, ce surnom néanmoins résumait bien ce qu'ils pensaient de Marie, la valeur qu'ils lui attribuaient.

Nous demeurâmes un long moment sur la rive nord de la source, regardant clignoter au loin les feux de camp des Indiens. Quand Marie parla enfin, je me rendis compte qu'elle avait cherché un quelconque bouclier qui pût lui servir à cacher ses pensées véritables.

— Que pensez-vous de la proposition d'Oscéola au général Finch, Charles ?

J'avoue que, cherchant à mon tour comment répondre, j'eus quelque difficulté à dissimuler une courte vexation. Le fait qu'Oscéola, qui, après tout, m'avait constitué son porte-parole auprès du général, à Saint-Augustin, ne m'avait pas encore parlé de cette rencontre m'avait légèrement ulcéré.

— Avez-vous si vite interviewé le chef de guerre des Séminoles ?

— Bien sûr que non ! Mais j'ai causé avec Chechoter. Elle m'a raconté qu'il avait offert de conduire la nation en bloc au sud de la mer Herbeuse. Si Finch empêchait la chasse aux esclaves, lui prenait l'engagement de maintenir son peuple au-delà du Kissimee.

J'hésitai quelques secondes, ne voulant pas parler catégoriquement. D'une certaine manière, c'était dommage que je connusse si bien les Séminoles. Pour *un* chef du tempérament et du type d'Oscéola, il y avait une douzaine de taureaux impétueux, des brandons de discorde comme le nommé Alligator, de pieuses girouettes comme le nommé Charley Emathla, d'impulsifs comme le gouverneur lui-même. Comment aurais-je pu me sentir assuré qu'Oscéola, malgré toute sa sagesse, pourrait diriger une migration de ce genre — et forcer ces individualistes à se tenir en paix, à sauvegarder la paix, sur un *nouveau* terrain de chasse ?

— Le plan n'est-il pas réalisable, Charles ?

Je répondis prudemment :

— Ce pourrait être une solution idéale. Beaucoup de ceux qui ont exploré la région disent que jamais des colons ne s'installeront au sud du Kissimee. J'ai chassé par là moi-même ; il y a plus d'eau que de terre dans cette partie du pays. Par malheur, ce n'en est pas moins encore la Floride, même si elle se déverse dans le Golfe — et la plupart de nos terriens veulent la Floride entière pour eux seuls.

— Me montrerez-vous *tout* cela, Charles ? Fort King, les savanes Alachua et même la mer Herbeuse ?

— Nous aurons besoin de nageoires pour aller jusque-là !

— Je veux voir comment vivent dans leur propre pays Chechoter et Toschee. J'aimerais dormir dans un chickee séminole et broyer des racines avec les squaws. Vous qui avez un pied dans chacun des deux mondes, vous pourrez sûrement arranger cela.

— Votre mari n'y verra-t-il pas d'objection ?

Sa main se ferma sur la mienne et je sentis une tension au bout de ses doigts.

— Alan ne me refuse jamais ce qui concerne mon écriture : il la considère comme une diversion inoffensive.

— Vous dormirez dans un chickee avant la fin de l'été. A condition toutefois que vous ne craigniez pas l'inconfort.

— Après Saint-Augustin, vous devriez vous rendre compte, Charles, que je n'ai pas grand-chose de féminin.

Je ne pus empêcher mon cœur de bondir. Elle venait, d'une haleine, de me confesser que son mariage était sans amour, que son travail d'écrivain, comme son effort tâtonnant pour aider les autres, n'était qu'un dérivatif, qu'une façon d'échapper à sa solitude. Informé comme je l'étais des ruses et astuces que les isolés emploient pour tuer le temps, je pouvais, de tout mon cœur, sympathiser avec elle. Cette nuit du moins, nous avions réuni ces solitudes pour créer quelque chose d'infiniment plus précieux.

Etait-ce faute de ma part si j'espérais que nous pourrions quelque jour partager un sentiment plus profond ?

CINQUIEME PARTIE

PAR QUI
S'EST ACCOMPLI L'IRRÉPARABLE ?

I

LES VOIX D'OSCEOLA ET DE MARIE
ONT CRIE DANS LE DESERT...

JE N'ACCOMPAGNAI
pas les Campbell à Fort King ; Oscéola et sa suite me remplacèrent dans les fonctions d'escorte — j'étais avec nos travailleurs agricoles, occupé à éteindre dans le canton sud un mauvais feu de brousse, et je ne pus même pas trouver quelques minutes pour venir leur souhaiter bon voyage. L'été tirait déjà vers sa fin quand je reçus les premières nouvelles directes de Marie : je puis dire en toute sincérité que, depuis son départ, je n'avais pas eu un moment à moi.

Grâce à l'afflux de soldats à Saint-Augustin, nos produits étaient très demandés par l'intendance. Je fis donc plusieurs voyages à la côte et ne vis rien qui fût de nature à me rassurer — encore que je retirasse quelque réconfort du fait que le général Finch n'avait jusqu'à présent pris aucune disposition pour renforcer ses garnisons en territoire indien. Une autre source d'espoir était le fait que Wilburn, avec ses copains et compères, semblait avoir disparu de la région. J'avais entendu raconter que Lije lui-même était retourné en Géorgie, où ses proches et ses familiers étaient aussi nombreux que les diverses combinaisons politiques qu'il menait de front.

De folles rumeurs parcouraient la péninsule cet été-là, venant de Fort Brooke, la place forte de l'armée sur Tampa Bay : une douzaine de fois, à ce qu'il me parut, nous entendîmes parler de transports prêts à appareiller pour emmener les Séminoles dans l'Arkansas. Les dépêches de Marie présentaient pour ce qu'ils étaient ces potins optimistes. Les Indiens, écrivait-elle, chassaient et cultivaient paisiblement dans les savanes Alachua et aux alentours, ainsi qu'ils en avaient l'habitude dans les mois chauds. Ils évitaient les hostilités déclarées, tant avec les militaires qu'avec les colons qui continuaient à envahir leurs territoires de chasse. Derrière cette apparence trompeusement paisible, je devinais la main d'Oscéola : espérant que quelque arrangement pourrait être atteint au powwow annuel de la nation, il était visiblement résolu à maintenir le statu quo.

Les dépêches de Marie étaient envoyées par courrier à Millefleurs, avec la demande que j'y apporte telles corrections qui me sembleraient utiles. Invariablement je les laissais partir pour New York sans modifications importantes.

Les réactions furent diverses à Saint-Augustin quand ses rapports imprimés retrouvèrent la route de Floride. La « femme-des-livres » fut dénoncée, dans plus d'une demeure sur le Matanzas, comme une intruse étrangère. Le projet d'Oscéola pour un compromis — la migration d'ensemble vers la mer Herbeuse, projet que Marie défendait vigoureusement — fut écarté comme un subterfuge de l'homme rouge.

II

OU LE MAJOR CAMPBELL SE MONTRE,
EN TROP PEU DE TEMPS,
SOUS TROP D'ASPECTS SUCCESSIFS
POUR ETRE HONNETE

C'est au début d'août que je reçus la convocation de Fort King. Le billet était assez impersonnel, je crus à moitié que Marie l'avait écrit sous la dictée de son mari.

A ce que je compris, la famille d'Oscéola viendrait bientôt faire, chez le mercanti, des achats indispensables et Chechoter, qui avait promis à Marie de lui faire visiter les habitations indiennes de Great Spring, lui proposait de faire le voyage avec eux à leur retour, si cela lui convenait. Rien ne pouvait lui convenir davantage, car elle avait accepté l'invitation de terminer l'été à la plantation du général Finch, sur le lac Orange, qui n'était qu'à peu de distance de la Grande Source. Toutefois, à cause de la situation politique assez instable, le major insistait pour que je serve d'escorte. M'était-il possible d'en trouver le temps ?

Le billet parvint à Millefleurs vers midi. Un quart d'heure plus tard, j'avais demandé à mon père adoptif — et obtenu — quelques jours de permission. Mes couvertures de voyage étaient prêtes depuis longtemps pour cette expédition. Le soir même, un esclave domestique me fit passer l'eau en sloop et me débarqua au relais de l'armée sur le Saint John's. Le relais était un camp de repos sur la route qui traversait le terrain de chasse des Séminoles, du débarcadère de Picolata, à l'ouest de Saint-Augustin, jusqu'à Fort King. Le lendemain matin, quelques heures après avoir quitté mon bivouac, je traversais la dernière partie de la piste, au bout de laquelle, déjà visible derrière son écran de pins déchiquetés, s'ouvrait l'entrée de la palissade.

Comme la plupart de nos avant-postes de frontière, Fort

King était du type improvisé. Marie, dans ses dépêches, l'avait décrit avec assez de précision comme un parc à bestiaux pourvu de créneaux et de meurtrières. Des blockhaus plutôt ébauchés que finis marquaient les quatre coins de ses rectangles approximativement tracés. Les palissades, construites en troncs fendus, s'élevaient à dix-huit pieds peut-être au-dessus des landes sablonneuses. Dans cet enclos étaient les cabines qui servaient de quartier à une garnison d'à peine une centaine de soldats de l'armée permanente. Le quartier des officiers, qui s'enorgueillissait d'un revêtement de bardeaux et d'un léger badigeon blanc, était à l'abri de la palissade sud. Une couple d'antiques canons prenaient en enfilade la piste charretière et le magasin du mercanti, informe bâtisse étalée à une portée de fusil de l'entrée.

J'avais visité Fort King à maintes reprises : aujourd'hui je m'aperçus que je considérais notre somnolent avant-poste avec un regard neuf. Il était difficile de croire que la femme que j'aimais à présent au-delà de tout bon sens avait passé l'été dans cette caserne miteuse — et plus difficile encore d'admettre le fait que nous étions sur le point d'explorer ensemble ce désert avec, pour guide, celui précisément qui était la Némésis virtuelle de l'armée.

Une explosion de jurons et de rires venant de la cantine du mercanti éparpilla mes rêves. Je faillis aller rejoindre la compagnie qui s'y trouvait, puis renonçai sagement à suivre cette impulsion. Gillis, l'agent chargé des affaires indiennes, avait une détestable réputation dans le territoire : bien qu'il présentât aux Séminoles un visage amical, on le disait à la solde des trafiquants qui fondaient si impitoyablement sur les amis noirs des Indiens. Je l'avais rabroué vertement dans le poste et blâmé pour sa sereine et totale incompétence, et je n'étais pas d'humeur à accueillir aujourd'hui ses courbettes.

Je passai à cheval le portail de la palissade, salué par les sentinelles : bien que je ne fusse pas en uniforme, mon statut de capitaine de la milice était bien connu ici. L'officier de service, un ancien compagnon de beuveries, m'offrit la bienvenue dans la salle de rapport et, peu après, je fus introduit en la présence de l'époux de Marie.

Campbell travaillait dans le propre bureau du commandant : l'uniforme qui s'ajustait si bien à ses épaules n'aurait pu être plus impeccablement net en rentrant d'un défilé à West Point. En dépit de la chaleur et du fouillis de papiers devant lui, l'homme était plus soigné que jamais. Il semblait que l'été de Floride et les rigueurs de son tour de service fussent de mauvaises plaisanteries qu'il avait résolu d'ignorer.

— Asseyez-vous, Paige. Et prenez un cigare. C'est fort aimable à vous d'arriver si promptement.

Je refusai la boîte de havanes qu'il me tendait et durcis mon visage contre cette bienvenue légèrement moqueuse.

— Je suis au service de votre femme. Vous pourriez donc dire que je suis au vôtre. Aurais-je pu faire autrement ?

— Enfantillage, voyons. Je me rends compte que vous avez été rivé à Millefleurs cette saison, comme moi-même l'ai été ici. Si vous avez le temps d'escorter Mrs. Campbell à ce ridicule pique-nique, je ne saurais vous en être trop reconnaissant. Ce ne sera pas la première équipée qu'elle aura entreprise en vue de ce qu'elle appelle sa carrière.

— Avez-vous lu ses dépêches, major ?

Campbell étendit les mains sur le travail non terminé qui encombrait son bureau :

— Depuis six semaines, dit-il, je n'ai rien fait d'autre que répondre à des questions du secrétaire d'Etat à la Guerre. Il ne m'est pas resté de temps pour la poésie de Marie dans quelque journal des dames et des demoiselles.

— Mrs. Campbell travaille sur des faits précis et vérifiés, monsieur. Le *Nile's Register* et le *New York Herald* ne sont pas ce qu'on pourrait appeler des ouvrages de dames.

— Exact, Paige. Je plaisantais. Je sais fort bien que ses articles sont très demandés ; comme elle ne les signe que d'initiales, nombreux sont les lecteurs qui prennent ses opinions pour celles d'un homme. Dois-je entendre que vous les endosseriez ?

— Sans exception.

— Etant au service de la classe des planteurs, je m'attendrais plutôt à ce que vous endossiez *nos* plans et projets de transportation.

— D'autres pensent que les Séminoles ont le droit de rester en Floride. Ce serait une solution que de leur concéder les terres marécageuses du Sud.

Campbell tripota une plume. Pour la première fois depuis le début de notre conversation, ses yeux pâles, trop proéminents, se détournèrent des miens.

— Avec ou sans les esclaves ?

— Les Noirs sont plutôt leurs amis que leurs esclaves. Croyez-moi, les Indiens ne signeront aucun traité qui les en sépare.

— La plupart sont des fugitifs de plantations. J'ai une vingtaine de mandats pour leur capture.

— Quoi qu'on vous ait raconté, major, la plupart de ces Nègres sont nés sous la protection des Séminoles ; nombreux sont les mariages mixtes entre Noirs et Rouges. Ils se considèrent comme des affranchis.

— Vous connaissez la loi aussi bien que moi. Un esclave fugitif demeure la propriété de son maître. Il en va de même de sa descendance.

— Vous n'imposerez jamais pareille loi aux Séminoles, monsieur.

— Ne dites pas « jamais » à un officier de l'armée des Etats-Unis, monsieur. Il faut que la Floride soit rendue sûre pour les colons ; ma tâche est de convaincre ces diables rouges qu'ils n'ont le choix qu'entre l'émigration et l'extinction. Nous sommes prêts à dépenser de l'argent pour les persuader. Si l'argent échoue, nous aurons recours aux baïonnettes.

— Vous ne pouvez pas mener une guerre dans les marais. Vos mouvements y seront toujours prévus, quand vous ne vous trouverez pas, en outre, dépassés en nombre.

— Nous les dépasserons en nombre plus vite que vous ne le pensez, Paige, et je suis prêt à deviner leurs mouvements dès à présent.

Les yeux pâles revinrent enfin se poser sur moi.

— La transportation radicale est la condition *sine qua non* ; le président ne signera pas à moins. Peut-être pourrons-nous arbitrer la question des esclaves. Et, si le gouvernement indemnisait les propriétaires et demandait le transfert de la nation en Arkansas au grand complet, sans discrimination de couleur ?

— Je crois qu'une telle offre résoudrait tout. Plusieurs des chefs les plus anciens partiraient dès demain si on leur permettait d'emmener leurs Noirs avec eux. D'autres, comme le Chat Sauvage, préféreraient lutter jusqu'au bout — mais celui-là même pourrait être persuadé s'il voyait le flot tourner contre lui.

— Et ce paon qui se fait appeler Oscéola ?

— Parvenez à le convaincre que les agents dans l'ouest maintiendront la paix entre Creeks et Séminoles. Prouvez-lui que, s'il insiste pour demeurer en Floride, il sera traqué à mort. Montrez-lui qu'il peut émigrer sans abdiquer sa fierté. Faites tout cela — et il conduira pour vous son monde vers l'ouest.

— C'est *à vous* de faire cet effort, *non à moi*.

Une fois de plus je contraignis ses yeux pâles à rencontrer les miens.

— Me demandez-vous de discuter avec Oscéola le cas de l'armée ?

— En tant que capitaine de la milice, vous ne pouvez faire moins. Pour l'instant, c'est une demande, je ne vais pas encore en faire un ordre.

Le silence descendit dans le bureau du commandant tandis que nous continuions un duel qui n'en était pas moins furieux parce que notre colère était inexprimée. Quand enfin je parlai, je fus moi-même surpris de la douceur de mes intonations.

— On pourrait avancer que vous êtes l'intrus ici, major, et non Oscéola. Pour ma part, je considère qu'il a été plus que généreux en offrant neuf dixièmes de la péninsule à l'occupation blanche et en proposant de s'installer lui-même dans les vases et le gumbo du sud.

Campbell haussa les épaules :

— Il semble que vous soyez incurablement romantique, Paige. Presque aussi incurable que ma femme.

— Objectez-vous à son amitié avec les Indiens ?

— Je vous dis qu'elle s'est éprise d'un mythe — d'une vision dont la responsabilité est entièrement la vôtre.

— Mienne, major ?

— Qui lui a présenté ce trublion et l'a qualifié de noble

sauvage ? Du diable, mon garçon ! ne savez-vous pas que le *Herald* est très lu à Washington ? Vous n'avez pas idée de la façon dont les dépêches de Marie ont contrecarré mes efforts.

— Vous en reconnaissez donc l'importance ?

— Elles ne sont que vent et clair de lune, et le moins que vous puissiez faire, c'est de l'en convaincre pendant cette expédition à la Grande Source.

— Comment le pourrais-je, alors que je suis d'accord avec chaque mot de ces dépêches ?

— Considérez-vous ce type comme votre égal ?

— Oscéola est mon ami. Il se peut aussi qu'il soit mon supérieur — c'est une question à laquelle je n'ai jusqu'à présent donné aucune pensée. Mais je ferai tout ce qui sera en mon pouvoir pour protéger ses intérêts — à moins que vous ne le forciez à la lutte. Et je répète qu'il n'est point besoin d'en arriver à la lutte si l'armée ne perd pas la tête.

En disant ces mots, je m'étais dressé, prêt à quitter le bureau en coup de vent. Campbell leva une paume pacifiante.

— Ne partez pas sur un mouvement de colère, dit-il. Souvenez-vous que nous sommes sous le même drapeau. Ou bien auriez-vous l'intention de déserter en faveur de la cause indienne en cas de guerre ?

— Ce n'est pas à vous à me rappeler la fidélité au serment, dis-je sèchement. Comme capitaine de la milice, je serai présent avec ma compagnie quand la poudre parlera. En attendant, j'aiderai Mrs. Campbell à répandre la vérité hors de Floride — à moins que vous n'arrêtiez ses dépêches au passage. Je suppose que vous avez pour cela l'autorité nécessaire.

Alan Campbell abaissa son regard sur ses ongles.

— J'ai l'autorité nécessaire pour vous faire emprisonner pour sédition, fit-il. Bien entendu, je n'ai pas l'intention de l'exercer.

— Mille fois merci !

— Et je ne donnerai aucun ordre à ma femme pour ce qui est de sa carrière. Je ne puis que prier pour que vous deux ne perdiez pas complètement la tête.

Je passai la porte sans répondre. Ce ne fut qu'une fois sur le terrain de parade que je me souvins du bizarre éclat de ses yeux au moment où il m'avait congédié d'un léger signe de main. Je me souviendrais plus tard de ce regard — plus tard... trop tard... — et je me rendrais compte que je ne pourrais jamais lutter contre le major Alan Campbell avec les armes de son choix.

III

ROUGES ET NOIRS D'UN COTE, BLANCS DE L'AUTRE...

Encore sous l'effet de ma colère indignée, je n'avais rien dit de notre conversation à Marie tandis que nous chevauchions côte à côte sur la piste de Great Spring. Une contrainte dissimulée avait pesé sur nous pendant tout ce long après-midi ruisselant de soleil : il n'y avait pas eu besoin de beaucoup de paroles quand nous traversions des savanes, quelques hauteurs boisées, coupant des marais, et d'interminables landes couvertes de pins. Nous suivions à présent un sentier couvert d'une épaisse couche d'aiguilles de pin qui, sinuant parmi des clairières, descendait vers l'Oklawaha. Sachant qu'elle ferait de même, je mis mon cheval au pas.

— Cela fait longtemps, Marie, dis-je doucement.

— Trop longtemps, Charles. Depuis des semaines je souhaitais vous appeler.

— Chose curieuse, je n'ai pas le sentiment que nous ayons été réellement séparés pendant une seconde.

— C'est qu'en vérité nous ne le fûmes. Chacune de ces dépêches était rédigée à votre intention.

— Ce fut un honneur que d'être votre premier public.

Tandis que nous parlions, nos chevaux s'étaient rapprochés — rapprochés au point que nos cuisses se frôlèrent brièvement. Malgré le ton apparemment neutre de notre conversation, cette intimité était dangereuse : d'un léger coup d'éperon, j'écartai ma monture à distance prudente.

— Ces reportages sont importants pour moi, Charles, dit Marie. Ils me donnent l'impression d'être utile — à condition d'être lus par les yeux qu'il faut ! Je sentais que, si vous les trouviez acceptables, le pays les accepterait aussi. Dès le début, je me suis rendu compte qu'on ne pouvait faire trop pour aider la Floride.

— A ce que je comprends, les Indiens vous ont parlé ouvertement.

— C'est Chechoter qui m'a le plus aidée.

Le regard de Marie s'attacha un instant sur un léger nuage de poussière qui, plus bas sur la piste, marquait le passage de la petite famille d'Oscéola. Le chef séminole marchait à la bride du cheval ; en dépit de la coutume indienne, Chechoter et Toschee étaient installés en tandem sur la selle. Derrière eux, sur un traîneau tripode, l'équipement de campagne que les Séminoles emploient pour de courtes expéditions comme celle-ci : le dessus d'une tente en peaux cousues, quelques ustensiles de cuisine, une boîte de sel, quelques autres provisions achetées chez le mercanti à Fort King. Nous avions, tout en voyageant, chassé dans le courant de l'après-midi. Une demi-douzaine de lapins dépouillés de frais, un sac de farine nous assuraient un savoureux repas du soir.

— Ce n'est peut-être pas la première fois qu'une femme blanche voit la vie à travers des yeux primitifs, dit Marie. Je n'en apprécie pas moins un aussi rare privilège.

— Même à présent, ils désirent être nos amis. Trop peu nombreux sont ceux des nôtres qui voudront leur en donner la chance.

— Alan les considère comme des animaux parlants, dit-elle. Il est convaincu qu'on peut les rassembler en troupeaux et les embarquer vers l'ouest ainsi que du bétail. En d'autres termes, empoignez un problème que vous êtes incapable de résoudre et repoussez-le hors de vue... dans l'Arkansas...

Elle s'interrompit avec un petit soupir :

— ... Mais il ne faut pas que je cite inexactement mon

mari : j'ai la conviction qu'à présent vous avez appris quelles sont ses vues.

— Le major Campbell a une mission à accomplir. En qualité de messager du secrétaire d'Etat à la Guerre, il n'a pas le choix.

— Moi non plus, Charles. Je suis peut-être arrivée ici trop tard pour raconter toute l'histoire, mais je continuerai d'essayer. Entre temps, j'ai renoncé à discuter avec Alan. Ce n'est pas une bonne chose — ni heureuse — quand mari et femme parlent une langue différente.

Sur quoi, les joues en feu, elle reprit le trot sur la piste. Je la suivis à distance prudente, sachant qu'il n'était pas en mon pouvoir de la réconforter. Après ma conversation avec le major Campbell, je n'avais une image que trop précise du dilemme qui était celui de Marie... Le moment n'était guère opportun pour envoyer le major à tous les diables — à haute voix. Pas davantage de me demander s'il soupçonnait mon amour pour sa femme et nous avait lâchés en liberté aujourd'hui pour des motifs connus de lui seul.

Une heure plus tard, nous longeâmes les ruines calcinées du village où Wilburn avait effectué un dernier raid. Oscéola passa en détournant les yeux. Je me remémorai la dépêche que Marie avait consacrée à la question épineuse Séminoles-Nègres, son plaidoyer en faveur de cette étrange fraternité, son appel à la tolérance. L'article avait soulevé une tempête de protestations à Saint-Augustin, où son auteur avait été qualifié d' « abominable » — et de bien pires choses... En tant que Floridien, je pouvais comprendre cette colère : l'institution de l'esclavage avait poussé dans le sud des racines profondes. Les propriétaires, même ceux tels qu'Emile Michaud, sentaient que l'utilité en était depuis longtemps établie et prouvée. Rien n'avait mis les planteurs en rage comme la découverte, dûment constatée, qu'entre des mains séminoles le Nègre pouvait parvenir au statut humain, à la qualité d'homme libre. Aucun fait, aucun facteur ne les avait poussés à réclamer à cris plus furieux la déportation des Indiens.

— Du moins, les raids sont arrêtés pour le moment, dit Marie.

C'étaient les premières paroles qu'elle prononçait depuis son quasi-aveu dans la pinède : cela lui ressemblait parfaitement d'effacer ses problèmes personnels avec autant de calme que s'ils n'avaient jamais existé.

— N'est-ce qu'une trêve avant le Conseil ?

— Ce qui est certain, c'est que Wilburn n'a pas le moins du monde renoncé. On dit qu'il a circulé partout, pour sonder — et sans doute stimuler — l'opinion pro-esclavagiste. Il va de soi que les extrémistes feront plus qu'insister pour l'émigration : ils exigeront tout ancien esclave et tous ses descendants — y compris ceux qui, comme Chechoter, sont beaucoup plus indiens que nègres.

— Chechoter a-t-elle du sang noir ? Je n'ai jamais voulu le demander.

— On m'a dit qu'une de ses grand-mères était une fugitive de Géorgie. Cela suffit pour les négriers.

— Aucun compromis n'est-il possible dans de tels cas ?

— Point, dis-je, tant qu'Oscéola et le Chat Sauvage disposeront d'une voix au powwow. N'oubliez pas qu'ils peuvent se montrer aussi obstinés que les trafiquants. Pour Wilburn, n'importe quel membre de la nation qui a la moindre goutte de sang noir dans les veines est du cheptel. Pour Oscéola, le Nègre est partie intégrante de la tribu dès l'instant qu'il y a trouvé asile. La seule solution est d'indemniser en espèces les propriétaires lésés, puis de faire émigrer en masse Rouges et Noirs, en totalité, au grand complet. Mais je doute que Washington contresigne jamais un tel projet — ou plutôt je ne doute pas. Je pense qu'il n'y consentira pas.

Cet échange de vues aida jusqu'à un certain point à dissiper entre nous une tension inavouée. Le galop y contribua aussi, que nous adoptâmes pour le dernier mille de la longue route, quand nous remarquâmes que nos hôtes indiens nous avaient semés. La raison de la hâte soudaine d'Oscéola me fut clairement compréhensible quand nous arrivâmes en vue de Great Spring : en quelques instants, le ciel avait pris une teinte d'un vert flétri, indubitable avertissement d'une averse en préparation.

Nous atteignîmes notre but deux ou trois secondes avant que le ciel s'ouvrît : Marie dut relever les jupes de son amazone et prendre la course pour gagner un abri. De tels déluges tropicaux sont presque quotidiens en Floride, vers la fin de l'été.

Ne gardant sur le corps que mes culottes en peau de daim, je pouvais jouir de la douche qui battait mon dos et mes flancs nus, pendant que je m'occupais à installer nos deux montures dans un corral, au-delà du demi-cercle de huttes qui bordait l'ourlet de la Grande Source.

Toschee passa près de nous avec une grande clameur rieuse, les bras chargés de morceaux de bois résineux. Oscéola et Chechoter, dans la hutte communale, embrochaient des lapins au-dessus d'un lit de braise ardente et faisaient cuire des galettes de maïs sur un gril improvisé. Dans la danse de lutins des clartés et des ombres, je vis que Marie préparait une cruche de thé d'herbes, puis qu'elle étalait nos couvertures à sécher et à chauffer près du foyer.

Pendant ces minutes-là du moins, nous aurions pu n'être qu'une seule famille, délivrée des barrières dressées par la race et par les croyances. Je sentais mon cœur bouleversé par une émotion plus profonde que l'amour même, car ici existaient, tout au moins pour une brève durée, la preuve vivante de la fraternité humaine, sa capacité de survivre, si violemment que fissent rage les éléments.

Mes yeux étaient humides — et pas seulement de pluie — quand je pris place dans la hutte auprès des autres. Le regard de Marie chercha le mien pendant que je m'agenouillais devant le feu afin de dépouiller un lapin de plus pour la broche.

La pression de ses doigts sur mon bras me dit que sa réaction à ce tableau avait été la même que la mienne.

IV

L'EDEN, ADAM, EVE
ET LE GRAND ESPRIT DE LA SOURCE

Même sous la pluie battante et sous la tempête, la grande source au bassin circulaire était d'une sombre beauté. Au premier coup d'œil, elle paraissait — sur une plus large échelle — la réplique du cristallin bassin de Millefleurs. Bordée de chênes verts et de grasses prairies, elle s'épanchait par un chenal étroit et profondément creusé dans une jungle boisée, d'où elle s'écoulait à toute allure, comme dans un bief, pour rejoindre l'Oklawaha, la rivière aux flots couleur de chocolat qui, à plusieurs milles vers l'ouest, se déversait à son tour dans le Saint John's.

D'où nous étions assis, nous pouvions voir que la surface de la source était en perpétuel mouvement. Criblée comme elle l'était par la pluie, obscurcie par les nuages si bas qu'ils semblaient envahir jusqu'au sommet des arbres, elle n'avait rien perdu de son incroyable clarté. Une fois de plus, j'approuvai le nom sous lequel les visiteurs blancs la connaissaient : Silver Springs — sources d'argent.

Les huttes, construites en nattes d'un tissage très serré, n'étaient guère qu'une demi-douzaine en tout. La source étant un lieu sacré des Séminoles, peu nombreux étaient les Blancs qui s'y aventuraient sans une invitation de la part d'un chef ; le fait que Marie et moi nous trouvions ici en la compagnie d'Oscéola était en vérité un rare honneur.

Au coucher du soleil, l'averse s'arrêta aussi brusquement qu'elle avait commencé. Nous prîmes notre repas en plein air — un festin de lapin rôti à la broche, de crêpes de maïs, de ragoût de légumes merveilleusement assaisonné avec un mélange d'herbe qui était le secret de Chechoter. Plus tard, quand Toschee fut couché pour la nuit, Oscéola et moi

84

fumâmes une pipe au bord de la Grande Source, pendant que les deux femmes mettaient de l'ordre. Je pouvais entendre leur bavardage à voix basse tandis qu'elles travaillaient et m'émerveillais encore de l'aptitude de Marie à se fondre dans ce monde primitif — à ne faire qu'un avec lui. Et le fait ne semblait pas moins naturel de les entendre converser toutes deux en langue séminole : pendant son séjour à Fort King, Marie avait beaucoup étudié avec les interprètes, de sorte qu'aujourd'hui elle parlait presque aussi bien que moi ce simple langage.

La coutume indienne veut qu'on se lève et qu'on se couche avec le soleil. Ce soir toutefois, Oscéola me quitta après une seconde pipe et marcha très loin, le long de la berge, puis s'assit, enroulé dans sa couverture, et demeura là, sans un mouvement, comme s'il communiquait avec l'esprit des profondeurs.

Après que j'eus installé Marie dans une des huttes et déroulé ma propre couverture en travers de son seuil, je pouvais encore distinguer sa silhouette immobile contre un ciel d'étoiles. Des heures plus tard, je fus brièvement éveillé par son pas de chat quand, enfin, il se remua pour aller retrouver sa femme et son fils dans la demeure du chef.

Il me sembla qu'un moment à peine s'était écoulé quand je m'éveillai de nouveau à l'arôme du poisson grillé, pour contempler la source toute rouge de la gloire fulgurante du soleil levant.

Chechoter plaça une autre marmite sur les charbons et me sourit quand j'entrai dans la hutte commune.

— Tu dormais bien, Charlo! dit-elle. Si profondément que tu n'as pas entendu se lever la femme-des-livres. Il y a quelques instants à peine qu'elle est partie se baigner à Lovers' Point. Elle a demandé que tu la rejoignes si tu t'éveillais à temps.

Je n'avais pas besoin d'autre invitation pour m'engager dans le sentier humide de rosée qui conduisait au bord le plus éloigné de la source. Cet endroit, à ce qu'assurait la légende, avait été jadis le lieu de rendez-vous de deux amoureux qui s'y étaient noyés dans les bras l'un de l'autre — d'où son nom, la Pointe des Amants.

Je trouvai Marie assise, ses pieds nus jouant avec la lumière dans l'eau peu profonde du bord. Son corps était engoncé dans une capote militaire ; ses yeux, encadrés par l'auréole de ses boucles emmêlées, me dédièrent un salut rayonnant.

— Ne prenez pas cet air choqué, Charles, dit-elle. Je suis complètement vêtue et ceci n'est pas un rendez-vous. Je voulais simplement causer avec vous seul à seul. C'est que, voyez-vous, j'ai de merveilleuses nouvelles.

— De l'Esprit-qui-demeure-dans-la-Source ? questionnai-je avec gravité.

Ses yeux s'ouvrirent largement, écarquillés.

— L'auriez-vous entendu également ?

— Mon oreille n'est pas tout à fait assez fine. Toutefois j'ai remarqué qu'Oscéola était en communion jusqu'à près de minuit. Vous a-t-il confié le message ? ou à Chechoter ?

— Peu importe l'origine, le fait est là, dit Marie. Le fait que nous avons été témoins d'une décision historique. Dès à présent, Oscéola est disposé à voter l'émigration — pourvu que la nation parte pour l'ouest *au complet* et avec honneur.

Ses paroles m'éveillèrent complètement :

— Qu'est-ce qui a inspiré sa décision ?

— Qui serait-ce, sinon l'Esprit-qui-habite-dans-la-Source ?

Marie avait parlé solennellement et je ne relevai pas son affirmation. La sagesse de l'homme primitif lui vient toujours de la terre : je n'avais aucune intention d'abîmer le message par une ironie civilisée.

— A qui pensait-il quand il l'a entendu ? A Chechoter et à Toschee ?

— A qui d'autre ? Quand nous avons passé hier près de ce village brûlé, il a dû revoir le visage d'un enfant qui mourut dans les cendres — et c'était le visage de Toschee. Quant à Chechoter, elle est jeune et belle. Où qu'elle aille à présent, à Saint-Augustin, aux magasins du mercanti à Fort King, partout il y a des Blancs qui la suivent d'un regard de chien.

Marie avait parlé en séminole ; elle retourna à l'anglais.

— Oscéola du moins parvient à envisager le problème avec un cerveau de Blanc. Il sait que mieux vaut éviter la guerre et quitter la Floride pour une autre terre où les femmes et les enfants seront en sécurité.

— Votera-t-il pour l'émigration au prochain powwow ?

— C'est ce qu'il dit — si la situation ne change pas.

— Quelques-uns de ses amis le traiteront de lâche, soulignai-je.

— Si vous entendez par là Coacoochee et Alligator, ma foi, tant pis ! Ils sont jeunes et n'ont à se soucier ni de femme ni d'enfants. Les pères de famille, eux, sauront que c'est la voix de l'amour qui parle par la Grande Source. Les épouses et les mères le loueront — et les chants des enfants seront sa récompense.

Marie avait de nouveau glissé dans l'emploi du séminole pour rendre plus sensible la profondeur de son émotion.

— N'êtes-vous pas d'accord, Charles ?

— Avec mon esprit. Mais pas avec mon cœur. Nombreux sont ceux qui le trouveront faible s'il vote avec Micanopy et les anciens du Conseil. Les jeunes braves pourront même le narguer et le mépriser.

— A sa place, agiriez-vous autrement ?

— A sa place, je me battrais pour la mer Herbeuse et pour mes droits au soleil de Floride. Mais, bien sûr, je ne suis pas chargé de famille.

— J'espérais que vous seriez plus emballé par mes nouvelles.

— Soyez honnête, dis-je. Etes-vous émue ou désappointée, à présent que le noble sauvage s'est transformé en *pater familias* ?

— N'importe quelle solution n'est-elle pas préférable à la guerre ? A sa place, ne préféreriez-vous pas Chechoter et Toschee bien vivants dans l'Arkansas que morts parmi ces palmiers nains ?

A ma honte, à présent que le premier choc de surprise était passé, j'éprouvais peu d'émotion en dehors d'une écrasante lassitude. J'avais beau m'efforcer et me raisonner, je ne parvenais pas à croire que mon idole avait des pieds d'argile. Mon seul sentiment à cette heure était une pointe d'humeur contre Marie. Je ne m'étais pas attendu à la voir accepter si aisément la capitulation.

— N'étiez-vous pas venue à Lovers' Point dans l'intention de vous baigner ? Chechoter m'a dit que vous m'invitiez à vous rejoindre.

— Je vous défierai à la course vers le déjeuner quand il vous plaira, répondit Marie. Il n'en demeure pas moins que j'aimerais vous voir plus intéressé par mes nouvelles.

— Je croirai à la conversion d'Oscéola quand il prendra la parole au Conseil. Pour l'instant, je continue à croire qu'il a cédé à une faiblesse passagère. Et je suis certain qu'avec le temps vous en viendrez à admettre mon point de vue.

— Rien que pour cela, protesta Marie, vous mériteriez de vous noyer !

Elle se leva et traversa l'étroite bande de plage sableuse qui séparait la prairie du limpide pétillement de la source. Ensemble, nous plongeâmes nos regards dans ces incroyables profondeurs, où chaque détail du fond en pierre à chaux se détachait et semblait assez proche pour qu'on puisse le toucher en étendant le bras, bien qu'il y eût, en cet endroit, plus de soixante pieds d'eau.

Loin en dessous de l'entablement de la rive, nous pouvions distinguer les silhouettes d'un homme et d'une femme enlacés dans un baiser, un baiser de mort. Bien des années auparavant, j'avais plongé jusqu'à cette bizarre sculpture et constaté que ce n'était rien qu'un affleurement rocheux modelé à la ressemblance de deux formes humaines par le courant palpitant. Aujourd'hui, avec Marie à mon côté, je me sentais à demi disposé à croire que ces amoureux étaient réels.

— Rattrapez-moi si vous pouvez, dit-elle en laissant glisser à ses pieds la capote militaire.

Ainsi qu'elle l'avait dit, elle était correctement vêtue en dessous d'une camisole et d'un petit pantalon festonné, mais je devinai qu'elle ne portait pas autre chose. Quand elle plongea, je sus que j'avais deviné juste : le tissu mouillé se colla instantanément à son corps ravissant et à ses membres, qu'il modela et révéla à mon regard à travers l'eau cristalline, faisant battre mes artères à grands coups, d'un désir aussi ancien que l'homme. Son plongeon sans une éclaboussure, alla vite et loin ; en quelques secondes, ses doigts frôlaient les flancs des amoureux de pierre. Avant que j'eusse

osé me risquer à regarder à nouveau, elle perçait, au centre,
la surface toute parsemée de taches de soleil.

— Vous ne savez pas nager, Charles ?

Je n'avais pas de maillot de bain, mais je courus vers
Great Spring, me débarrassant simplement de mes bottes et
de ma chemise pendant ma course et entrai dans la source
en un long plongeon glissant. Mais elle l'avait prévu et nagea
au-delà de mon atteinte, riant comme la Néréide à laquelle
elle ressemblait et parfaitement inconsciente de la chair
ferme, saine et claire que révélait la camisole trempée. Quand
je fis mine de la rattraper, elle pivota doucement sur elle-
même et disparut de la surface.

Flottant le visage tourné vers le bas, je suivais le chapelet
de bulles que ses jambes sveltes suscitaient en battant l'eau
pour y descendre de plus en plus bas ; je vis enfin son corps
tourner à nouveau sur lui-même et s'élever, en spirale cette
fois, car la poussée vivante de l'eau la forçait à changer de
place. Deux fois je descendis à sa poursuite et deux fois je
la laissai m'échapper dans notre fantasmagorique jeu de
cache-cache.

Notre troisième plongée fut vraiment profonde. A mi-
route du fond, mes doigts se refermèrent sur les chevilles de
Marie. Nageant pour ainsi dire en tandem, avec quatre jambes
battant contre la pulsation du courant, nous nous forçâmes
une entrée dans le jaillissement massif qui montait de la faille
au cœur de la pierre.

Pendant un moment, nous demeurâmes suspendus dans ce
pétillement géant. Des cloches tintaient dans mes oreilles, me
rappelant que nous étions descendus assez loin, mais j'avais
oublié toute prudence dans l'enivrant triomphe de ma capture. Rien à présent n'importait plus en dehors de notre
étroite proximité et le fait qu'elle avait enfin nagé vers
mes bras et s'était serrée contre moi pendant que nos deux
corps s'efforçaient comme un seul de résister à l'entraînement du courant.

Je sentais le choc de son cœur contre le mien, tandis que
nous continuions notre lutte inégale contre Great Spring.
Puis, comme par un silencieux consentement mutuel, nous
nous rendîmes, lui permettant de nous soulever à sa guise.

Quand nos lèvres se rencontrèrent, il n'y eut en nous aucun sentiment de culpabilité. La découverte de sa passion qui pouvait égaler la mienne (du moins pendant cet éblouissant instant) effaça brusquement tout le quotidien et tout ce qu'il avait de douloureux.

Notre instant se termina de façon aussi soudaine qu'il avait commencé. Rebondissant follement dans le courant, nous fîmes surface ensemble en même temps que nos bras se dénouaient. Le tonnerre de nos pulsations s'éteignit alors que Marie continuait à nager autour de moi en un petit cercle prudent ; ses yeux rencontrèrent les miens, puis se détournèrent. Ce ne fut qu'un regard rapide et bref, mais qui répondait à tous mes doutes. Désormais nous appartenions l'un à l'autre, aussi véritablement et totalement que si notre amour avait été consommé.

— Qu'est-il arrivé, Charles ?

— J'ai capturé la Nymphe de la Source, dis-je en séminole. L'Esprit-qui-apporte-la-Paix.

— Dites ce que vous voulez dire, et dites-le en anglais.

— Vous savez que je vous aime, Marie. Qu'est-il advenu de nous ?

Elle rejeta ses cheveux en arrière jusqu'à ce qu'ils flottassent en éventail à la surface de l'eau. Ses yeux étaient levés vers le ciel d'aurore. Cette fois je sentis qu'elle se rendait compte des secrets que révélait le cristal de l'eau. Si elle se repentait de sa quasi-nudité, elle n'en donna aucun signe.

— Si je pouvais répondre à votre question, Charles, dit-elle enfin, je mériterais une place au nombre des philosophes.

— Je ne vous demanderai pas si vous partagez mon amour. Vous avez déjà répondu.

— Tiendrez-vous compte d'un moment de folie ?

— Vous étiez vous-même dans les profondeurs, répliquai-je. Que cela vous plaise ou non, nous étions un couple dans l'Eden, avant la venue du Serpent. Vous ne pouvez pas retourner vers la civilisation avant de m'avoir répondu.

— J'y suis déjà retournée, Charles. Suffisamment en tout cas pour me souvenir que je suis la femme d'Alan.

— Vous l'aviez oublié au carnaval, quand vous aviez l'excuse d'un masque. A présent il n'y a rien entre nous.

— Si j'avouais que je vous désirais autant que vous me désiriez, dit-elle calmement, me prendriez-vous sur-le-champ ?

— Un homme pourrait-il agir autrement dans l'Eden ?

— Dans ce cas, Adam, je ne vous tenterai plus. Nous avons dérivé beaucoup trop loin.

Elle ne fit toutefois aucun mouvement vers la rive, semblable à un mirage dans la brume qui commençait à monter de la jungle. Tout au contraire, elle tourna doucement dans les saccades du courant et revint se lover dans mes bras. Cette fois notre baiser ne fut qu'un doux et tendre gage qui portait en lui la renonciation.

— Croyez-moi, Charles, si je connaissais la réponse, je vous la donnerais sans tarder.

— Campbell n'accepterait-il pas le divorce ?

A présent nous nagions côte à côte vers le rivage, et nous avions besoin de toutes nos forces pour lutter contre le courant. Tout d'abord, je crus qu'elle n'avait pas entendu ma question. Puis :

— Alan m'a épousée pour Millefleurs, dit-elle. Et pour l'argent d'oncle Emile. C'est aussi simple que cela. Je lui avais dit, dans la conversation, quand nous nous sommes rencontrés en Angleterre, que j'avais un oncle en Floride. Il écrivit à des amis à Saint-Augustin et, le jour où il sut que j'étais une héritière, me demanda en mariage.

— Je puis toujours le provoquer..., dis-je.

Mais je n'avais pas fini de prononcer ces paroles que j'en sentais la futilité. Tout comme l'énoncé sans phrase du piège où Marie était tombée, elles semblaient dépourvues de toute réalité, comparées au paradis que nous quittions.

— Alan ferait état de son grade et refuserait de se battre, dit-elle. En outre, c'est une chose que je ne saurais jamais permettre.

Ce qu'elle venait de dire était la vérité même. Je ne pourrais jamais lui faire honte en provoquant Campbell, la mortifier en la laissant soupçonner comme la cause de notre querelle. Et, pour ce qui était de la réaction de Campbell, j'aurais pu l'exprimer tout aussi clairement. Peut-être avait-il déjà deviné notre amour ? Qui pourrait dire les pensées qui fermentaient derrière le masque impassible que ce guerrier présentait au monde ?

S'il avait deviné, j'étais sûr qu'il rejetterait cette découverte comme une contrariété mineure, tant que Millefleurs demeurerait dans sa poigne et que sa marche vers la gloire ne serait pas entravée.

— Rassurez-moi, Charles, dit Marie pendant que nous nagions vers l'ombre feuillue du rivage. Rentrons à présent, ou nous ne retrouverons plus notre route !

V

TRAFIQUANT D'ESCLAVES, AGENT PROVOCATEUR, ASSASSIN, WILBURN MET LE FEU AUX POUDRES

Quand nous eûmes regagné la terre sèche, je constatai que nous avions dérivé près d'un mille en aval du camp. Quelques minutes de plus, et le courant nous entraînait dans la jungle et le profond chenal qui regagnait l'Oklawaha.

Ici, où prairie et boqueteau se joignaient, la plage sableuse qui bordait la source rendait la marche facile. Les joues de Marie s'étaient enflammées au moment où nous avions émergé de l'eau ; jusqu'à ce que ses dessous ruchés et festonnés fussent secs, elle insista pour que je passe devant elle. Puis, comme si elle avait abandonné toute honte, elle m'appela à son côté, et dès lors nous avançâmes main dans la main, sans essayer de rouvrir une discussion qui ne pouvait avoir qu'une seule issue. Nous retrouvâmes nos vêtements où nous les avions abandonnés. Marie s'enroula dans sa capote, je pris ma chemise et mes bottes sous mon bras, et nous repartîmes. Nous n'étions plus à cent yards du camp lorsque le cri de Chechoter nous atteignit, un cri suraigu et désespéré. Un mélange de voix d'hommes le domina, bientôt suivi d'un

autre cri et du claquement d'une main sur la chair nue. Avant
même que j'eusse fini de faire tomber Marie à côté de moi
sur les genoux et sur les mains, j'avais presque deviné la
nature de l'intrusion.

Sachant que le bruit le plus léger nous trahirait, nous
rampâmes silencieusement vers l'écran de fenouil qui nous
séparait du demi-cercle de huttes. J'avais aussitôt reconnu
la voix qui dominait la marée montante des rires mâles, le
craquement des crosses de fusil contre les claies, et un jappe-
ment furieux qui avait dû être poussé par Toschee. Je murmurai :

— Baissez la tête, Marie. Nous sommes assez près.

— Qui est-ce ?

— Des négriers. C'est Wilburn qui donne les ordres.

— Wilburn ? Je croyais qu'il avait quitté la Floride ?

— Il semble qu'il y soit revenu en force.

Sans protester davantage, Marie s'aplatit dans notre abri
de verdure, elle avait aussi clairement que moi compris la
situation. Si Wilburn avait osé revenir en territoire indien,
s'il avait pénétré dans un lieu que les Séminoles tenaient
pour sacré, cela ne pouvait signifier qu'une chose : les trafiquants d'esclaves en selle de nouveau, il ne pouvait plus y
avoir de solution pacifique, aucune alternative, rien que l'étincelle finale qui mettrait en feu toute la frontière de Floride.
Effectivement, par sa nature même, l'invasion d'aujourd'hui
avait dû être calculée dans l'intention délibérée d'attiser l'incendie.

Ce que je vis en scrutant du regard la clairière confirma
mes pires craintes. Dix hommes, peut-être, avaient envahi
notre sanctuaire — de grandes brutes massives, en gros lai-
nage rustique et bottes cuissardes. Il y avait des pistolets
dans chaque ceinture et une demi-douzaine de fusils tout
proches. Quelques-uns des envahisseurs s'occupaient à démo-
lir les parois des huttes, d'autres mettaient le feu de place
en place ; déjà, d'un toit crevé, montait un serpent de fumée.

Chechoter, à genoux, tenait entre ses bras Toschee qui
continuait à crier son défi aux intrus. Oscéola, la colère
empreinte sur son visage, ses noirs sourcils durement froncés, se tenait les bras croisés sur la poitrine en face de Lije

Wilburn, qui marchait de long en large, avec la débordante jubilation d'un dresseur de tigres. La chambrière plombée dans son poing complétait exactement le tableau. Et aussi l'effleurement négligent de cette lanière de vingt pieds, quand il en fit claquer la mèche plombée à quelques pouces des yeux du chef séminole.

— Tenez vos mains tranquilles, dit-il, singeant ironiquement une remontrance de bonnes manières. Les Indiens risquent de se faire tuer quand ils s'opposent à l'action légale d'un chasseur d'esclaves.

— Il n'y a pas d'esclaves ici.

Oscéola venait de parler anglais, une langue dont il se servait rarement. Et le sifflement de rage qui soulignait ses paroles aurait fait frémir n'importe quel cœur sauf celui de Wilburn.

— Qui est la pouliche noire à genoux dans les cendres ?

— C'est ma femme. Touche-la et je te tue !

— Je ferai plus que la toucher : j'ai un mandat pour sa capture !

La feuille de papier officiel brandie par Wilburn se déploya sous le soleil : je remarquai qu'il eut grand soin de ne pas permettre à Oscéola d'en examiner le texte. Non que je doutasse que la pièce fût authentique, pour autant que le soient de tels documents — c'est-à-dire qu'elle était pleine de cachets, de sceaux, de paraphes de juges — où des vides avaient comme toujours été réservés, vides que les négriers remplissaient à leur guise, inventant au besoin des noms pour les Noirs terrifiés dont ils s'emparaient.

— Qu'en dites-vous, les garçons ? A présent que nous avons dépisté notre Négresse, allons-nous la conduire à son local ?

Un chœur de rires et de braillements répondit à Wilburn, cependant que, piétinant le feu de cuisine, il marchait droit sur Chechoter et la saisissait par les cheveux. Toschee se jeta comme un fox-terrier dans les jambes de l'homme qui l'écarta d'un coup de pied. De l'autre côté du foyer, Oscéola, qu'une demi-douzaine de mains agrippaient aux quatre membres, bégayait de rage et se débattait furieusement.

— Encorde cette harpie, Jack, et attache-la à ma mule, ordonna Wilburn. J'en aurai peut-être l'emploi un peu plus tard.

Oscéola poussa un cri rauque, inhumain, étranglé, qui me remit en mémoire un incendie à Millefleurs au cours duquel un étalon avait péri dans son écurie. Je me soulevai sur les genoux et, d'une poigne de fer, repoussai Marie dans son abri. En un silence tendu nous vîmes Jack Buell, l'homme de main de Wilburn, qu'Oscéola avait fait passer aux baguettes au printemps dernier, s'avancer à grandes enjambées vers son chef et saisir Chechoter par le bras. Pendant quelques secondes, fusillant les deux hommes du regard, la jeune femme se secoua pour se dégager, puis, avec un mouvement de résignation désespérée, courba la tête et suivit Jack, qui la tirait vers la file de chevaux et de mules de transport attachés à l'autre bout de la clairière. Ce faisant, elle parut changer de forme, se ratatiner, se réduire. Sa tunique gaiement brodée de perles et qui mettait sa silhouette en valeur de façon si charmante une heure plus tôt semblait soudain pendre de ses épaules comme un vieux sac. Je savais que ce n'était qu'illusion, mais à l'endroit où Buell avait déchiré le vêtement, le bras et l'épaule de la jeune femme paraissaient plus noirs que cuivrés dans l'éclat du matin.

— Tu vois, Oscéola ! Elle ne demande qu'à suivre. C'est bien la preuve qu'elle a été volée !

Un grand cri jaillit de la gorge du Séminole qui, dans un suprême effort, se débarrassa de ceux qui le tenaient, et bondit, les mains tendues comme des serres ; elles auraient arraché le gosier du corps du négrier si celui-ci n'avait fait lestement un bond de côté.

Je sentis ma propre chair se hérisser avant même que le grand fouet pût se dérouler. Manœuvré par une main experte, c'était une arme mortelle, capable aussi bien de briser le bras d'un homme que de lui faire sauter un œil de l'orbite ou que de l'étrangler.

Cette fois, Wilburn se contenta d'une volée tournoyante qui envoya Oscéola dans les palmettes. Avant qu'il pût se relever, la lanière de peau avait frappé de nouveau, soulevant en travers de son bras et de sa poitrine une enflure sanglante.

Déjà deux négriers se cramponnaient à ses jambes et le canon d'un fusil s'appuyait à ses reins.

— Eh bien ! les garçons ! Allons-nous enseigner les manières à cette vermine ?

— Nous ne pouvons pas le lyncher, Lije !

— Boucle-la, Steve ! hargna Wilburn. Attache-le à cet arbre.

Maintenant, sans me soucier du risque, j'étais debout.

— Restez où vous êtes, murmurai-je à Marie. Je vais arrêter cela, si je le puis.

— Non, Charles...

— Wilburn est saoul, comme d'habitude. Il ne peut pas être complètement fou.

— Dans ce cas, je viens aussi.

— Vous savez ce qui attend Chechoter. En voulez-vous autant ?

Ceci figea Marie sur place, comme je l'avais espéré. Je m'avançai dans la clairière avant qu'elle eût repris courage et, d'une paume plaquée à l'épaule de Wilburn, je le fis pivoter. Ainsi que je l'avais prévu, il était ivre comme un porc, mais l'écume de joie animale qui lui montait aux lèvres venait d'une source plus profonde et plus noire que le whisky.

— Cela suffira, Lije ! dis-je sèchement.

Je vis ses yeux de goret se rétrécir pendant qu'il essayait d'ajuster ses idées à cette malencontreuse interruption. Puis, sa cervelle embrumée se souvenant tout à coup, il hurla d'allégresse.

— Charley Paige, ma parole! le singe de Millefleurs ! De quel arbre es-tu tombé ce matin ?

Y mettant toute ma force, je lui envoyai mon poing entre les deux yeux, et il s'étala en arrière dans les cendres qui rejaillirent en un grand nuage autour de sa tête et de ses épaules. Je me carrai dans l'attente du fouet, mais Wilburn ne fit que brailler de dérision quand, relevé, il eut repoussé ses hommes.

— Attachez-le aussi, garçons. Aujourd'hui n'est pas mon jour pour combattre la milice. Nous nous rencontrerons convenablement, Charley, ne crains rien ! quand je serai vraiment sobre. Tu ne perds rien pour attendre l'occasion, car, *alors,* je t'apprendrai comment cogner des deux mains.

Personne ne bougea dans le cercle, sauf les mauvais garçons qui me ficelèrent à un pin au bord de l'eau. Après quoi Oscéola fut ficelé au pin voisin.

— Fais attention, Wilburn ! emploie ta cervelle, dis-je. Dès demain je mettrai le général Finch sur ta trace, Oscéola est son ami et le mien.

Mon avertissement était de toute évidence inutile. L'aveugle volonté de détruire avait depuis longtemps remplacé la raison dans le cerveau du négrier. Quant à Oscéola, il ne souffla mot, bien que je visse ses dents découvertes juste avant qu'un coup de lanière arrachât la chemise de son dos. J'avais cru à un grondement de haine, mais je vis que le Séminole avait enfoncé ses dents dans le tronc de l'arbre pour dominer son premier sursaut de souffrance.

Sauf pour deux ou trois pichenettes rasantes, Wilburn prit garde à ne point me faire mal : ce serait une chose de se vanter d'avoir puni un Indien voleur — et tout autre chose d'admettre qu'il avait fouetté le capitaine de milice qui avait tenté d'intervenir. Une fois échauffé à la tâche, il ne montra aucune pitié à Oscéola. Encore et encore et encore, le fouet descendait, cinglant encore et encore de la nuque à la ceinture la frémissante peau cuivrée, et faisant s'entrecroiser les sillons sanglants, jusqu'à ce que le corps du Séminole ruisselât de sang.

Par deux fois, Toschee se lança sur le bourreau de son père, le frappant et le griffant avec toute la vigueur de ses petits poings. Agacé, Wilburn frappa le gamin avec le bout du manche de son fouet. Juste assez fort pour le faire choir sur place. Ce fut Buell qui arracha le fouet de la poigne de son maître, bien après qu'Oscéola fut tombé en syncope sous la cinglée.

— Tu ne peux pas le tuer, Lije !
— Qui ça qui dit que je ne peux pas ?
— Pas à moins que tu ne tues aussi Paige.

Je sentis ma vie suspendue dans la balance ; alors Buell se plaça entre nous et donna à Wilburn une poussée résolue dans la direction des chevaux. Le négrier, pourtant, n'en avait pas encore fini avec sa besogne de la matinée. Il se dégagea de l'étreinte de Buell assez longtemps pour regagner en titubant le pin mâchuré de sang et cracha en plein visage d'Oscéola. Pendant quelques secondes, il hésita à me faire de semblables adieux. Puis il haussa les épaules et, à l'allure de crabe des ivrognes, se dirigea vers son cheval, commençant, toute affaire cessante, par boire longuement d'une gourde attachée à la selle.

Chechoter, les bras amarrés à une courroie de bât, lui rendit son regard du fond d'un visage changé en pierre. Il y avait dans cette reddition muette quelque chose qui me serra le cœur : je fus heureux de ce qu'Oscéola ne pût voir sa femme en cet instant.

— Une chose encore, Paige, dit Wilburn d'une voix épaissie par l'alcool. N'essayez pas de nous rattraper ! J'étriperai cette pouliche de mes propres mains avant de la laisser aller.

« Tu mourras pour cela ! lui dis-je mentalement. De la main d'Oscéola ou de la mienne, mais tu en mourras. » Je n'eus pas la folie de formuler ma menace à haute voix — même quand il empoigna Chechoter par les cheveux et plaqua un baiser goulu à la base de sa jeune gorge fraîche.

— En selle, garçons ! et ouvrez l'œil à tous les indices indiens. La route du retour est longue.

Ils partirent dans un nuage de poussière, faisant claquer les rênes sur les flancs de leurs poneys. Et je jurai tout haut quand je vis s'éloigner un cheval pie à la crinière traînante près d'un rouan fraise écrasée portant une selle mexicaine. Trop tard je sus que nos bourreaux étaient en train de boire chez le mercanti quand nous quittions Fort King. Il n'était pas possible de croire qu'ils nous auraient suivis à la piste s'ils n'en avaient reçu un ordre de haut.

Seul, le major Campbell savait que le chef de guerre des Séminoles nous servirait de guide.

VI

LE PREMIER COUP EST PORTE ;
QU'ATTENDRE DESORMAIS DE L'AVENIR,
SINON LA HAINE ET LA MORT ?

Marie avait quitté son abri avant même que la poussière fût retombée derrière les agresseurs. Elle me considéra d'un regard halluciné, pendant qu'elle tranchait mes liens.

— Même à présent, je ne puis le croire ! dit-elle. Etaient-ce des hommes ou des bêtes ?

— Un peu de chaque, je le crains. Occupez-vous de Toschee ; voyez s'il est gravement blessé ; je vais faire ce que je pourrai pour son père.

En dehors d'une énorme bosse derrière l'oreille, le fils d'Oscéola était sans mal. Marie et moi l'apaisâmes du mieux que nous pûmes, pendant qu'avec des herbes curatives qui poussaient près de la source je préparais un cataplasme pour le dos de son père. Pendant que nous nous activions à notre besogne nous n'échangeâmes pas une parole : les conséquences de la sauvage agression de Wilburn, maintenant que nous en avions saisi l'importance, pesaient sur notre esprit de tout le poids d'une fatalité.

Le chef séminole n'était pas en danger de mort. Quand nous l'eûmes installé dans un nid de couvertures, un épais cataplasme l'enserrant du cou à la taille, nous obligeâmes son fils à déjeuner. Alors, pendant que Toschee s'enfonçait dans un mauvais sommeil entrecoupé, à côté de son père toujours inconscient, nous nous forçâmes à déjeuner à notre tour. Wilburn avait ajouté nos chevaux à ses animaux de bât ; nous aurions besoin de toute notre force pour effectuer la marche sur Fort King.

— Qu'est-ce que tout cela signifie, Charles ? questionna Marie tandis que nous mangions.

99

— Les Blancs du parti de la guerre ont lancé leur défi.

— Ce n'était donc pas une horde de loups, frappant sans raison ?

— Loin de là. Wilburn a des amis haut placés ; quand il est sobre, il se retrouve ce qu'il est, un *politico*-né. Il y a — à Washington et ici même en Floride — une faction qui estime que les Indiens doivent être provoqués et contraints à se battre. Ils croient honnêtement que l'armée sera suffisamment forte pour gagner, une fois qu'ils auront déclenché un conflit généralisé sur toute l'échelle. Aujourd'hui, ils se servent d'Oscéola pour en faire le brandon qui allumera l'incendie.

— *Ils ? Qui* sont ces « ils », Charles ? Pouvez-vous citer des noms ?

J'hésitai avant de lui répondre. Du fond du cœur, je me sentais assuré que c'était son mari qui avait mis Wilburn sur nos traces, mais je ne pouvais vraiment pas avancer sans preuve une telle affirmation.

— Je ne dirai pas que notre président est du nombre, répondis-je enfin. Ou même notre secrétaire d'Etat à la Guerre. Mais leur attitude relative à la déportation est bien connue. Elle encourage les autres à forcer la conclusion : les propriétaires d'esclaves de tout le Sud, les officiers qui grillent du désir de se battre. Pour ne rien dire des vautours que la guerre engraisse toujours.

— N'y a-t-il pas d'espoir d'un compromis ?

— Très peu, je le crains, si Oscéola est au nombre des chefs qui siégeront...

— Mais le général Finch sera bien forcé de punir la canaille pour avoir enlevé Chechoter ?

— Il fera ce qu'il pourra. Toutefois, Wilburn aura passé la frontière de Géorgie demain. Il jugera qu'elle est une esclave fugitive. Il a en main un mandat pour le prouver. Le fait qu'elle est la femme d'un chef comptera fort peu. Oscéola lui-même ne peut pas nier sa parcelle de sang noir : tous les Séminoles sont au courant.

— Ne pouvez-vous protester contre cet enlèvement ?

— Je protesterai, cela va de soi ! Si j'étais à présent à

Fort King, avec une patrouille à ma disposition, j'aurais une chance de rattraper Wilburn. Mais dans les conditions présentes...

» Au surplus, même une bataille rangée avec les négriers ne serait d'aucun secours à Oscéola. Wilburn pensait chacun de ses mots quand il assurait qu'il tuerait Chechoter plutôt que de la rendre.

— Charles a raison, femme-des-livres. Il n'y a rien à ajouter. Pas un mot de plus à dire.

Nous nous retournâmes ensemble, comme la voix du chef séminole se mêlait à notre discussion. Il s'était levé d'entre ses couvertures. Bien que son visage fût un masque de souffrance, l'homme semblait d'aplomb. Toschee, debout au creux du bras de son père, me couvrait d'un regard où brillait une haine que je ne comprenais que trop bien : du point de vue de l'enfant, je n'étais plus qu'un membre de la race qui avait détruit sa famille.

— Repose-toi un peu, *jefe,* dis-je. Nous ferons pour toi tout ce que nous pourrons.

— Tu ne peux plus rien, Charles. A compter de ce jour, c'est seul que le Séminole doit mener son combat et livrer ses batailles.

— La femme-des-livres écrira ton histoire. Le monde comprendra le tort qui t'est fait.

— J'irai demain à Tallahassee, reprit Marie. Si je raconte la vérité au gouvernement...

— Même pour la vérité, il est trop tard, fit Oscéola avec une lenteur impassible. J'ai dit que je combattrais si les négriers remettaient les pieds dans mon pays. Ils ont répondu en prenant la mère de mon fils.

— Ne peux-tu voir que c'est une ruse, une astuce, qu'ils *veulent* pousser l'Indien à porter le premier coup ?

— Le premier coup a été porté ce jour, Charles. Au bord de la Grande Source. Je porterai le suivant. Où, quand et comment il me conviendra de le faire.

Nous ne prononçâmes plus une parole, pendant qu'Oscéola, moitié marchant, moitié boitant, s'engageait dans le sentier qui, par le sud, bordait le rivage de la rivière. Sachant que chaque pas qu'il faisait lui apportait son éternité de souffrance, je vis qu'il refuserait toute aide. Si je protestai, si j'insistai, ce ne fut que poussé par l'instinct.

— Tu es trop faible pour entreprendre un voyage...

— Je ne puis me reposer, Charles. Je ne puis m'arrêter jusqu'à ce que j'aie causé avec Coacoochee et mon propre peuple.

— Permets que nous t'aidions.

— Où je veux aller, j'irai seul.

Il eut un bref frisson en faisant le pas suivant — et je sus que ses plaies s'ouvraient sous le cataplasme. Alors son menton se releva et sa main se ferma sur la robuste épaule de Toschee. Ensemble, le père et le fils prirent la piste, et bientôt, s'échauffant progressivement, ensemble ils adoptèrent une allure qui n'était ni pas ni course, une manière de demi-trot aisé.

Ce fut l'affaire de quelques secondes avant que la pinède les avalât l'un et l'autre.

Avec ses quelques mots d'adieu, Oscéola avait mis fin à notre amitié — jusqu'au moment où il pourrait de nouveau me demander service.

SIXIEME PARTIE

LE TOURNANT DE L'HISTOIRE

On a beaucoup écrit à propos du Grand Conseil séminole de 1835, et une partie notable de ces récits furent faits après les événements, tantôt par des gens qui se fiaient à leur mémoire, tantôt par des gens qui n'assistaient même pas au meeting historique de Payne's Landing, sur l'Oklawaha. Aucune des histoires que j'ai lues n'était libre de passion. Peu d'entre elles témoignent d'un sens de justice envers les Indiens, ou même une décente compréhension des questions en cause. Si j'offre ici mon propre compte rendu, ce n'est que pour rétablir l'exactitude des faits. En tant que témoin oculaire, ayant écrit mes notes à mesure que se déroulaient les événements, je me trouve, moi, Charles Paige, dans une situation avantageuse. Et, en tant qu'observateur qui pouvait voir les deux partis opposés et traduire exactement chaque mot prononcé par l'un ou par l'autre, j'ose à tout le moins compter sur la tolérance du lecteur.

I

TOUT CHANGE, SAUF LE CŒUR DES VRAIS AMIS

Ce fut Coacoochee lui-même qui me conduisit au powwow en cette brûlante journée d'août. Le Chat Sauvage avait été envoyé à Mille-fleurs pour me convoquer de la part de son père, car le roi Philip désirait un interprète de qui il pût se sentir complètement sûr.

Nous n'avions guère parlé pendant notre longue chevau-

chée à travers les landes : Coacoochee n'était plus le jeune
Indien rieur avec qui j'avais autrefois chassé, joué et lutté.
Un homme grave le remplaçait à présent, un homme dont
le regard noir sous de noirs sourcils semblait fixé sur une
destination que je ne pouvais même pas pressentir... Parfois, quand son menton se relevait et que ses yeux balayaient
l'horizon, j'entrevoyais sous ses lourdes paupières un étrange
éclat chatoyant, comme si quelque part, dans les profondeurs
de son esprit, la porte d'une fournaise s'était brièvement
ouverte : j'avais aperçu ce même reflet lointain et secret dans
les yeux d'Oscéola quand nous nous étions séparés sur la
rive de Silver Springs. Aujourd'hui, je ne pouvais en apprécier la genèse qu'avec trop de précision.

— Oscéola prendra-t-il sa place au Feu du Conseil ?

— Très certainement, Charles. Comment pourrait-il faire
autrement ?

— Sait-il que j'ai protesté à Fort King en son nom ?

— Oscéola apprécie ta protestation, dit le Chat Sauvage.

Il n'y avait pas eu besoin d'en dire davantage. Nous savions
tous les deux que Wilburn, chevauchant jour et nuit à
bride abattue, avait passé la frontière de Géorgie avant qu'on
ait pu l'arrêter pour le questionner : comme coup de risque
et de hasard, le raid avait grassement payé ses auteurs !

Quand Marie et moi avions atteint Fort King, plus de
vingt-quatre heures après le drame de la Grande Source, le
général Finch était encore absent et le major Campbell solidement installé dans le commandement temporaire. L'idée
de Campbell, quant à la marche à suivre, avait été de trans-
férer la chose à l'agent des Affaires indiennes. Gillis, caque-
tant comme une poule mouillée, avait commandé les
patrouilles ordinaires, marmotté l'intention de faire un rapport au secrétaire d'Etat à la Guerre — et les choses en
étaient restées là.

— Oscéola comprend-il que j'ai fait tout ce que j'ai pu ?

— Bien sûr, Charles. Gillis a fait savoir que Chechoter
est morte — et le cœur d'Oscéola est mort avec elle.

C'était là un dialogue typique de notre conversation, pendant notre course vers Payne's Landing. Nous parlions le
même langage, mais les mots avaient un sens différent :

j'avais beau m'y efforcer, je ne parvenais pas à percer le mur de réserve de mon frère de sang. Je fis une tentative de plus quand nous franchîmes la lisière du camp séminole :

— Oscéola sait-il que la femme-des-livres est toujours à Tallahassee, où elle plaide sa cause ?

— Oscéola sait tout ce que vous avez fait, répondit le Chat Sauvage. Il m'a chargé de te le dire, de vous remercier et de t'assurer qu'il se souvient de vous dans ses dévotions lorsqu'il parle avec le Grand Esprit.

Je n'essayai pas de discuter les détails. Les Séminoles avaient partout des informateurs, je me sentais donc assuré que Coacoochee était au courant des entrevues de Marie avec le gouverneur territorial. Le moment n'était guère choisi pour ajouter qu'elle était retenue depuis lors à Tallahassee — ostensiblement à cause du péril que présentait le voyage par ces temps troublés. Le récit du raid des trafiquants de bois d'ébène à Silver Springs avait été arrêté à Saint-Augustin. En dépit des protestations venues de New York, le *Herald* avait paru sans sa dépêche habituelle de Floride cette semaine-là. Et les semaines qui suivirent.

— La femme-des-livres assistera-t-elle à notre Feu du Conseil ? s'informa Coacoochee.

— Je crains bien que non. On la garde à Tallahassee actuellement — parce que les routes ne sont pas sûres.

— Le gouverneur blanc craint-il à ce point les Séminoles ?

— Peux-tu l'en blâmer ?

Coacoochee me regarda longuement, profondément, les yeux dans les yeux, et — pour la première fois de toute cette longue chevauchée — me dédia un sourire amical.

— Même à présent nous parlons la même langue, dit-il. Espérons qu'il en sera encore ainsi demain.

II

UN HOMME DE PLUS OU DE MOINS ET RIEN N'EST PLUS PAREIL

Nous fûmes arrêtés à deux reprises avant que la piste entrât dans la vaste prairie au bord du fleuve : la première fois par une bande de Séminoles armés jusqu'aux dents qui saluèrent respectueusement Coacoochee : puis encore par un escadron de dragons blancs, qui m'examinèrent curieusement avant de rompre les rangs et de nous laisser passer. Le protocole semblait attentif et farouche de part et d'autre — je compris pourquoi quand nous mîmes pied à terre dans le camp indien et que je pus mesurer l'importance des forces qui s'y trouvaient rassemblées.

La nation était venue en masse au powwow ; des deux côtés de l'Oklawaha, les cônes blancs des wigwams emplissaient la prairie. Par contraste, l'armée faisait plutôt maigre figure. L'évaluation changeait quand on comptait les pièces de campagne, disposées en un demi-cercle précis, autour desquelles s'affairait un bataillon d'aides chargés de cartes et de papiers, cependant que quelques lieutenants somnolents s'assoupissaient sur la poignée de leurs sabres

Jusqu'ici, il n'y avait, de part et d'autre, aucune apparence de commandement supérieur. Si les chefs de la nation continuaient à bouder sous leurs tentes, c'était pour raisons stratégiques. Ces quatre antiques canons, leurs affûts de cuivre verdis par des années de moisissure, avaient figuré à chacun des Conseils dont je pouvais me souvenir. Tout comme les baïonnettes des cinquante et quelques fantassins, alignés comme à la parade, l'artillerie n'était là que pour sauver les apparences. Nul ne savait mieux que le général Finch que les forces placées sous son commandement à Fort

King pouvaient être balayées en une heure. Il n'aurait pu y avoir de représailles avant que les dragons arrivent en force de Saint-Augustin, ou que les réserves soient appelées, par voie de terre, depuis Tampa Bay.

L'armée s'était contentée d'une seule tente de grandes dimensions, dressée en dehors de la prairie du Conseil, avec les fanions régimentaires flottant orgueilleusement au haut de son mât central, et une couple de sentinelles au port d'armes. Un peu plus d'une heure après notre arrivée, un clairon déchira l'air et les maigres rangs des réguliers se mirent vivement au garde-à-vous. Le général Finch émergea de sa tente — soldat flegmatique et rougeaud qui avait gagné ses étoiles en un temps où l'armée n'était pas considérée comme une carrière de première classe.

Le major Alan Campbell suivait, à distance respectueuse, — type même, celui-ci, du soldat de demain : son uniforme de grande tenue était une chose d'éclatante beauté, son visage une médaille héroïque. Bien avant qu'il eût tiré du revers de son gant un document imposant et qu'il se fût installé à la table à côté du général, je m'étais mis à le haïr aussi totalement que d'habitude.

Quelques aides de camp, pauvres types soucieux, accablés et transpirants, piètre publicité pour l'affaire imminente, continuaient le cortège, et Gillis, en costume noir, rouillé, Gillis aux chaussures crissantes, fermait la marche. Dieu sait que je n'éprouvais que méfiance pour cet homme ; je ne pus cependant étouffer un sentiment de pitié à le voir agité, tourmenté, nerveux, essayant sans succès de paraître à son aise derrière le général.

Jusqu'ici, rien ni personne n'avait encore bougé dans le camp séminole — mais Finch s'y connaissait en powwows. Je le vis adresser un signe de la main au clairon, qui se lança aussitôt dans une alerte sonnerie de réveil. Comme les dernières notes s'éteignaient dans l'espace, le général se leva lourdement de son fauteuil de campagne et s'inclina en direction du wigwam qui abritait Micanopy. Je sentis mon cœur se desserrer un peu quand le chef titulaire de la nation parut enfin, appuyé au bras de son neveu et se dandinant avec difficulté, gros au point d'évoquer l'engourdissement léthargique ;

le neveu, Halpatter-Tustenugge, était ce boutefeu connu par toute la Floride sous le nom d'Alligator. A la droite du gouverneur séminole marchait son porte-parole, Abraham.

J'étudiai avec attention les deux hommes qui formaient l'escorte du vieillard, dans sa marche vacillante vers la table de l'armée. Abraham, l'interprète, était un grand Nègre dont les traits finement découpés suggéraient une certaine dose de sang blanc. Alligator, lui, était un Indien de pure race — un homme trapu, ramassé, d'une grossière puissance, dont l'abondante chevelure noire semblait jaillir directement des sourcils, — guerrier dans la tradition homérique, qui avait plutôt l'air de trépigner que de marcher et qui salua Finch d'un air furieux. Effectivement, on le connaissait comme *poli tico* aussi bien que comme guerrier, et, tout comme Abraham, il était parfaitement capable d'atteindre son but par les voies les plus tortueuses. Je n'avais pas plus confiance dans l'un que dans l'autre et ne pouvais que déplorer en mon cœur leur double et regrettable influence sur le chef sénile de la nation.

Le roi Philip émergea ensuite de son wigwam, ainsi qu'il convenait à son âge et à sa dignité. Coacoochee et moi, côte à côte et du même pas, formions sa suite. Du coin de l'œil je regardais les chefs moindres se placer dans la procession : Jumper, de qui le nom indien était Otee-Emathla ; Tahaloochee, que les Blancs appelaient Little Cloud, Petit Nuage, et d'autres dont les noms m'échappaient.

Aucun signe d'Oscéola n'était visible. Le Chat Sauvage m'avait déjà indiqué sa tente, modeste édifice de peau de daim non blanchie, un peu à l'écart des autres, et dont, jusqu'alors, le pan n'avait pas été relevé.

A présent, les Séminoles arrivaient de toutes parts à flots pressés. Il y avait des Indiens en culottes de cuir boueuses, des Indiens en tuniques couleur de fumée de bois, des Indiens tout resplendissants d'aigrettes et de plumes d'ibis. Le soleil couchant accrochait des traits de flamme à cent gorgerins en argent ou en acier martelé, en forme de bizarres demi-lunes, et couverts d'hiéroglyphes dont le sens était perdu dans la nuit des vieilles légendes. Les tomahawks se comptaient par vingtaines, des arcs, des rifles et des mousquets de tous les crus — des fusils à pierre espagnols, des fusils à âme rayée qui étaient venus tout droit de ports tels que La Havane et Nassau.

Par-ci par-là, un de ces braves avait une façon de cajoler son arme qui suggérait une cible immédiate. En majorité, la foule était calme — et beaucoup trop disciplinée pour mon goût. En cet instant, j'aurais entendu avec joie un ou deux cris de guerre, n'eût-ce été que pour que soit rompu ce mortel silence.

Coacoochee me raconta plus tard qu'un millier de guerriers avaient assisté au powwow — et je ne crois pas qu'il exagérait de beaucoup. Serrés rangée contre rangée de deux côtés de la prairie, avec les uniformes de l'armée groupés du troisième côté, et l'Oklawaha coulant du quatrième, l'ensemble formait un tableau à la fois menaçant et inoubliable. Je regardai Finch et ne lus aucun signe de mauvais augure dans ses yeux fixes. Campbell n'aurait pu sembler plus calme, si, ayant résolu à l'instant un problème de tactique, il avait attendu les applaudissements de ses pairs.

Les chefs, accroupis, formèrent un demi-cercle sur l'herbe grasse. Micanopy avait pris la place d'honneur qui était naturellement la sienne, avec Abraham, agenouillé à son côté, et Alligator, debout derrière lui, les bras croisés sur la poitrine. Les autres étaient éparpillés selon leur rang.

Isolée un peu sur la gauche se tenait une poignée de sachems, debout, qui, pour la plupart, m'étaient inconnus.

— Pourquoi ces chefs sont-ils à l'écart des autres ?

Je questionnais Coacoochee, et ma voix n'était qu'un faible murmure. Entre le monde rouge et le monde blanc, un mur de silence était descendu qui s'épaississait de seconde en seconde.

— Charley Emathla est leur chef, répondit le Chat Sauvage, le vilain oiseau en turban jaune. Celui qui louche, c'est Coi-Hadjo. A côté de lui se trouvent Ya-Ha-Hadjo et Arpeika. Ils mènent le groupe qui souhaite aller dans l'ouest.

Ainsi donc, la frontière était déjà tracée entre ceux qui approuvaient la transportation et ceux qui étaient contre. Jusque-là, tout semblait indiquer que la grande majorité de la nation était opposée à la politique du gouvernement. Je ne pus m'empêcher de me demander si le général Finch se rendait compte de ce fait. Pendant un court instant, je débattis avec moi-même la question de savoir s'il était sage ou non de passer l'invisible frontière de démarcation pour transmettre cet avertissement. Puis l'impulsion s'éteignit quand le général se leva, s'inclina trois fois en direction du massif demi-cercle et parla en son meilleur mais hésitant séminole :

— Roi du Soleil Levant, commencerons-nous ?

Personne ne bougea quand une ordonnance parut, apportant un réchaud, et toucha d'une braise ardente la pipe en calebasse qui était déposée sur la table. Finch en tira quelques bouffées avant de la passer à Gillis. L'agent répéta le rite et tendit la calebasse à Campbell. Je regardais attentivement le major, me demandant s'il allait refuser cet honneur, mais pas un trait de son visage ne changea d'expression pendant qu'il soufflait un anneau de fumée dans l'air immobile, puis se levait pour offrir la pipe au gouverneur.

Finch n'attendit pas que la pipe eût passé entre toutes les mains : dès que Micanopy eut tiré sa première bouffée, le powwow fut officiellement ouvert.

— Mr. Gillis va faire l'appel des chefs.

Gillis fit trois pas en avant et ouvrit le registre aux pages cornées. Je le regardais tourner les feuillets, et je vis la sueur lui perler au front. Sa langue s'embrouilla comme il prononçait les premiers noms. Il arrivait à la moitié de la liste quand le pan de la tente d'Osceola s'ouvrit enfin. Vêtu de peau de daim d'un blanc éclatant, sa poitrine alourdie des demi-lunes d'argent qui disaient son rang, le plus redouté des Séminoles n'échangea de salutations avec quiconque, s'avança à larges enjambées dans le Conseil et s'assit sur l'herbe, à la droite du gouverneur Micanopy. Son visage eût-il été taillé dans le marbre, il n'aurait pu être plus impassible. Il semblait ne regarder ni à droite ni à gauche, mais je sentis dès le début que l'étroite fente de ses yeux ne quitterait pas un instant le groupe d'officiers qui entouraient le général Finch.

Un grand soupir monta de la prairie. Maintenant qu'Osceola était entré dans le powwow, chaque Indien savait qu'il avait trouvé une voix, que la nation avait trouvé une voix. Ceux-là mêmes qui différaient d'opinion avec lui semblaient grandir par sa seule présence. Ses rivaux eux-mêmes, tel le neveu de Micanopy, Alligator, dont le visage s'était rembruni de seconde en seconde, paraissaient réconfortés, retrouver cœur et courage. La nation, qui n'avait été jusqu'ici qu'une troupe de bravaches, soudain devenait « une » — une unité et, au besoin, une hache de guerre.

III

LA PAROLE EST AUX BLANCS — ET C'EST UNE MENACE

Chose curieuse, Gillis ne parut pas s'apercevoir de la présence du nouveau venu. Il ne leva même pas les yeux de son registre et, quand il eut fini l'appel des chefs, il ajouta le nom d'Oscéola, comme après coup.

Tout d'abord, je craignis que le Séminole ne prenne offense et ne refuse de répondre. Oscéola, l'œil toujours rivé au premier bouton de la tunique du général Finch, se contenta de hausser les épaules avant de grogner une réponse comme les autres.

— Le major Campbell, dit Finch, est le porte-parole du Père blanc de Washington (1) à ses enfants indiens. Il va maintenant lire le message.

Alan Campbell se leva et déplia la feuille de papier ministre, avec des gestes d'acteur devant son public, et, comme un acteur-né, il paraissait se délecter de tant de regards fixés sur lui.

— Aux rois du Soleil Levant, salut !

Un murmure, fait à la fois de bonnes manières et de moquerie non déguisée, lui répondit.

— Etant donné qu'un traité entre les Etats-Unis et la nation séminole a été fait et conclu à Fort Gibson, Arkansas,

----

(1) Le président des Etats-Unis. En l'occurrence, le président Jackson.

le vingt-huitième jour de mars 1833 ; étant donné que ladite nation s'est, par ledit traité, déclarée d'accord pour se dessaisir de tout le territoire qu'elle occupe en Floride et pour émigrer à l'ouest du fleuve Mississipi...

— *Halwuk !*

Le mot séminole, indiquant un vif mécontentement et un entier désaccord, était tombé comme un grondement des lèvres de Micanopy, coupant net la traduction que la voix douce d'Abraham lui coulait à l'oreille. Je vis Campbell relever le menton, mais son calme demeurait impeccable tandis qu'il se tournait vers Finch.

— Micanopy discute-t-il le message du Père blanc ?

Ce fut Oscéola et non le gouverneur qui répondit à la question indignée du général :

— Micanopy dit que cet écrit est mauvais. Il n'a pas signé un tel accord.

— Sa marque est sur le papier.

— Le gouverneur dit que les hommes blancs ont été très habiles dans l'Arkansas. Les Indiens ne savent pas lire — ils ne savaient donc pas ce qu'ils signaient.

— L'agent des Affaires indiennes dans l'Arkansas a lu le traité aux chefs, remarqua patiemment Finch. La lecture fut faite après leur tournée d'inspection — ils ont parfaitement compris.

— L'agent avait donné du whisky aux chefs ce jour-là, rétorqua Oscéola. Leurs sens étaient brumeux. Ce qu'ils entendaient coulait dans leurs oreilles comme de l'eau.

Le poing ganté de Finch s'abattit sur la table.

— Micanopy dira plus tard s'il entend honorer le traité. Continuez la lecture, major.

La voix de Campbell demeura aussi égale et aussi douce quand il reprit la lecture du document :

— Le gouvernement des Etats-Unis accepte de racheter le bétail du peuple séminole d'après évaluation faite par une personne judicieuse, et cette somme sera payée en argent aux propriétaires respectifs.

» Les Séminoles étant désireux d'être débarrassés de réclamations vexatoires au sujet d'esclaves et d'autres biens prétendus ou présumés volés et détruits par eux, le gouver-

nement des Etats-Unis accepte que lesdits biens soient exami-
nés et étudiés et liquidés avec le plus de promptitude possible... »

Cette fois, les murmures de tant et tant de voix interrom-
pant la lecture prirent assez de force pour qu'Oscéola dût se
dresser de toute sa hauteur et lever la main pour imposer le
silence.

— Micanopy demande si cela signifie que nos alliés noirs
— ceux que vous appelez esclaves — partiront avec nous
dans l'ouest.

— Ceux qui sont nés dans vos villages, répondit Finch.
Pas les fugitifs.

— Et qui en jugera ? Les chasseurs d'esclaves ? Les trafiquants ?

— Les agents des Affaires indiennes veilleront à ce que
justice soit faite, dit Gillis. Ils payeront en or pour chaque
esclave pris.

Oscéola croisa les bras et toisa dédaigneusement l'agent, qui
parut se ratatiner, décroître visiblement de stature.

— Micanopy désire savoir si le Père blanc de Washington
en dit davantage.

La question était jetée à Campbell plutôt que posée au
général Finch : je remarquai que l'époux de Marie n'avait pas
perdu une parcelle de son flegme. En apparence sourd à la
question, il attendit le signal de Finch avant de se remettre à
lire :

— Les Séminoles sont d'accord pour que leur nation commence à émigrer vers ses nouvelles résidences dès que le gouvernement aura pu prendre les dispositions nécessaires. Si
les chefs ici rassemblés en ce jour veulent signer ce traité,
des bateaux seront prêts à Tampa Bay au nouvel an pour
fournir le transport.

— Aucun accord de ce genre n'a été conclu, dit Oscéola.

Finch se leva enfin. Son cou, que la fureur rendait aussi
rouge qu'un jabot de dindon, était gonflé à faire éclater le col
de sa tunique.

— Pendant trois années, le Père blanc a patiemment
attendu, dit-il. Maintenant les temps sont venus où il faut
honorer le traité conclu à Fort Gibson : le déplacement doit

commencer au nouvel an. Le nom de tous les chefs qui n'accepteraient pas d'aller vers l'ouest sera effacé des rôles des tribus ; ils seront privés de la protection de l'armée et des provisions fournies par les agents des Affaires indiennes ; ils cesseront d'être des conseillers pour votre peuple. Et leurs tribus seront déportées de Floride par la force des armes.

C'était une menace audacieuse à jeter à la face d'un millier de sauvages armés. Un silence soudain s'établit sur le groupe. Oscéola lui-même parut reculer, comme s'il n'en pouvait croire ses oreilles. Finch prit avantage de ce silence pour enfoncer le clou :

— Le Père blanc a parlé par son interprète, dit-il. Quelle est la réponse du gouverneur ?

Les yeux de Micanopy roulèrent d'Abraham à son neveu avant que sa main touchât le bras d'Oscéola. Quand il parla (c'était la première fois), ce fut avec la voix d'un vieillard, une voix d'outre-tombe :

— Oscéola répondra pour la nation séminole.

IV

DE LA NAISSANCE DU MONDE
A LA FIN D'UNE EQUIVOQUE

Oscéola attendit un moment avant de s'avancer.

Il y avait, dans cette pause, quelque chose de tout à fait approprié — comme s'il voulait laisser à la nation une chance de choisir un autre porte-parole, de reculer au lieu de faire le plongeon, de se retirer avant qu'il soit trop tard.

Le silence demeurant total, il gagna un point situé à mi-route entre les antagonistes blancs et rouges. Le soleil, qui commençait à descendre derrière les cyprès bordant l'Oklawaha, transformait en demi-lunes de feu les plaques pectorales d'argent d'Oscéola, et ses yeux — toujours rivés au bouton de tunique du général — semblaient leur emprunter une lumière flamboyante.

Il parla. En une sorte de mélopée étrange, à peine terrestre, presque toute de poésie primitive.

— Ecoutez tous, vous autres. Ecrivez ces mots dans votre papier qui parle, que le Père blanc puisse les lire ensuite. Je vais vous dire comment le Grand Esprit, Hitsakitamisi, a créé les hommes.

Je vis le major Campbell lever les sourcils ; je vis le général Finch signaler impérieusement aux jeunes officiers qu'ils aient à écouter avec attention. Derrière lui, à la table de campagne, une douzaine de plumes grattaient déjà et les scribes attrapaient au vol les paroles du chef indien.

— Au commencement, dit Oscéola, il y avait des forêts et des champs ; il y avait des cerfs, des daims et des buffalos, et les rivières étaient pleines de poissons. Le maître de la vie considéra cette abondance et dit : « Je vais faire l'homme... »

Un son sourd et gémissant parcourut tout le cercle du chef. J'avais entendu déjà ce chant, et je connaissais les répons par cœur.

— Ce que fit alors pour commencer Hitsakitamisi était faible et pâle et tremblait de peur devant Kowatgochee la panthère et devant Chittamicco le serpent.

Il s'interrompit pour laisser passer la vague de bonne humeur soulevée par le portrait peu flatteur de l'homme blanc. De l'autre côté de l'étroite bande de prairie, le cou du général Finch s'empourprait de plus en plus ; seul Campbell gardait un imperturbable sang-froid, avec l'air d'un homme sourd contraint à assister contre son gré à une pièce de théâtre.

— Le Grand Esprit prit en pitié son premier et pâle homme-enfant et le laissa vivre. Il créa un autre homme à la peau noire, et si grande était sa pitié pour le faible premier qu'il lui permit d'être le maître du second, qui était vigoureux.

» Mais Hitsakitamisi trouva que le monde ainsi complété était encore imparfait. Alors il façonna l'homme rouge et, cette fois, fut enfin satisfait.

» Parce qu'il se sentait content, il envoya du ciel trois boîtes entre lesquelles les trois hommes choisirent. Puisqu'il avait été créé le premier, l'homme blanc fut le premier à choisir : il prit la boîte pleine de papier, de plumes et d'encre — *et il fit des traités, pour ceux qui ne savaient pas lire.* »

Une nouvelle vague de gaîté passa sur la prairie et une nouvelle fois Oscéola s'interrompit jusqu'à ce que les échos se fussent éteints dans les marais de l'Oklawaha.

— Quand l'homme noir, créé le second, choisit, il prit la boîte qui contenait des charrues et des houes, des baquets et des fouets. L'homme blanc aussitôt vola les fouets, pour s'en servir sur la peau de l'homme noir puisqu'il était le maître et avait fait de l'autre son esclave.

» L'Indien prit donc la dernière boîte. Elle contenait des couteaux et des haches, des arcs et des flèches, toutes choses utiles à la chasse et à la guerre. Et le Grand Esprit approuva, car l'homme rouge avait laissé choisir les deux autres et pourtant le meilleur lui avait été donné. »

Oscéola se tut et regarda intensément les visages frémissant d'ardeur tournés vers lui : il tenait son auditoire dans le creux de sa main. On n'entendait pas le moindre bruit, en dehors de la douce pulsation de la rivière.

— Au commencement, reprit-il, l'homme rouge possédait la forêt et le champ — et vivait en paix. Alors l'homme blanc arriva dans le pays de l'homme rouge, amenant avec lui l'homme noir, son esclave. Il convoitait les terres de l'homme rouge — et il lui offrit des traités qui promettaient des terres encore meilleures à l'homme rouge s'il acceptait de déménager. Quelques-uns d'entre les hommes rouges crurent les mensonges de l'homme blanc. Nos pères les ont vus dans les pays de l'ouest, ils y meurent de faim et leurs enfants meurent de la maladie de l'homme blanc (1). Nous autres Séminoles, nous savons ces choses : *nous ne voulons pas aller dans l'ouest.*

Une clameur d'approbation s'éleva des rangs indiens : au-delà du cercle des chefs, un demi-cent de guerriers, la hache levée, commençaient à rythmer les premiers pas solennels d'une danse guerrière. Oscéola, d'un geste sévère, arrêta cette démonstration avant de reprendre :

— Aux esclaves noirs qui étaient venus vivre parmi nous,

(1) La tuberculose.

fuyant le fouet du maître blanc, nous avons donné des tâches faciles. Ils sont heureux aujourd'hui de nous appeler leurs frères. Mais l'homme blanc les convoite, eux aussi ; il vient les voler jusqu'au seuil de nos demeures — et, si nous protestons, il tue en même temps et le Rouge et le Noir.

» Maintenant, le Père blanc nous dit que nous devons abandonner nos alliés noirs et toutes nos terres. Si nous refusons, il déclare que nous serons poussés comme du bétail sur les transports de Tampa Bay. »

Le chef séminole s'était dressé sur la pointe des pieds ; quand il reprit la parole, il faisait face à la table de campagne et son doigt tendu semblait enfoncer le premier bouton de la tunique de Finch.

— Voici donc notre message au Père blanc : *Honorez votre traité !* Le papier que nos chefs ont signé à Fort Moultrie nous a donné ce sol sur lequel nous sommes à présent ; il a encore presque dix années à courir. Et cependant ils nous disent que nous devons partir sans délai — et ils *nous* accusent de manquer aux traités !

» Si vous refusez d'honorer le traité conclu et signé à Fort Moultrie, déchirez-le, ce sera plus franc. Et nous en ferons un autre qui ne devra *jamais* être rompu. Que notre peuple s'en aille en paix vers le sud, au pays de la mer Herbeuse, pour y vivre maintenant et à jamais. L'homme blanc tombe malade et meurt au pays de la mer Herbeuse, ainsi serons-nous délivrés des négriers et des voleurs de bestiaux. Qu'on nous laisse aller là, avec nos alliés noirs, et nous ne causerons plus aucun ennui au Père blanc.

» Telle est notre offre. Le gouverneur Micanopy a répondu par la voix de son porte-parole Oscéola. »

Il pivota sur ses talons et s'en alla rejoindre les rangs indiens.

V

INTIMIDATION ET REACTION

Le général Finch demeura les yeux baissés jusqu'à ce que les hurlements d'enthousiaste approbation eussent cessé. Je sentais qu'il n'allait parler qu'à contre-cœur, après l'offre du Séminole d'émigrer vers le sud. Quand finalement il se décida, il saisit une nouvelle feuille de papier ministre sur la table et l'agita en l'air. De l'endroit où j'étais assis, le geste paraissait bizarrement futile, comme s'il brandissait un minuscule drapeau d'armistice en face d'une conflagration qui ne connaissait pas de limites.

— Ecoutez, rois du Soleil Levant ! cria-t-il. Ouvrez vos esprits à la sagesse du Père blanc : la chance pourrait ne pas se renouveler ! Exécutez le contrat que vous avez signé à Fort Gibson, emmenez votre peuple vers l'ouest. Souvenez-vous que ceux qui refuseront seront privés de notre protection.

Il n'y eut d'autre réponse que le silence. Le silence tout vibrant de tensions cachées. Aucun signe non plus, que des centaines de regards vides et la rebuffade de bras croisés. Et, de nouveau, ce piétinement rythmé, ces bondissements solennels à la frange de la foule. Je tendis l'oreille dans l'attente du son qui serait le signal de la mort — le claquement d'une aiguille de fusil, la vibration d'une corde d'arc...

— Mr. Gillis, veuillez relire l'appel.

Gillis grimpa sur l'affût d'un canon et ouvrit son registre une seconde fois. Cette fois, pourtant, il renversa l'ordre de la lecture — affront délibéré à l'adresse de Micanopy, puisque la liste ainsi renversée commençait par les noms de ceux qui étaient favorables à la déportation.

— Charley Emathla.

Le chef au turban jaune s'approcha avec l'allure d'un chien battu ; toutefois, quand il fut sorti des rangs, il redressa les épaules. Il prit la plume et traça sa marque au bas du traité sans donner de signe extérieur d'émotion.

— Coi-Hadjo !

Le Séminole qui louchait se leva et se passa la langue sur les lèvres. Pendant quelques secondes, ses yeux roulèrent follement, puis Charley Emathla lui donna une poussée dans les côtes. Alors Coi-Hadjo courut vers la table plutôt qu'il ne marcha, il fit sa marque sous l'autre si précipitamment que la plume parut lui sauter des mains.

— Ya-Ha-Hadjo !

Pas de réponse cette fois. Le chef de qui le nom venait d'être appelé regardait droit devant lui, comme s'il n'avait pas entendu.

— Avance, Ya-Ha-Hadjo, et signe ton nom !

— *Holwagus !*

Le cri de refus sorti des lèvres du chef amena aussitôt des approbations en masse sur d'autres lèvres. Déjà les rangs de ceux favorables à l'émigration se trouvaient rompus.

Gillis, déconcerté par cette rupture imprévue, avait hésité ; sur un signe impérieux de Finch, il reprit sa lecture chantonnée :

— Arpeika... Philip... Tahaloochee... Jumper... Alligator... Micanopy,...

Il n'obtint en réponse qu'une série de grognements négatifs. Sa propre voix s'éteignit dans le silence, et Finch se dressa de nouveau, les paumes levées en un geste de congédiement. Ses intonations étaient aussi graves que ses gestes.

— Au nom du président des Etats-Unis, je déclare que ceux dont les noms suivent ne sont plus chefs de la nation séminole : Micanopy... Alligator... Jumper...

Une voix interrompit l'appel :

— *Mon nom n'a pas été appelé !*

C'était la voix d'Oscéola, qui venait d'arrêter net Finch dans son énumération. Les yeux du Séminole et ceux de l'officier se heurtèrent durement, ceux de général se baissèrent les premiers :

— Mr. Gillis, le nom d'Oscéola est-il dans votre registre ?

— Comme sous-chef seulement, monsieur.

— Très bien. Il peut signer le traité s'il le désire.

Je sentis que, comme les autres spectateurs, je demeurais les yeux écarquillés, la bouche ouverte, tandis que le Séminole quittait le cercle et se dirigeait vers la table de campagne. Mon cœur sauta jusque dans ma gorge quand l'Indien, repoussant la plume offerte, tira son couteau.

En dépit de son sang-froid, le général recula si violemment dans son fauteuil pliant qu'il serait tombé à la renverse si un aide de camp, volant à son secours, ne lui avait épargné cette humiliation. Toutefois la cible visée par Oscéola n'était pas la gorge de Finch, mais la feuille de papier : le couteau, planté de haut dans la table de pin brut, déchira le traité sur presque toute sa longueur.

— *Ceci* est la seule paix que je veuille désormais conclure avec l'homme blanc !

Ces mots, criés au nez du général, semblèrent répétés en écho par le mur de la forêt, avant d'être effectivement repris en un écho de tonnerre par les rangs indiens. Sans attendre aucune sorte de réplique, Oscéola pivota sur ses talons et, à larges enjambées, regagna sa place à côté de Micanopy. Il n'y était pas parvenu que mon cœur cessa de battre : Campbell, pour une fois arraché à sa coquille de petit-maître, avait bondi et braillé :

— Caporal de la garde ! arrêtez cet homme !

Un caporal grisonnant s'élança, suivi de baïonnettes.

Finch les renvoya d'un geste, juste à temps, car une douzaine de mousquets séminoles cliquetaient, parés, prêts à faire feu. Oscéola, un sourire de mépris aux lèvres, avait dédaigné la menace à sa personne. Debout au milieu de son peuple, il étendit les mains, *paumes tendues vers le bas.*

— *Fitconnit !*

Ce commandement de silence, clair comme un appel de trompette, avait le résonnement de l'autorité.

— Aujourd'hui, les soldats blancs sont les hôtes des Séminoles — mais notre bonne grâce est épuisée. Il vaut mieux qu'ils partent.

Le général Finch se détendit visiblement, quand la menace de mort disparut. Il ne tenta pas de répondre à Oscéola, mais se leva de toute sa hauteur et lança un ordre.

Le caporal — qui n'avait échappé que d'un cheveu à l'extinction quand il avait essayé d'obéir au commandement de Campbell — fit signe au clairon et les notes de la retraite déchirèrent l'air calme au-dessus de la prairie — et les cinquante et quelques fantassins formèrent les rangs pour prendre la route sableuse qui tournait par l'ouest en direction de Fort King.

VI

PARTIR SANS SE RETOURNER

Il n'y eut plus d'autre menace de quelque portée pendant que les ordonnances de Finch se hâtaient nerveusement d'abattre sa tente et que les muletiers s'avançaient pour atteler les équipages aux quatre canons moisis. Par-ci par-là, un guerrier cabriolait en une version hypnotique d'une danse de guerre. Quelques fusils partirent sans dommage tout au bout de la foule — mais les longs hurlements de défi accompagnant ces éclats qui étaient presque des ébats ne s'adressaient à personne en particulier.

Oscéola avait à la perfection calculé sa démonstration. Maintenant qu'il tenait le powwow absolument en main, il pouvait permettre ces manifestations de pure détente.

De l'autre côté de la prairie, nulle parole n'était échangée. Quand la table de campagne fut pliée, les encriers rangés dans les sacoches de selle, Finch et son état-major enfourchèrent leurs poneys trapus sans un regard en arrière. Il y avait quelque chose de glaçant dans cette retraite, comme si cette étroite bande d'herbe était un golfe trop large pour qu'un pont y pût être jeté...

Ce ne fut que quand la poussière de leur départ commença de retomber sur leurs traces que je sentis sur mon épaule la main attendue et, pour la première fois de l'après-midi, plongeai mon regard dans les yeux sombres d'Oscéola.

— Il vaut mieux que tu voyages avec les autres, dit-il en espagnol. Va avec Dieu !

— Je suis ici l'hôte du roi Philip.

— A partir d'aujourd'hui, ces choses ne sont plus possibles. Beaucoup de Séminoles campent ici qui sont venus pour le powwow et qui ne savent pas tous que tu es leur ami.

— Comme tu voudras, *jefe*. (Je me forçai à un sourire auquel je ne me sentais vraiment pas enclin.) Oscéola est aujourd'hui au sommet de sa fierté, je m'incline devant ses ordres.

— Je n'ai guère lieu d'éprouver de fierté, Charles. Aujourd'hui je n'avais guère d'autre choix que de tirer le couteau.

— Cela a tout de même un sens, et qui compte, si tu n'as qu'à parler pour que l'homme blanc prenne la fuite.

Le Séminole laissa tomber son menton sur les plaques d'argent de sa poitrine et se couvrit les yeux d'une main. Le cercle mobile d'Indiens qui menaçait de se fermer entièrement sur nous continuait à m'étudier avec une hostilité mal dissimulée, comme s'il était dégradant pour le chef de converser avec moi et dans la langue de l'homme blanc.

— Aujourd'hui les soldats étaient peu nombreux, dit-il. Demain le général Finch reviendra à la tête de cent fois cinquante. Nous gagnerons les premières batailles, cela je puis te le promettre. Mais finalement nous devrons mourir, s'ils ne veulent pas demander la paix.

Cet aveu me bouleversa profondément, car je sentis qu'il lui venait du cœur : le coup de dés qu'il avait risqué aujourd'hui était bien une tentative désespérée.

— Peut-être y a-t-il encore une possibilité d'arrangement, dis-je. Si la vérité est publiée dans le nord...

— La femme-des-livres est à Tallahassee, dit-il. L'armée était bien trop habile pour la laisser venir ici aujourd'hui.

— J'ai pris des notes complètes. D'une manière ou d'une autre, je m'arrangerai pour qu'elles lui parviennent — et qu'elle répète au monde votre histoire.

Coacoochee, tenant mon cheval par la bride, s'était frayé

à coups d'épaule un passage dans la foule. Nous nous ser-râmes la main, là, au milieu de cet étroit cercle hostile. Même pendant que je tenais la main d'Oscéola dans la mienne, il fallut un ordre sec de sa part pour qu'un passage s'ouvre devant moi.

— *Vaya con Dios, jefe !*

Mais je pensais sombrement que, la prochaine fois que nous nous rencontrerions, chacun de nous tiendrait l'autre au bout de son fusil et que ce serait à qui viserait le mieux ou tirerait le plus vite...

Je serrais les rênes dans ma main en quittant le powwow, et je gardais mon poney au pas, encore que mon instinct me conseillât vivement de prendre le galop. Je sentis mes cheveux se dresser sur ma tête quand une flèche bourdonna en travers de ma route — un peu trop près pour ma tranquillité, bien que j'eusse la certitude que c'était grosse plaisanterie et non menace véritable.

Quand j'eus atteint l'ombre de la pinède, je sentis qu'il n'était pas au-dessous de ma dignité de prendre le petit galop. Pas plus que le général Finch, je ne commis l'erreur de regarder en arrière.

SEPTIEME PARTIE

QUI N'EST PAS AVEC MOI
EST CONTRE MOI...

I

TOUT DEPEND DE LA FAÇON
D'ECRIRE L'HISTOIRE...

FIDELE A MA PROmesse, je fis en sorte, grâce à un messager dont j'étais sûr, qu'un compte rendu fidèle du Conseil de Payne's Landing parvînt entre les mains de Marie Campbell. De son côté, elle dut trouver un moyen de circonvenir la censure de l'armée, car l'article parut à son heure, à la fois dans le *New York Herald* et dans le *Nile's Weekly Register,* occasionnant, comme on pouvait s'y attendre, des « mouvements divers » à Saint-Augustin.

Les faits parlaient d'eux-mêmes et pourtant, si vives étaient les passions qui frémissaient et bouillonnaient en Floride, la majorité des citoyens interprétèrent ces faits selon leur propre point de vue, selon leurs préjugés. Le Séminole — ainsi l'assuraient les frontaliers furieux — avait jeté le gant : quand la guerre arriverait, ce serait parce qu'il l'aurait voulu...

Oubliés, complètement oubliés, les sophismes, les arguties de Fort Gibson. Oubliée, l'offre de repli vers la mer Herbeuse faite par Oscéola. Oubliée aussi, l'autorité du chef sémi-

nole et la discipline qui avait arrêté un massacre à un cheveu de se produire. Une fois répétée, l'histoire devenait
une histoire et le Floridien moyen était convaincu qu'Oscéola
était le vilain et le général Finch la colombe de la paix.

Marie ne m'avait envoyé qu'un mot de remerciement poli
à la réception de mon compte rendu du powwow : j'en
conclus qu'elle marchait toujours prudemment maintenant que
l'armée se préparait à la lutte.

Plus tard, j'appris qu'elle avait plaidé auprès du gouverneur de la Floride, afin d'obtenir qu'il contresigne l'idée
d'Oscéola, la migration vers la mer Herbeuse, comme moyen
d'empêcher une effusion de sang. Le gouverneur — homme
cruellement débordé, embarrassé, sollicité, lui avait fait de
magnifiques promesses — mais n'avait rien fait d'autre.

II

OU CHARLES CRAINT DE SE TROUVER PRIS
ENTRE LE DEVOIR ET LES SENTIMENTS

Marie rentra, l'automne étant déjà fort avancé, et s'ins-
talla, en même temps que d'autres dames de Fort King,
à la plantation du général Finch. Celui-ci avait depuis longtemps fait de sa maison une forteresse, l'entourant d'une
palissade de troncs ignifugés ; retirant une partie de la garnison de Fort King et la ramenant au Fort Dane, tout proche
— pour le cas d'une attaque par surprise. Marie, je le savais,
serait là raisonnablement en sûreté. Et n'aurait jamais l'auto-
risation de s'aventurer au-delà de la palissade, à la recherche
de documentation pour ses dépêches.

J'avais d'abord été désappointé de ce qu'elle ne m'eût pas
fait tenir le moindre mot. Mais en même temps je reconnaissais qu'il était plus sage pour nous de demeurer séparés.

Rien qu'en fermant les yeux, je pouvais retrouver les

minutes enchantées de la Grande Source, lorsque je l'avais tenue entre mes bras et que j'avais senti ses lèvres sur les miennes. A présent que j'avais avoué mon amour, je n'éprouvais aucun désir de me tourmenter davantage, mais seulement d'attendre qu'une solution à notre dilemme se présente d'elle-même. Tant que Campbell vivait et qu'il continuait à tout régenter, comme main droite de Finch, je ne pouvais que prier pour que la force me soit donnée si nos sentiers devaient de nouveau se croiser.

Cet automne-là, il y eut quelques déchaînements dispersés. Des plantations avaient été envahies dans la région des savanes d'Alachua — toutes largement situées à l'intérieur des frontières du territoire de chasse des Séminoles et donc, du point de vue de ceux-ci, occupées par des intrus. Millefleurs était sur la rive orientale du Saint John's, juste en dehors de la zone disputée — et la tribu du roi Philip, qui, depuis des générations, chassait sur les terres d'en face, nous avait toujours été amicale. Je fis néanmoins élever des granges en troncs d'arbres sur les flancs du manoir et fis mettre des volets de fer au rez-de-chaussée du porche. Nul ne déplorait plus que moi de telles nécessités, mais il semblait sage d'être prêt à toute éventualité — d'autant que ce même porche était à portée d'ouïe des tambours de guerre.

Tant que dura l'automne, nous ne vîmes aucune apparence de changement. Le courant bleu-fumée du Saint John's continuait à séparer la plantation du désert, et la vaste étendue verte à l'ouest et au sud n'avait jamais paru plus vierge de vie humaine, jamais moins menaçante. Les récits qui nous parvinrent alors disaient une autre histoire.

Ce n'étaient, pour la plupart, que des rumeurs angoissées — mais aucun doute ne pouvait subsister : les Séminoles ceignaient leurs reins et se préparaient au combat. Il était à peu près certain que la bataille se livrerait, en un point encore imprévisible, quand leurs moissons seraient rentrées, leurs femmes et leurs enfants emmenés à l'abri des marais.

A présent que les mercantis installés aux divers postes militaires leur refusaient de la poudre et des balles, ils avaient établi une organisation de troc à Cuba et aux Bahamas pour se procurer ces articles essentiels. L'armée avait beau s'y efforcer, elle n'avait aucun moyen efficace d'arrêter ce flot de munitions.

Plus inquiétantes encore étaient les histoires des dissidents — et de l'impitoyable discipline qui les avait contraints à se conformer aux décisions d'ensemble. Coi-Hadjo, qui n'avait signé que très à contre-cœur la pétition de déménagement, avait bientôt été mis au pas. Charley Emathla avait osé maintenir son attitude de défi : il avait été abattu d'un coup de fusil sur le seuil même de son chickee quand il donnait l'ordre à son groupe tribal de marcher vers Tampa Bay. L'exécution avait été décidée en un conseil spécial, et d'aucuns disaient qu'Oscéola lui-même avait été la Némésis de Charley Emathla.

Coacoochee (lui entre tous !) confirma la chose quand, vers la fin de novembre, il apparut à Millefleurs pour une de ses visites-surprise. Ce jour-là, j'avais travaillé dur à l'embarcadère pendant qu'on chargeait nos derniers fûts de mélasse pour être transportés à Jacksonville. La canne à sucre et le coton avaient donné des récoltes exceptionnelles cette année, et nous avions encore mis de côté une somme intéressante, produit de ventes de bœuf et de bacon à l'intendance de Saint-Augustin. Une heure plus tôt, quand j'avais inscrit les derniers résultats dans les registres, je m'étais félicité de ma régie : le major Alan Campbell ne pourrait jamais dire que j'avais négligé l'héritage de sa femme.

Coacoochee était venu du sud, descendant la rivière dans un petit dugout chargé de pelleteries jusqu'au plat-bord. Depuis longtemps, c'était la coutume dans la tribu du roi Philip d'acheter chez nous, à chaque printemps, le blé de semence et de nous payer en fourrures juste avant que les Indiens fissent leur migration annuelle vers le sud. Nous nous attendions à peine à un payement cette année — mais la satisfaction supplémentaire fut grande d'accueillir mon frère de sang et de fumer une pipe avec lui, tous deux assis côte à côte sur le longeron du pier.

— Pourquoi Charlo construit-il des fortifications à Millefleurs ?

— Ordres de Saint-Augustin. Les autorités de l'armée

estiment que nous pouvons être attaqués d'un moment à l'autre.

— Cette maison demeurera debout, assura le Chat Sauvage, aussi longtemps que mon père le roi Philip régnera de l'autre côté du fleuve.

Il était simple et facile de le croire, alors que montait entre nous la fumée du tabac, comme un visible symbole d'amitié.

— *Nous* pourrons toujours rester amis, dis-je. Mais le fait est que Todd's Hundred a été brûlé au ras du sol la semaine dernière, à peine à dix milles au nord de Mille-fleurs...

— Martin Todd est un braconnier, fit Coacoochee. Il se vante de posséder de nombreux fusils et se permet d'élever son toit en terre indienne. Nous sommes en guerre avec ceux de son acabit — et avec les soldats qui le soutiennent. Jamais avec des hommes tels qu'Emile Michaud.

— Il n'est pas toujours possible de choisir ses amis par des temps tels que ceux que nous traversons. Souviens-toi, j'ai un grade dans la milice territoriale, et le gouverneur nous a ordonné de mobiliser. Demain je me rends à Saint-Augustin pour prendre la tête de ma compagnie.

— Faut-il que tu marches contre nous ? Tu peux dire, en vérité, que tu es indispensable ici, jusqu'à ce que la guerre soit terminée.

— Dois-je comprendre que vous avez l'espoir de gagner ?

— Il y a aujourd'hui moins de cinq cents réguliers en Floride. Ajoutes-y un millier d'hommes de milice — et nous vous dépassons à trois contre un.

Je ne répondis à cette évaluation que par un geste vague, et je sentis une main de glace me serrer le cœur. Le Chat Sauvage avait indiqué des chiffres exacts. Le général Finch avait, au cours d'une conversation privée, admis qu'Oscéola, une fois armé de façon adéquate, pourrait balayer le territoire.

— La milice n'a pas l'estomac qu'il faut pour la guerre, continua le Chat Sauvage. Une fois que nous serons venus à bout des réguliers, le gouvernement lui-même demandera la paix — aux termes d'Oscéola.

Je ne relevai pas le défi — car je n'avais pas de mots

pour le contredire. Aujourd'hui, mon ami parlait avec toute la fierté d'un égal : le moment eût été mal choisi de lui expliquer que les Séminoles, comme d'ailleurs n'importe quelle tribu indienne sur le continent, n'étaient, pour Washington, qu'un peuple sujet. Les guerres avec les vassaux ne se réglaient pas par une simple collision de laquelle il pourrait arriver que le vassal sorte victorieux : on ne demandait la paix qu'à ses pairs.

— Parlant de paix, dis-je, comment vont les affaires intérieures de la nation ? Les chefs pensent-ils tous dans le même esprit ?

— Aujourd'hui, Oscéola parle en notre nom à tous, dit le Chat Sauvage.

Ce fut alors qu'il me décrivit la mort de Charley Emathla, conforme à la rumeur d'après laquelle Oscéola aurait abattu le dissident.

— Je me souviens du temps où ils étaient grands amis...

— En des temps tels que celui-ci, énonça Coacoochee, il n'y a point de place pour les incertains et les douteurs. L'homme qui n'est pas avec nous est contre nous.

— Où est *ma* place dans tout cela ? questionnai-je en anglais.

— Charles est l'ami de l'homme rouge. Même en guerre, il suivra son propre jugement.

— Comment le pourrais-je, étant capitaine de la milice ?

— Donne ta démission. L'armée l'acceptera — on sait que tu peux être utile ici.

— Je ne peux pas contresigner votre guerre en refusant de vous combattre.

— Tu ne nous combattras jamais, dit le Chat Sauvage. Nous sommes amis depuis trop longtemps ! Souviens-toi de mes paroles quand tu verras ton premier champ de bataille.

— Je crains bien de n'avoir pas le choix.

— Demeure en dehors de cette guerre, Charles. Attends la paix, car nous pourrons de nouveau être frères. Je n'en dirai pas plus pour l'instant.

III

OU LES EVENEMENTS,
DONNANT RAISON A CHARLES,
LE CONTRAIGNENT
A UNE DOULOUREUSE DECISION

La milice fut mobilisée dès les premiers jours de novembre. Les semaines qui suivirent furent occupées par des exercices et des manœuvres, ces fléaux du soldat-amateur, avec de grandioses plans de campagne, chaque jour modifiés, avec des chamailleries et des beuglements qui n'étaient pas pour atténuer le mépris que, de vieille date, nous éprouvions pour les réguliers.

Noël n'était plus très loin quand mon unité fut prête pour l'action. Entre temps Oscéola avait été vu dans une douzaine d'endroits stratégiques, prêt à déclencher la guerre par un assaut de grande envergure sur Picolata, la prise de Jacksonville et la destruction radicale des vaisseaux de troupe dans Tampa Bay. L'ordre de marche nous fut donné, uniquement pour être contremandé : le courrier apporta la nouvelle de renforcements partis de New York et de Charleston — et le courrier suivant apporta la nouvelle d'un délai de plus...

Quand enfin la milice entra en campagne, ce fut sous l'aiguillon de la nécessité : les renseignements qui nous arrivèrent de Fort King rendaient intolérables de plus longues tergiversations.

Le jour de Noël, le dépôt du mercanti avait été razzié, à l'ombre même des remparts. Gillis, l'agent des Affaires indiennes, qui se trouvait là, à fumer son cigare d'après dîner avec le mercanti et quelques officiers du fort, avait été tué sur place d'un coup de feu. Outre l'importante réserve de poudre et de balles, une bonne demi-douzaine de scalps avaient été emportés par les assaillants armés jusqu'aux dents et qui avaient disparu dans les broussailles sans perdre un seul homme.

Tout ceci était arrivé pendant que, dans la caserne, cinquante hommes somnolaient à leur poste, rassurés par la protection de la palissade de dix-huit pieds et par le prestige d'une jeune nation robuste, vigoureuse, et qui en était encore à perdre sa première guerre. Les jurons du général Finch sonnaient encore à mes oreilles quand, trois jours après le raid, je congédiai mes hommes à l'intérieur de cette palissade. Dans l'instant qui suivit, je m'asseyais, pour ma première conversation sur la stratégie, en face du major Campbell agissant en qualité de commandant du fort.

Heureusement pour sa réputation, quand l'événement s'était produit, le major se trouvait à Fort Dane pour les affaires de l'armée. Tandis que nous discutions des voies et moyens de revanche, je remarquai qu'il n'essayait aucunement de faire retomber sur ses subordonnés le blâme pour l'audacieuse attaque d'Oscéola. Cette fois, l'homme était le dos au mur. Finch était en route pour venir reprendre son commandement. Jusqu'à son arrivée, succès ou échec, la responsabilité de la lutte contre les Séminoles incombait à Alan Campbell et à lui seul.

— Quel était le but de ce diable rouge ? S'il avait l'intention de remporter une victoire, pourquoi ne se sont-ils pas attaqués au fort même ?

— A présent qu'Oscéola est armé, Fort King n'a point d'importance pour lui. Il peut se permettre de laisser cette palissade tomber en poudre, s'il peut porter ailleurs un coup véritable.

— L'armée est assez forte pour repousser tous les Séminoles.

— Etiez-vous assez forts le jour du powwow ?

Campbell rougit et tripota les cartes étalées sur son bureau.

— Suggérez-vous de le pister et de le forcer à combattre ?

En dépit de la gravité de la situation, je ne pus retenir une grimace d'amusement.

— Avez-vous jamais pisté un Indien dans la brousse, major ?

— Certainement pas. C'est là que je compte sur vous.

— Avez-vous jamais pataugé, enfoncé jusqu'à la taille,

dans le gumbo en vous demandant si vous allez vers le nord ou vers le sud ? Vous est-il arrivé de vous réveiller avec un serpent sous vos couvertures ? ou de trouver au matin vos sentinelles éventrées ? Avez-vous jamais échangé des coups de feu avec des ombres dans un fourré de cyprès et senti la mort fondre du ciel sur vous ? C'est cela, la guerre en Floride. Demandez au président, si vous ne me croyez pas : il en a tâté pour sa part, quand il était assez jeune pour faire du service.

— Conseilleriez-vous de nous terrer derrière cette palissade jusqu'à ce que *nous* soyons moisis ?

— En aucune façon. Je vous rappelle seulement qu'Oséola va s'enfoncer dans les marais jusqu'à ce qu'il soit de nouveau prêt à frapper. Votre tâche est de prévenir cette attaque — et d'être prêt à riposter avant qu'il puisse gagner un abri. Indubitablement *il est* à l'abri maintenant, et il attend sa prochaine chance.

— Où ?

— Peut-être sur la Withlacoochee. Peut-être dans les marais au-dessous de l'Oklawaha. Avec une flottille de dugouts pour transporter les armes qu'il a prises à Fort King. Avec des guetteurs et des éclaireurs partout pour épier nos propres mouvements.

Campbell donna à la carte un coup de plume si rageur que la plume se fendit sous le choc.

— Conseillez-vous de nous diriger vers la Grande Source ?

— Outre la nôtre, y a-t-il sur pied quelque force d'importance ?

— Le major Dade arrive de Fort Brooke par voie de terre avec deux cents réguliers pour renforcer la garnison.

Je sentis mes cheveux se hérisser à cette nouvelle et choisis soigneusement mes mots :

— Connaissez-vous approximativement sa position ?

— S'il s'est déplacé selon l'horaire prévu, il doit avoir traversé la Withlacoochee. Nous l'attendons pour la fin de la semaine.

— Dans ce cas, vous ne pourrez trop tôt opérer votre jonction. Je vous conseillerais de prendre contact sur la piste.

— Le major avance avec des canons de campagne et des fourgons de munitions. Ces sauvages n'attaqueraient jamais une colonne forte de deux cents hommes.

— Pour ce qui est de cela, soyez assuré qu'une colonne est actuellement une cible vivante. Si la guerre continue, vous vous apercevrez que c'est exactement l'appât qu'il vous faudra employer pour décider les Indiens à se battre.

Campbell me considéra pendant un moment avec des yeux pleins de mépris — mais je vis que derrière ce regard de basilic le cerveau était attentif et alerte. Au powwow, il avait été témoin d'une impressionnante démonstration de la force séminole — pour ne rien dire de l'autorité dynamique du chef qu'était Oscéola. Maintenant que les circonstances l'avaient placé dans une situation où une estimation erronée pouvait briser sa carrière, il était disposé à écouter.

— Vous faites de cette histoire un mortel jeu de cache-cache, Paige, dit-il.

— C'est un jeu que le temps vous enseignera, répondis-je sèchement. Dans l'intérêt de votre commandement, souhaitons que vous appreniez vite.

— Que voudriez-vous que je fasse ? Que j'abandonne la palissade et que je risque toutes mes forces à découvert ?

— Si Oscéola avait voulu Fort King, il l'aurait pris le jour de Noël !

» S'il s'est dirigé vers l'ouest pour couper le passage à Dade, le ciel vous envoie une chance de l'attaquer des deux côtés. Croyez-en ma parole, major, c'est une chance qui ne se présentera pas deux fois. »

Campbell eut un mince sourire :

— Peut-être Dade l'a-t-il déjà battu et terminé la guerre.

— Dans ce cas vous pourriez encore prendre votre part de gloire — et de prisonniers.

— Le général Finch sera ici demain. Je ne me sens aucunement assuré que je doive prendre l'initiative d'un mouvement, au lieu d'attendre ses ordres.

— Vous avez trois éclaireurs indiens sous votre commandement, et assez de poneys pour monter votre garnison tout entière. En poussant l'allure, vous pouvez atteindre le gué de la Withlacoochee à la tombée de la nuit. Sinon, il y a encore moyen d'élever des parapets et de vous y retrancher en attendant le reste de notre milice. De toute façon, vous seriez en campagne et prêt à fournir autant d'aide et d'appui que vos moyens le permettront. Même si vous êtes surpassés en nombre, la situation changera de face quand le général vous rejoindra.

Campbell fit claquer ses gants sur la table avant de se lever d'un bond et d'appeler un aide de camp. Si désagréable que cela me fût, j'étais obligé de constater que son sens de la tactique était aussi au point qu'était vive sa démangeaison de jouer au héros. En dépit du risque, il avait accepté mon esquisse de plan de bataille. Je savais d'avance que, s'il échouait, je servirais de bouc émissaire.

— Mettez votre compagnie sur la piste, capitaine Paige, dit-il d'un ton tranchant. Déléguez votre commandement dès qu'ils seront en route. Nous ferons ensemble le trajet vers la Withlacoochee.

IV

OU L'ON VOIT
QUE LES SEMINOLES AGISSENT VITE

Je ne me rappelle pas grand-chose de cette galopade cassecou en dehors du fait que l'époux de Marie Campbell s'y montra splendide cavalier. Il me fallut toute mon adresse pour rester en tête sur l'étroite piste ; plus d'une fois, je faillis céder à la tentation de m'écarter pour le laisser passer le premier. Il n'y avait pas eu moyen de fouiller les approches du fleuve et, bien que l'on fût en rase campagne, je ne pouvais pas être assuré que les Séminoles n'avaient point jalonné le parcours de guetteurs armés. Un coup tiré du haut d'un arbre, une flèche venue d'un fourré de palmettes, et mes problèmes personnels eussent été réglés, du moins en ce qui concernait Campbell. C'était pourtant un luxe que je ne pouvais m'offrir, avec, dans notre sillage, moins de cent fantassins montés et rien de plus ni de mieux que quelques lieutenants naïfs et inexpérimentés pour le remplacer le cas échéant.

Ce fut donc moi qui chevauchai en larges demi-cercles en tête de ce galop ventre à terre, explorant les endroits assez bien placés pour que notre ennemi puisse s'y être dissimulé en force, me raidissant contre les possibilités cachées, la résonance d'une corde d'arc, le cri de guerre, qui annonceraient notre destin. Il restait encore une heure de jour, et autour de nous le désert semblait aussi vide que la lune, quand enfin je me laissai glisser de ma selle au gué de la Withlacoochee. Campbell arriva comme le tonnerre et mit pied à terre — héros de médaille sous la patine de poussière, ses narines bien ciselées palpitant comme si déjà il sentait l'odeur de sa gloire naissante.

— Il serait grand temps d'apercevoir Dade, remarqua-t-il. Qu'est-ce que vous en dites, Paige ?

— S'il est suivi de pièces de campagne et de fourgons de munitions, il se peut qu'il soit embourbé. La rive occidentale est mauvaise.

J'avais parlé au hasard, pour masquer mes craintes véritables. Notre beau sabreur de commandant, d'un haussement d'épaules, se débarrassa de cette éventualité et leva le télescope jusqu'à son œil pour explorer le terrain au-delà du fleuve, encore tout pailleté d'or là où la jungle s'ouvrait, au bord de l'eau, sur une large savane.

— Peut-être, dit-il, Dade a-t-il dressé son camp sur une hauteur.

— Il n'y a pas la moindre élévation de terrain sur plusieurs milles d'ici. Rien qu'une route charretière à travers la broussaille et quelques longueurs de piste fascinée à travers les boqueteaux.

— Quoi qu'il en soit, il nous faut établir le contact avant la tombée de la nuit.

— Vous serez beaucoup plus en sûreté avec le fleuve à vos pieds que derrière vous.

— Allez au diable, Paige ! je ne puis arrêter notre marche à présent. Si Dade est en difficulté, il faut que je parte à son secours. N'était-ce point là votre idée quand nous en avons discuté au fort ?

— Seulement si nous pouvions choisir le terrain.

— Dade a presque deux cents réguliers sous ses ordres. Nous en avons presque cent derrière nous. Jamais, dans toute l'histoire des Etats-Unis, une horde de vermine rouge n'a défait pareille force.

— Espérons que cette journée n'abîmera pas le record, dis-je.

— Vous me suivrez de l'autre côté de la rivière, Paige. C'est un ordre.

Sur quoi il se mit à l'eau, laissant sa monture patauger jusqu'à hauteur des étriers dans le courant paresseux et levant son sabre pour indiquer la voie.

Sur quoi aussi, je repris la tête en un long demi-cercle, surveillant avec attention la rive occidentale, dans la pleine connaissance que nous marchions peut-être tout droit vers un champ de tir ! Je n'osai pas me retourner pendant que l'infanterie montée entrait au trot dans le gué, en une colonne par quatre digne du terrain de parade. Tous étaient de vieux briscards qui comprenaient aussi bien que moi, et peut-être mieux encore, le risque insensé que nous courions.

Ma première supposition n'était pas fondée : la route pénétrant dans les boqueteaux était sèche.

Il ne restait qu'une raison pour expliquer le retard du major Dade et de sa troupe — et cette raison s'offrit à nous, hideusement,, quand la route s'incurva en profondeur pour atteindre un lac marécageux, un mille environ après que nous eûmes quitté la Withlacoochee.

Si nous avions encore été en rase campagne, le tournoiement des urubus m'aurait depuis longtemps averti ; une douzaine peut-être de ces repoussants charognards s'envolèrent à notre approche, avec des cris rauques, pour aller se percher en sécurité au sommet des arbres. La mort a beaucoup de noms, mais sa puanteur est universelle. L'âcre fumet des corps gonflés, les effluves écœurants qui montaient du sang versé et des cervelles épandues étaient presque suffocants. Le cheval de Campbell, à cette vue, se déroba et entra si violemment en collision avec mon propre poney que nous n'échappâmes à une chute que de justesse. Derrière nous, j'entendis un tumulte de cris et de jurons quand les réguliers montés contemplèrent ce qui restait de Dade et de sa troupe.

A première vue, le massacre semblait radical. Le modèle d'annihilation qui s'étalait sous nos yeux était d'une simplicité classique qui laissait le cœur et l'esprit transis de terreur. L'attaque des Séminoles avait eu son commencement et sa fin sur moins de cent mètres de route. La colonne avait été littéralement piégée — avec le fourgon qui ralentissait son allure — dans un creux de terrain où des fourrés de vigne sauvage constituaient une embuscade idéale. Pris entre deux feux meurtriers, la plupart des réguliers étaient apparemment tombés comme des quilles dès la première volée. Les survivants avaient ensuite été tirés tout à loisir, pendant qu'ils s'efforçaient de rassembler des troncs de palmiers nains pour élever un parapet, ou de chercher un abri derrière les caissons des deux pièces de campagne qu'ils n'avaient pas eu le temps de mettre en batterie.

Cette poignée de survivants — une inspection plus attentive nous le fit voir — avaient durement combattu derrière ces défenses improvisées. La plupart d'entre eux avaient été enfumés par des flèches incendiaires et achevés à coups de hache tandis qu'ils tentaient, rampant sur les genoux et sur les mains, de se réfugier entre les palmettes. D'autres, achevés dans un combat corps à corps, égorgés, étaient étalés, comme des jouets brisés vêtus de bleu, dans l'abattoir des affûts de canons. D'autres encore avaient servi de cibles aux archers : j'en comptai une douzaine qui étaient morts avec une flèche en plein cœur — preuve macabre de ce que les habits bleu-ciel avec leurs monstrueux revers blancs constituaient un objectif parfait pour tireur d'élite, car ils encadraient les organes vitaux de celui qui les portait, aussi nettement que le blanc encadre la mouche noire d'une cible.

Le commandant était mort entre les affûts des canons, une carabine vide au poing. Ses yeux vitreux contemplaient les vautours tournoyant au-dessus de lui. Dans son autre main, il tenait encore serré le cordon tire-feu d'un canon qu'il avait déchargé à bout portant dans le fourgon de munitions. Criblé de balles comme il l'était, lardé de coups de couteau, nous ne

saurions jamais si le major Dade était mort de la main de
l'ennemi ou du fait de l'explosion par lui-même — héroïque-
ment et désespérément — provoquée. Ce qui était certain,
c'est que son ultime action sur cette terre avait réussi à priver les Séminoles de la poudre et des balles sur quoi ils comptaient évidemment par-dessus tout et dont ils avaient un
intense besoin.

Les scalps avaient été partout enlevés, mais presque aucun
des cadavres n'était autrement mutilé. Quelques-uns avaient
été dévêtus et les chariots de bagages vidés du rhum, des provisions et de tout ce qu'ils contenaient. Je tirai de ces signes
ce que je pus d'espoir : il y avait au moins une ombre de
chance pour que nous ne subissions pas le même sort ce soir.
L'ennemi — ayant frappé de toute sa force — était reparti,
peut-être pour aller se retrancher sur les hauteurs et attendre
les représailles, peut-être pour se fondre dans le marais
de Wahoo Swamp, à l'ouest.

Une fois passé le premier choc de l'atroce découverte, nous
rétablîmes ce que nous pûmes d'ordre sur le champ de bataille.
Les corps, quoique gonflés par leur exposition au soleil,
étaient encore reconnaissables ; les vautours, malgré toutes
leurs évolutions, avaient à peine commencé leur sinistre
besogne.

Dans l'heure qui suivit, nous étendîmes les morts par rangées sous des couvertures et des feuilles de palmier nain. Une
évaluation rapide nous convainquit que les hommes de Dade
étaient morts jusqu'au dernier. (Nous devions apprendre par
la suite que trois d'entre eux avaient, par quelque incroyable
miracle, réussi à traverser le cercle de mort, à s'en échapper,
et fuyaient en ce moment même vers la sécurité du Saint
John's.) Puisqu'il n'y avait pas eu de quartier, il n'y avait pas
de blessés qui pourraient raconter la terrifiante histoire. Les
Séminoles, conformément à leur habitude, avaient emporté
leurs blessés — et leurs morts, s'ils en avaient, pour les enter-
rer ailleurs, selon les rites.

Travaillant à la lumière des torches, nous construisîmes
un assez grand parapet sur un bout de prairie découverte au-
delà du lac, où nous avions rassemblé les corps. Campbell
avait déjà opposé son veto à la suggestion que je lui fis de

nous replier sur la rive orientale de la Withlacoochee. Relevant le menton vers un ennemi invisible, il dit que nul officier portant son uniforme ne consentirait à abandonner une position qui avait été si bravement défendue — pour ne pas parler des morts, qu'il avait l'intention de transporter à Saint-Augustin en vue de leur inhumation.

J'appréciai le bon ordre de son esprit et je ne pouvais vraiment pas trouver à redire à son sentiment vis-à-vis des morts — mais je ne respirai pas tranquille tant que le dernier tronc de palmette ne fut pas fixé et nos postes de garde en place.

Après mon tour de garde, je m'agitai dans un demi-sommeil sans repos, me demandant si je serais, au matin, ajouté à ces rangées bien nettes de cadavres. Habitué comme je l'étais aux cris des oiseaux de nuit dans la jungle, je n'en étais pas moins convaincu que chaque appel somnolent était le signal de notre extermination et, quand un alligator mâle toussa dans un bourbier proche, je me trouvai instantanément debout, mon fusil à la main.

Ce n'était qu'un bien faible réconfort de savoir que d'autres, dans ce camp macabre, étaient aussi terrifiés que moi. Le seul îlot de repos et de calme était le bivouac de notre commandant : le major Alan Campbell dormait du sommeil du guerrier qui a choisi sa carrière et ignore les regrets. Même dans le sommeil, ce fin profil de camée semblait propre à être gravé en médaille — et même alors, j'en avais la certitude, son esprit s'occupait activement à dresser des plans pour son avancement.

V

OU PAIGE SAUVE, PAR DEVOIR,
LA VIE DE SON PIRE ENNEMI...

Juste après l'aube, nos avant-postes signalèrent les premières de nos compagnies de milice, dont l'avant-garde avait traversé la Withlacoochee au soleil levant ; la colonne, de brun vêtue, voyageant à marche forcée, avait couvert la distance depuis Fort King à une allure incroyablement rapide. Trois compagnies en tout, la mienne comprise, furent déployées dans l'heure qui suivit — de sorte, que nous étions près de cinq cents. Les derniers arrivants nous apportèrent la nouvelle — combien favorablement accueillie ! — que le général Finch en personne se hâtait vers l'ouest à la tête du 1er dragons ; un courrier indigène, qui avait galopé durant la nuit, nous apporta l'ordre d'avancer, quels que fussent les risques, et d'engager le combat — si toutefois nous pouvions rencontrer l'ennemi.

Aux premières lueurs, Campbell avait envoyé des éclaireurs à la découverte. Ils revinrent avec l'incroyable information qu'une vaste assemblée d'Indiens campait dans une palmeraie à une heure de marche vers l'ouest — un des multiples lieux de réunion de la nation et le point naturellement indiqué pour la « célébration de la victoire » qui avait suivi le massacre. Nous devions apprendre par la suite que les Indiens étaient parfaitement au courant de notre présence sur les lieux de l'attaque et que nous devions la vie au seul fait que la plupart des braves avaient été, la veille au soir, trop ivres pour pouvoir se tenir debout — grâce aux barils de rhum qu'ils avaient mis en perce sur leur campement.

Nous devions apprendre aussi un fait plus surprenant encore : l'annihilation de la colonne de Fort Brooke (une débâcle qui passerait dans les livres d'histoire sous le nom de Massacre de Dade) était l'œuvre du neveu de Micanopy, Alligator — devenu désormais le principal rival d'Oscéola autour du Feu du Conseil. Oscéola lui-même, parti en exploration à ce moment-là, était rentré trop tard pour interdire le massacre.

La soirée précédente, au camp précaire des Séminoles dans la palmeraie, il y avait eu une furieuse discussion entre les chefs. Le plan d'Oscéola — avant la boucherie — avait été assez simple : un raid sur le dépôt du mercanti, afin de s'assurer la poudre et les balles indispensables pour survivre, puis une rapide retraite dans les marais, où l'armée — si même elle osait se risquer à les suivre — tomberait malade et mourrait, épuisée par ses vains efforts pour provoquer une bataille. Désormais, à cause de l'attaque par Alligator, il n'était plus possible d'envisager une paix de compromis. Sans s'inquiéter du prix à payer, l'armée pourchasserait les Séminoles jusqu'au dernier homme — et le traité que le major Campbell avait si solennellement entonné au powwow près de l'Oklawaha serait imposé à la nation. A ce qui en resterait...

Toutefois, ces divers faits et circonstances nous étaient inconnus en cette aurore tendue où les éclaireurs nous apportèrent la nouvelle des premiers mouvements du difficile réveil des Séminoles. Au petit jour, leurs forces avaient contourné notre position pour aller s'embusquer aux abords de la piste en fascines qui serpentait vers le gué de la Withlacoochee. Si incroyable que la chose nous parût de notre position actuellement avantageuse, ils avaient choisi de répéter la tactique du massacre ; s'attendant tout à fait à ce que nous retournions sur Saint-Augustin avec nos morts, ils étaient maintenant prêts à nous tendre une embuscade quand nous entrerions dans le gué.

Campbell accepta la menace avec jubilation tout en se préparant à lever son propre camp.

— Nous allons tomber dans leur piège — ou du moins faire semblant d'y tomber, dit-il. Ils n'ont eu aucune chance d'évaluer notre force présente. Les réguliers formeront un carré vide en son milieu, guidons en berne, et se dirigeront vers l'est comme un cortège. Nous, pendant ce temps, nous détacherons la milice et prendrons cette embuscade à revers.

» Puisque *nous sommes* en vérité un cortège funèbre, nous aurons toute raison d'avancer lentement. Avec de la chance, le général Finch sera là à temps pour terminer le combat.

— Une supposition... Qu'ils prennent le marais avant que nous ayons obtenu le contact ?

— Ils n'oseraient pas : il faut qu'ils gagnent aussi cette bataille, s'ils espèrent gagner la paix. Au surplus, nous sommes toujours entre eux et leur sortie.

A mon avis, le plan de Campbell était beaucoup trop compliqué : à sa place, j'aurais mis ma force entière à cheval, obliqué vers le sud pour être vraiment assuré que la route d'évasion des Indiens passe sous le feu de nos canons, et j'aurais tiré de ce côté-là, les clouant au gué et les contraignant à une reddition complète. En même temps, je devais reconnaître que son audace lui avait bien réussi jusqu'à présent. Le fait qu'il était disposé à s'offrir comme cible vivante était pleinement dans sa note. Pendant un instant, je balançai, hésitant à m'offrir pour conduire l'attaque de flanc — et je résistai à la tentation. Il importait que les guetteurs d'Oscéola m'observent, chevauchant côte à côte avec Campbell.

Le matin était en son milieu quand nous quittâmes nos parapets improvisés. En prenant toutes les précautions possibles pour dissimuler nos mouvements, nous avions laissé les morts couchés où ils étaient. Nous avions installé un fourgon de funérailles sur les caissons, avec des cartouchières de supplément sous les faux suaires. C'était un cortège grotesque, à la vérité, que celui qui se mit lourdement en marche vers la rivière — mais je savais qu'à distance il paraîtrait authentique.

Quant à nos compagnies de milice, elles s'étaient déjà éclipsées par escouades, rampant comme autant de serpents bruns à travers la broussaille, profitant de la moindre aspérité, du moindre couvert, pour continuer leur trajet, les uns vers le nord, les autres vers le sud, afin de lancer leur double assaut contre l'embuscade ennemie. Le minutage de nos mouvements étant d'une importance vitale pour une action concertée, nous comparâmes nos montres avec celle de chaque chef de patrouille. Nous nous accordions une heure entière pour notre marche de retour vers le gué, et nous comptions sur la solennité de notre mission pour légitimer la lenteur de notre pas ; il semblait donc raisonnable de présumer que l'attaque serait lancée avant que nous arrivions à portée de fusil.

Nos éclaireurs — des Creeks intrépides qui pouvaient se mouvoir à travers les fourrés les plus denses sans faire frémir une feuille — avaient contourné les Séminoles d'aussi près qu'ils avaient osé s'y risquer. Ils nous informèrent que l'ennemi avait aligné ses fusils le long de la piste, à l'endroit où la route s'incurvait en profondeur pour pénétrer dans la ceinture de cyprès qui frangeait la berge.

143

Notre tâche était d'approcher cette frange d'arbres le plus près possible, sans risquer d'attirer le choc meurtrier de la première volée.

L'ordre habituel de marche stipulait qu'un officier commandant devait conduire sa colonne et chevaucher à quelque distance en avant-garde. Conseiller et guide de Campbell, je gardai mon poney flanc contre flanc avec son cheval. Derrière nous venaient les aides de camp et les porte-drapeau, guidons tenus bas en signe de deuil. Le gros des réguliers terminait la marche, formé en carré évidé, avec, en son centre, les caissons drapés d'une couverture.

Une carabine était plantée debout dans chaque sacoche ; les muletiers qui marchaient à côté des équipages d'artillerie se tenaient prêts à passer des fusils supplémentaires dès que l'attaque serait lancée. Du point de vue de l'ennemi, nous ne formions indubitablement qu'un cortège douloureux, et nous étions certains que les Indiens étaient depuis longtemps en route. Tout au moins, je priais pour que nous la donnions, réellement, cette impression-là, au moment où nos poneys prirent le chemin au-delà du lac et entrèrent dans le mille de pinède découverte et pareille à un parc. Déjà, bien que nous allions d'un pas d'escargot, la fantomatique frange de cyprès qui annonçait la Withlacoochee semblait périlleusement proche.

— Ne bronchez pas, mon garçon, dit Campbell. Levez le menton et crânez. Nous aurons repéré ces diables rouges longtemps avant qu'ils puissent nous apercevoir.

Je faisais de mon mieux pour imiter son air martial : le détestant de tout mon cœur, je reconnaissais que son courage était réel.

— Cela ne paraîtrait-il pas plus naturel si nous conduisions nos chevaux par la bride ?

— Me conseilleriez-vous de mettre pied à terre ?

— Vous auriez du moins votre selle pour bouclier.

— Je vous dis que l'ennemi est encore à un bon mille à l'est d'où nous nous trouvons.

— Et s'ils ont disposé des avant-postes ?

— Ils ne tireront pas un coup de fusil, Paige. Pas avant

qu'ils aient le nez sur la cible : tout le succès d'une embuscade repose sur la surprise.

Même à notre pas languissant, nous avions depuis longtemps dépassé le lieu du massacre ; la piste serpentait à présent à travers une étendue de palmiers nains étroitement
serrés où s'ouvraient par endroits de petites clairières, entre
des pitchpins. Laissant mon regard errer sur ces fourrés, je
sentais la sueur me perler au front : la nation séminole tout
entière aurait pu s'y mettre à couvert sans que personne s'en
fût aperçu. Campbell, chevauchant à un impeccable pas de
parade, leva une main gantée pour arrêter la colonne et sauta
de sa selle pour inspecter le fer de son cheval. Le clin d'œil
qu'il me dédia sous le bord incliné de son sombrero de campagne confirmait son incroyable confiance, l'aura de bravoure
plantée comme une auréole sur son trop beau front.

— Donnez dix minutes de plus à vos amis de la milice,
dit-il. Ils vont commencer à cogner.

A cet instant précis, j'entendis un tangara écarlate gazouiller dans le fourré sur notre gauche ; instantanément ce chant
eut son écho dans le fourré à notre droite. A l'oreille non
entraînée, les appels d'oiseaux étaient véritables : un homme
habitué à la vie des bois pouvait seul y déceler la gutturale
note humaine. Dans notre commune adolescence, Coacoochee
et moi avions beaucoup pratiqué ce même accord du tangara — et bien d'autres. Nous étions très fiers de la pureté
de notre imitation. Aujourd'hui, j'aurais juré que c'était le
Chat Sauvage lui-même qui venait de siffler ce signal depuis
le fond du fourré.

Je mis pied à terre à côté de Campbell et feignis d'examiner
à mon tour le sabot de son cheval.

— Vous êtes devenu marteau, Paige ?

— A malin malin et demi. Ils ont prévu notre tactique
et nous attendent ici en embuscade.

— Soyez pas idiot. Ils ne peuvent pas avoir changé si
promptement de position.

— Dans notre camp, ce matin même, vous avez vu trois
compagnies de milice s'enfoncer dans ces mêmes broussailles
sans laisser de traces. Le Séminole n'est certes pas moins
malin.

Il m'écouta alors, avec ce froncement de sourcils, cet air à la fois précieux et supérieur que je connaissais trop bien, lui parler de chants d'oiseaux et de leur sens presque certain. Quand mon exposé fut terminé, Campbell éclata de rire.

— En somme, que conseillez-vous ?

— Donnez sans tarder à votre compagnie le signal de chercher le couvert. Laissez-vous tomber sur les mains et sur les genoux, et rejoignez vos hommes. Souvenez-vous que le premier coup de feu sera pour vous.

— Ainsi donc il faudrait que je me trotte vers mes soldats comme un lapin vers son terrier, simplement parce que *vous* avez la frousse ? Et si c'est réellement un tangara qui appelle et son copain qui lui répond ? Comment me sera-t-il possible après cela de donner encore un seul ordre ?

— Donnez-leur sans tarder celui de chercher le couvert, répétai-je. Du moins si vous tenez à vivre encore.

Le major tira son sombrero sur un œil et m'accorda son sourire le plus méprisant :

— Je suis en route pour la Withlacoochee, dit-il. Nous terminerons notre manœuvre à la façon dont nous l'avons projetée. Si vous n'êtes pas en selle dans cinq secondes, je vous fais arrêter.

Tandis qu'il parlait, son pied était dans l'étrier. De très loin, j'entendis le tangara lancer une note plus haute et plus douce, et l'incontestable réponse monta sur ma droite. De même que le spectateur d'une tragédie est hors d'état de rien empêcher, de même je regardai Campbell signifier la reprise de la marche. Tous mes instincts s'insurgèrent, me dirent de prendre la brousse à l'instant même, de laisser ce stupide et présomptueux héros se diriger sans moi vers le piège. Et, pourtant, quelque chose qui dépassait l'instinct me fit pousser mon propre poney entre Campbell et le fourré. Dans cette plongée en avant, mon poing se glissait dans sa ceinture, la tordait et arrachait d'un coup l'homme à sa selle.

En cette seconde précise, le coup de feu éclata, si proche que je pouvais sentir l'odeur de la poudre : le chapeau de Campbell s'envola dans l'espace, la calotte percée d'une balle avant même que j'aie pu aplatir au sol le héros récalcitrant et couvrir du mien son corps qui se tordait comme un ver coupé. A la suite de l'arme du tireur d'élite qui avait parlé la première, une douzaine de mousquets donnèrent de la voix, et nos deux poneys, criblés de balles, s'effondrèrent avec le cri effrayant du cheval à l'agonie. Comme je l'avais espéré, les deux animaux tombèrent dans la broussaille, à côté de nous, nous procurant une sorte de protection.

Je n'eus pas besoin de regarder en arrière pour savoir que nos réguliers s'étaient, jusqu'au dernier, aplatis au sol. Grâce à ma rapidité d'action, le choc de cette première volée fut moins meurtrier qu'il l'eût été sans cela. Bon nombre de projectiles se perdirent. De temps à autre, une sorte de perçant hoquet d'agonie nous disait qu'une balle avait trouvé son objectif. L'armée put, en grande partie, retourner efficacement la volée avant que l'ennemi ait pu recharger ses armes. Grâce aux plumets de fumée qui s'élevaient des fourrés jumeaux, sur nos flancs, il nous était assez facile de repérer leurs cachettes et de les cribler de plomb.

Campbell avait cessé de se débattre. Maintenant, comme je relâchais mon étreinte, il gagna en se tortillant, avec une agilité qui aurait fait honneur à un guerrier indien, la protection de sa monture labourée de balles. Je le questionnai :

— Etes-vous blessé ?

— Je crois qu'il m'a éraflé le crâne.

Insoucieux du sang qui lui coulait sur le visage, il avait déjà appuyé une joue contre sa carabine. Une balle, passant à moins de quatre mètres de son nez, l'obligea à se renfoncer dans son abri, ce qui me fournit l'occasion d'examiner sa blessure qui, bien que purement superficielle, continuait à saigner profusément.

Quand il s'aperçut que l'hémorragie gênait sa vision, Campbell accepta mes soins d'assez bonne grâce. Pendant qu'à l'aide de la trousse médicale contenue dans les sacoches je lui préparais un pansement, il continuait à tripoter la carabine posée sur ses genoux et maudissait l'incessant bourdonnement de balles qui nous obligeait à demeurer pliés en deux derrière les monticules que formaient nos chevaux.

— C'est vrai que la première était assez proche, remarqua-t-il.

— Elle aurait dû vous avoir entre les deux yeux.

— Il semble que je doive vous remercier de m'avoir sauvé la vie.

— Elle n'est pas encore si sauvée que cela ! Ils peuvent toujours nous tomber dessus d'un moment à l'autre.

Cette amère prédiction du moins ne se vérifia point.

Pendant toute une demi-heure, l'ennemi, embusqué, continua de faire pleuvoir du plomb sur nos boucliers de chair — mais aucun bonnet de guerre ne se montra entre les buissons. Sur les flancs de l'ennemi, nous pouvions entendre le réconfortant crépitement des mousquets pendant que les miliciens — alertés à temps alors qu'ils se glissaient vers les berges du fleuve — s'avançaient pour refouler les Séminoles hors de leur nouvelle cachette. Les réguliers, accrochés aux racines des palmettes par les dents et les orteils, avaient depuis longtemps établi, entre les fourrés et nous, la protection d'une ligne de feu.

De temps à autre, un Indien se levait hors de son abri et, avec un cri de fantôme, se lançait dans la mêlée de chevaux aux piquets, dans l'intention de couper les jarrets à un ou deux poneys avant d'être lui-même descendu sur place. A part ces quelques sorties, la *bataille de la Withlacoochee* s'était bientôt installée en un duel où on se canardait de part et d'autre avec des pertes assez également réparties.

Encore que notre situation fût difficile, Campbell et moi étions relativement en sécurité, à condition de garder la tête basse. Grâce à l'action rapide de la milice, les Séminoles se voyaient contraints de s'écarteler dans la brousse et de lutter contre un adversaire qu'ils ne pouvaient que deviner et non voir : leur plan d'en finir d'une seule écrasante volée avait fait long feu, à cause de leur avide ardeur à abattre le chef avant d'avoir disposé des hommes. Notre première heure n'était point écoulée, et je savais que nous avions une chance pour le moins égale de tenir le coup. Dès la seconde heure, si j'avais eu la responsabilité de l'affaire, j'aurais fait mettre baïonnette au canon et ordonné un assaut concerté sur les deux côtés du fourré en même temps.

Campbell, lui — qui depuis longtemps avait reconquis son sang-froid, — ne semblait aucunement disposé à donner un ordre de ce genre. Dès le début de cet assaut de cauchemar, il avait vu que la bataille (si on peut employer un mot aussi grandiose pour cette bagarre à becs et ongles) continuerait en une affaire hautement individuelle, où chacun choisissait son homme et dirigeait son feu à sa guise. A présent, toutefois, alors qu'il était indiscutable que l'ennemi était sonné par notre riposte, touché par notre tir en enfilade, et ne crachait plus guère en retour qu'une imprécise averse de plomb, je ne pouvais comprendre son silence.

— Ne serait-il pas temps de les enfumer pour qu'ils sortent ?

— Allons-y en douceur, Paige. Je me suis pris d'une extrême amitié pour cette colline de viande de cheval.

Nous plongeâmes d'un même mouvement, quand une balle, partie d'un arbre, manqua nos têtes de si peu que c'en était extrêmement inconfortable.

— L'arme blanche nettoierait vite et bien, fis-je. Il y en aurait pas mal de perdus dans la brousse, c'est certain, mais vous pourriez néanmoins ramener quelques centaines de prisonniers.

— Et s'ils sont encore plus nombreux que nous ?

— Après la première volée, le soldat quelconque bat le Séminole au tir à deux contre un. Et j'ai idée qu'aujourd'hui cette moyenne a été dépassée.

— Pourquoi « la première volée » ?

J'expliquai aussi patiemment que je pus pourquoi l'homme rouge n'est pas un adversaire à la hauteur du Blanc quand il se sert des armes de l'homme blanc. Au début d'un engagement du genre de celui-ci, il charge son fusil à la façon normale, selon la coutume, en y versant de la poudre qu'il tient au sec dans une poche spéciale, puis une balle enveloppée de peau qui sert de bourre et qui est forcée sur la poudre. Ainsi chargé le long rifle est une arme remarquablement mortelle. Mais, dans la chaleur du combat, l'Indien transporte habituellement une provision de balles à la manière d'un écureuil, dans chaque joue : sa méthode de rechargement consiste alors à verser la poudre et à y cracher le plomb. Sans bourre et sans pression à fond, la plus grande partie de la puissance propulsive du coup est perdue.

Campbell écouta avec une politesse grave ma petite conférence sur la balistique. Cela semblait assez bizarre de discuter un tel sujet entre les arrivées de balles, mais, depuis que je m'accrochais, pour sauver ma vie, à un coin de sol sableux, je m'étais blindé contre les surprises.

— Ne s'arrêteraient-ils pas pour recharger convenablement leurs armes s'ils voyaient qu'un assaut se prépare ?

— C'est extrêmement improbable. Ils préfèrent les couteaux, les haches, le corps à corps. La plupart d'entre eux portent le coup et se sauvent à toutes jambes, dans l'espoir de parvenir aux marais. Ceux que vous coinceriez ne seraient pas des adversaires à la hauteur de l'armée à la baïonnette.

— Du diable, voyons, Paige ! Nous pouvons *tout de même* être encore dépassés en nombre !

— Si votre attaque avait réussi selon le plan établi par vous, votre intention n'était-elle pas de les poursuivre ?

— Bien sûr que si. Je comptais même sur les réguliers pour le *coup de grâce*. Je n'avais jamais supposé que nous nous fixerions ainsi, réciproquement, sur place. Mais, puisque c'est arrivé, j'ai bien l'intention de tirer de cette circonstance le meilleur parti possible.

— Je crains que votre stratégie ne me soit pas accessible, dis-je, non sans insolence.

Il rougit, je vis ses articulations blanchir sur la carabine — qui n'avait pas encore tiré — et je me demandai s'il allait la tourner contre moi.

— Auriez-vous l'idée de m'appeler lâche ?

— Jusqu'ici il n'y a pas eu d'injures échangées. Jusqu'ici vous avez échappé à la mort à un cheveu et vous avez conservé votre troupe à peu près intacte. Je ne comprends toujours pas pourquoi vous vous refusez à donner l'assaut à l'ennemi.

— Si vous voulez bien vous arrêter un moment de cracher du feu, je vous expliquerai pourquoi. Ceci, toutefois, est rigoureusement entre nous. Si vous en soufflez mot par la suite, je vous traiterai publiquement de menteur.

— Je n'en doute pas un seul instant, dis-je joyeusement. Allez-y, dessinez la carte, tracez le tableau.

— « Emploi du temps » me paraîtrait un vocable plus adéquat, remarqua-t-il. Que préféreriez-vous à ma place : la brillante conservation d'une position, dont je m'attribuerai le mérite, ou une centaine de prisonniers et une liste de morts et de blessés pour lesquels le quartier général me demanderait des explications que je ne saurais comment lui fournir ? Soyez honnête, Paige : cela *vous* emballerait-il, si on vous ordonnait de donner l'assaut à ces fourrés ?

— Certainement pas. Mais j'obéirais — si cela signifiait qu'on s'efforce d'abréger une guerre dépourvue de sens.

— Aucune guerre n'est dépourvue de sens pour le soldat qui y participe. Et particulièrement si l'avancement dudit soldat peut y gagner. Tout ce déplacement d'air actuel n'est qu'une répétition pour de plus grandes choses — pour Mexico et pour l'ouest, — n'importe quel caporal sait cela. J'ai décidé de graver mon nom profondément sur les tablettes avant de quitter la Floride, et je l'y graverai à ma manière.

— J'en suis pleinement convaincu, major !

— Si je sentais que cela servirait mon avancement de donner l'assaut à cette embuscade, je le risquerais — tout de suite, — quand même la moitié de ma troupe devrait y rester. En ce moment, il me paraît préférable d'immobiliser sur place cette vermine rouge et de présenter au général Finch un plan de bataille modèle quand il traversera la Withlacoochee.

— Et s'il ne vient pas aujourd'hui ?

— C'est encore un risque auquel je suis préparé. Je l'ai envisagé. Si tout va bien, je serai félicité pour avoir vengé le massacre de Dade et de ses hommes. Si ça va mal, et que l'ennemi nous échappe, eh bien ! c'est vous qui en porterez la responsabilité.

Mes doigts se refermèrent sur sa tunique et je lui adressai une silencieuse injure, qui amena sur son visage un ricanement amusé ; si nous n'avions pas été en vue de toute sa troupe, j'aurais abîmé d'un coup de poing cette grimace satisfaite — qui, sans que son flegme eût été un instant ébranlé, s'élargit en un vaste sourire quand l'appel perçant et vif d'un clairon monta de la rive opposée de la Withlacoochee, annonçant que Campbell avait gagné son pari.

Les dragons de Finch, coulant par-dessus le gué en une furieuse marée bleue, transformèrent en un clin d'œil l'aspect de la bataille qui, tout le long de la matinée, avait été sporadique et incertaine. La milice, grignotant hargneusement les flancs de l'ennemi, n'avait pas risqué une charge ; les réguliers de Campbell, aplatis au sol sous la menace des fusils séminoles, n'avaient fourni qu'un feu de couverture. A présent que les dragons de Finch dévalaient comme un ouragan la route de fascines, les forces d'Oscéola n'avaient pas autre chose à faire que de sortir de leur abri.

— Joli tableau, pas vrai ? dit Campbell. Je crois bien qu'il va me valoir le grade de colonel.

Je l'envoyai au diable une fois de plus, mais les paroles s'éteignirent dans ma gorge quand je le vis se dresser, les mains en coupe autour de ses lèvres, pour lancer enfin ses troupes dans l'action. La milice, prenant cœur à l'arrivée des renforts, avait déjà d'elle-même entrepris un mouvement sur la position des Indiens, s'ouvrant un passage à coups de crosse. Les réguliers se mirent debout et s'élancèrent en masse, tirant tout en courant. Un grand cri s'éleva de la troupe éparse des Séminoles : bientôt ils jaillirent des fourrés en une course éperdue qui, de retraite, ne tarda pas à se transformer en déroute hurlante.

Redressé sur les genoux, je regardai les compagnies converger sur l'ennemi et, sans l'ombre de surprise, je vis Campbell courir follement à la tête de ses propres troupes et, sabre au clair, diriger leur attaque. Je vis le salut qu'il adressa au général un instant avant que les deux officiers se rencontrent et se serrent la main. Le haïssant plus que jamais à cause de cette manifestation d'hypocrite exubérance, il m'était cependant impossible d'en nier l'efficacité : le général en chef n'aurait pu accueillir son jeune officier avec une plus chaleureuse effusion, eût-il été la chair de sa propre chair et le sang de son propre sang.

Notre matinée sous le feu de l'ennemi avait été instructive : j'avais appris à connaître le major Campbell et je savais à présent que, sous cette façade sereine, il n'était que mal, mal sans mélange, mal pur et sataniquement parfait. Et je ne pouvais partager cette découverte avec personne, moins qu'avec quiconque avec la femme qu'il avait épousée pour des raisons qui lui étaient propres.

VI

... ET S'ESTIME EN DROIT
DE SAUVER ENSUITE
LA VIE DE SON MEILLEUR AMI

La bataille de la Withlacoochee a passé dans les annales comme une victoire sur les Séminoles. En réalité, ce fut une affaire de coups et de contrecoups, avec de lourdes pertes de chaque côté, quoique celles que nous infligeâmes finalement à Oscéola fussent formidables. A en juger d'après la première interruption, nous nous attendions à voir les Indiens s'échapper du cercle dès qu'ils l'auraient pu — pour aller lécher leurs plaies dans les profondeurs du Wahoo Swamp. Au lieu de quoi, dès qu'il eut échappé à nos lignes convergentes et reformé ses troupes en dehors de notre étreinte, Oscéola lutta obstinément jusqu'à la fin du jour.

Arnaldo Sanchez était arrivé de Saint-Augustin avec les dragons ; durant tout l'après-midi nous travaillâmes ensemble dans son poste de campagne, y amenant les blessés des deux camps et soignant leurs plaies du mieux que nous pouvions. Finch avait désigné une demi-douzaine d'hommes pour servir d'assistants : grâce aux connaissances élémentaires et expéditives que j'avais acquises comme élève du vieux médecin, il me fut donné de sauver plus d'une vie tandis que décroissait la marée de la bataille.

Vers le coucher du soleil, l'afflux des blessés cessa enfin et je pus rejoindre ma compagnie, qui n'avait subi que des pertes légères. Grâce à la situation de notre hôpital de campagne, je l'avais également fait servir de poste de commandement — bien que, à dire la vérité, il n'y eût que peu d'ordres à donner dans ce *catch as catch can*. Toutefois, à présent que Finch ordonnait une avance générale, je vis qu'il me fallait passer par la cérémonie rituelle et conduire la charge finale.

Une fois que la ligne séminole fut vraiment rompue, elle

parut se dissoudre dans cette immensité verte sans laisser de trace. De loin en loin subsistaient quelques nœuds de résistance : une demi-douzaine de braves retranchés dans un cercle de cyprès, un tireur d'élite perché dans le sommet touffu d'un palmier, choisissant une cible bleue après l'autre jusqu'à ce qu'il fût dépêché à son tour.

Les costauds de Finch abattirent sans pitié ces durs à cuire, s'ouvrant à coups de crosse une voie dans les cercles de cyprès pour y transpercer à la baïonnette jusqu'au dernier guerrier, enfumant les tireurs pour les faire choir du haut de leurs arbres et les transformant en lanières à leur arrivée au sol. Dans ces finales sauvages, il était impossible d'empêcher les prises de scalp. Ce fut en partie pour ne pas voir cette pratique que je poussai en avant du gros de la troupe dans l'intention de découvrir la direction de la retraite.

Très loin sur ma droite, où les terres d'alluvion de la Withlacoochee se fondaient avec la lande-pinède, j'entendais encore le claquement des fusils et quelques perçants cris de guerre : dans ce rayon, la bataille n'était pas terminée.

Par-ci par-là, un turban abandonné, éclatant d'aigrettes ou de plumes d'ibis, un ou deux havresacs éventrés étaient les seuls signes marquant le flux et le reflux de la marée guerrière, me rappelaient que l'ennemi était passé par là en pleine force si peu de temps auparavant et qu'Oscéola, qui avait si bien combattu tout le long du jour, n'opérait pas moins brillamment sa retraite.

Haletant de ma galopade effrénée, je m'arrêtai enfin à l'ombre d'un vieux chêne vert — me rendant compte un peu tard que j'étais de fort loin en avant de ma troupe. La mort m'avait frôlé une fois du fond d'un fourré de palmettes, je ne m'étais jamais attendu à la voir tomber du ciel. Mon oreille eût-elle été moins exactement accordée au moindre bruit de la forêt, moins sensible au plus léger son de danger, je n'aurais pu reculer à temps quand le corps nu, bariolé de peinture, tomba comme une sonde du haut de son nid de mousse.

Le Séminole s'attendait évidemment à me trouver endormi, le couteau était toujours entre ses dents quand il tomba de biais comme un crabe sur la terre spongieuse. Son visage, barbouillé jusqu'aux yeux de rouge, peinture de guerre, se figea en une grimace de stupeur quand je bondis sur lui, arrachant la lame d'entre ses dents et lui retournant le bras droit, le tout en un instant. Dédaignant d'employer contre lui sa propre arme, je la lançai au loin et tirai mon pistolet de ma ceinture. Mon captif frémit quand j'en appuyai le canon contre sa gorge et un gémissement étranglé lui échappa. Ce cri avait quelque chose de familier. Du dos de la main, j'effaçai la peinture de son front et de ses joues — et me trouvai face à face avec Coacoochee.

— Ainsi nous nous rencontrons à nouveau, Charles.

— Pourquoi faut-il que ce soit toi ?

— Le Grand Esprit est bon pour nous aujourd'hui. Il nous réunit à la fin de cette bataille.

— Tu m'aurais tué il y a un instant, dis-je. Pourquoi ne te rendrais-je pas la pareille ?

— Fais-moi prisonnier si tu y tiens. Rien ne t'oblige à presser cette détente. Pas plus que je ne me serais servi de ce couteau dès que je t'aurais reconnu.

Ce qu'il disait était parfaitement exact : mes doigts avaient déjà lâché la gâchette et mon bras avait libéré le sien de la torturante torsion. Le Chat Sauvage s'appuya du dos contre l'arbre.

— Quand je t'ai appris à lutter, Charles, j'ai été un trop bon maître.

— Pourquoi es-tu resté en arrière ? Tu savais que c'était la mort certaine.

— Oscéola voulait le nombre exact de soldats blancs. Il ne peut pas encore croire que nous avons cédé le champ à une unité plus faible en nombre.

— Quand le général Finch a rejoint le major Campbell, il y avait déjà six cents hommes contre vous. A partir de ce moment, nous alignions plus de fusils que vous.

Coacoochee me considéra de ce regard nonchalant, vaguement moqueur que je connaissais bien. Pendant cet instant tout au moins, nous étions revenus à notre adolescence amicale, chacun de nous défiant l'autre d'accomplir l'impossible.

— Je ferais un fameux prisonnier, Charles. Pourquoi ne me captures-tu pas ?

— Je ne fais pas de prisonniers aujourd'hui. Cette rencontre est notre secret. Si tu parviens à décider Oscéola à renoncer à la guerre, ceci aura du moins servi à quelque chose.

— Oscéola avait d'autres plans, dit-il. Ce n'est pas vraiment par sa faute qu'ils ont échoué.

— Les dragons seront ici d'un moment à l'autre, lui rappelai-je. Tu ferais mieux de partir tandis que le départ est possible.

Ses yeux demeurèrent appuyés sur les miens — et la lueur narquoise flottait encore dans leur profondeur :

— Pourquoi as-tu sauvé Campbell ?

— Pourquoi ne t'ai-je pas tué à l'instant ?

— *Nous* sommes frères, Charles. Campbell est ton ennemi. Toi et la femme-des-livres ne serez jamais heureux tant que vous ne serez pas débarrassés de lui.

— Tu faisais partie de cette embuscade ?

— Bien sûr. C'est ma main qui a tiré le coup dirigé vers son cerveau. Si tu l'avais laissé en selle une seconde encore, il ne serait plus entre vous à présent.

Coacoochee se leva brusquement de son siège sous le chêne vert. Il y avait longtemps que je savais l'ouïe des Indiens plus fine que la mienne. Ce ne fut que quand je me relevai à mon tour que j'entendis au loin les acclamations dont les dragons de Finch saluaient la fin de la bataille.

— Je donnerai ton message à Oscéola, fit le Chat Sauvage, en disparaissant. Ne t'étonne pas s'il ne t'envoie pas de réponse.

Longtemps après qu'il se fut fondu dans les broussailles, je demeurai sous le même dais de verdure à maudire tout ensemble les dieux de l'amour et ceux de la guerre. Même dans la première ardeur de la colère, je n'éprouvais aucun sentiment de déloyauté vis-à-vis de l'armée, qui commençait à se frayer passage vers le sud à travers les pinèdes. Le major Alan Campbell vivait et respirait toujours — et de lui avoir sauvé la vie aujourd'hui me paraissait un crime beaucoup plus grave que d'avoir laissé la liberté à Coacoochee.

HUITIEME PARTIE

UN PEUPLE ENTIER MARCHE
VERS SON DESTIN QU'IL IGNORE

I

OU LES PERSPECTIVES D'AVENIR
S'ASSOMBRISSENT POUR LES SEMINOLES

L̲A LONGUE STAGNA-
tion qui suivit l'action sur la Withlacoochee a été expliquée
et défendue par les historiens — militaires et autres. Mon
explication personnelle — et je ne l'offre que pour ce qu'elle
vaut — a du moins pour elle d'être de première main. Je
ne propose d'excuses pour aucun des crimes commis de
part et d'autre. La guerre est un mot infect, insoucieux du
langage, et l'homme l'emploie à ses risques et périls. Je dirai
seulement que, en dépit de son triomphe apparent, la cause
indienne empira régulièrement — régulièrement tout au long
du long hiver et du printemps.

Trop tard, la nation se réunit en un Conseil au Wahoo
Swamp et vota l'adoption de la politique d'Oscéola. Après
la retraite sur la Withlacoochee, les Indiens ne se risquèrent
plus à des batailles en tenue de parade. Ils limitèrent le conflit
à des expéditions contre les plantations qui avaient empiété
sur leur terrain de chasse, avec, pour varier, un raid occa-
sionnel aux environs de Saint-Augustin, et à des représailles
contre toutes les unités militaires assez peu sages pour se
détacher d'asiles tels que Fort King.

Par ces tactiques, Oscéola et ceux des chefs qui avaient accepté de se ranger à sa suite espéraient arriver à un arrangement qui permettrait à la nation de se retirer avec honneur au sud de la Floride — ou à une trêve qui soulignerait le fait que les Indiens, encore qu'ils refusassent de combattre à découvert, ne pourraient jamais être définitivement vaincus.

Pendant un certain temps, la stratégie qui consistait à « frapper et fuir » sembla réussir : durant tous ces longs mois terribles, la frontière fut vraiment en flammes, et les Floridiens dormaient mal dans leurs lits. Contre des forces vastement supérieures en nombre — milice et réguliers comptaient désormais ensemble quelque dix mille hommes — le Séminole avait atteint son but principal qui était de rendre d'immenses superficies de la péninsule intenables aux Blancs. Ce fut l'époque des cabines brûlées, des granges éventrées, l'époque où des familles entières étaient, dans leur sommeil, exterminées au tomahawk, ou pourchassées au-delà du Saint John's, marquées d'un signe fatal.

Fidèle à son serment, le chef séminole avait pris deux vies de Blanc pour chaque esclave volé, et la mort était la seule récompense de ceux qui osaient encore se risquer à défricher des clairières à moins d'un jour de route du fleuve — d'un jour de route à cheval.

Mais l'apparente victoire était en réalité une perte graduellement accrue. Avec tant de troupe effectivement à leur poursuite, les Indiens n'avaient pas eu la moindre chance de s'installer en terrain découvert pour planter leur maïs et leur blé. Avec tous leurs braves constamment sur le sentier de la guerre, il n'y avait pas eu le temps d'apporter de la venaison ou du petit gibier. Le bétail, qui de longue date était la principale source du bœuf séché si essentiel au régime indien, était désormais à l'enclos dans les corrals de l'armée. Les provisions occasionnellement saisies aidaient quelque peu — mais, bien avant la fin de l'hiver, le spectre de la faim se promenait par les villages temporaires du Grand Wahoo.

Quand vint l'humide printemps subtropical, la maladie visita ces mêmes chickees pour réclamer son compte de victimes. Par une ironie du sort, la fièvre intermittente qui abattit deux cents Indiens fut la suite d'une attaque sur un village riverain du Saint John's où sévissait un certain type de fièvre dissolvante que le docteur Sanchez avait vainement tenté de diagnostiquer et qui avait pris les proportions d'une épidémie. La bande de guerriers choisis qui avait mené le raid avaient contracté la maladie ; à leur retour au camp de base, le mal s'y était répandu comme une traînée de poudre, n'épargnant personne.

Si je mentionne cet incident au passage, c'est qu'il illustre la lente montée du désespoir chez les femmes et les enfants de la nation, qui menaient dans le marécage une existence famélique et solitaire et aspiraient à retrouver la protection de leurs hommes. Quand ces mêmes guerriers revenaient, ramenant dans leurs rangs la mort comme une invisible compagne, les joies mêmes de la réunion étaient tragiquement obscurcies. Le désir intense de paix, qui, depuis la Withlacoochee, était enfermé au fond de tous les cœurs, commençait à se faire entendre et Oscéola lui-même ne pouvait négliger ce murmure maussade et obstiné.

II

OU CHARLO REDEVIENT MESSAGER,
MAIS NON SANS DOUTES
ET SANS APPREHENSIONS...

Au printemps, j'avais obtenu une permission militaire afin de me livrer aux pressantes obligations de la régie de Millefleurs. Le docteur Sanchez s'était rendu dans le Grand Wahoo sous un drapeau parlementaire pour soigner les Indiens : à la requête expresse du gouverneur de la Floride, je fus délégué à l'assister et demeurai une semaine entière parmi mes anciens amis. Ce fut une visite instructive, malgré l'absence d'Oscéola et de Coacoochee. La rumeur publique voulait qu'ils fussent partis vers le sud, pour étudier les bas-fonds au-delà du lac Okeechobee, en vue d'un refuge possible.

La plupart des Séminoles avec qui je causai se montraient opposés à une installation vers la mer Herbeuse. Affaiblis comme ils l'étaient par la faim, ils ne pouvaient croire que les marécages leur assureraient de quoi sustenter les corps, entretenir la vie. Quant aux infortunés faméliques qui se remettaient à peine de la fièvre, le voyage leur paraissait un effort inutile. Nul, pas même Alligator, qui tantôt me faisait grise mine et tantôt me couvrait de regards menaçants et qui refusa de m'adresser la parole, nul n'osait critiquer Oscéola lui-même. Mais le désir d'une installation stable était là, aussi sensible et perceptible que la faim qui brûlait dans tous les yeux.

Pendant ce temps, de notre côté, une comédie des erreurs — des erreurs militaires — avait inutilement embrouillé la guerre. Un génie militaire qui n'était ni plus ni moins que le général Winfield Scott s'était amené en trombe pour commander marches et contremarches. Des commandants en chef étaient venus, et repartis, avec des paroles amères. La presse dans le nord, réclamant à grands cris l'aboutissement logique de l'impasse floridienne, avait forcé le président à s'en mêler. Cet automne, le rythme des raids ne paraissait pas devoir se ralentir, le haut commandement fut changé une fois de plus. Le général Thomas Jesup, un vétéran qui avait la confiance entière de Jackson, arriva à Saint-Augustin pour prendre la charge — avec les ordres stricts de hâter la conclusion de la guerre.

Il y avait dans l'air, cet automne-là, un esprit de concession. Millefleurs n'était toujours pas touché par les pillards, qui avaient, à leur guise, porté leurs coups en une douzaine d'endroits le long du Saint John's. Nous avions rentré encore une généreuse récolte — bien qu'il fût exact qu'un peloton entier de milice avait été envoyé sur place pour garder nos troupeaux jusqu'au moment de la boucherie : avec toute la péninsule qui grouillait de soldats, l'armée même s'était trouvée réduite aux portions congrues pendant l'été. En outre, les mois chauds constituant sous ces climats la période malsaine pour les hommes blancs, la maladie n'avait pas épargné les bivouacs. Le journal du docteur Sanchez relatait un

nombre inquiétant de morts, la plupart pour cause de
« fièvres d'origine indéterminée » — plus nombreux en fait
que ceux qui avaient péri lors du massacre de Dade.

Cette fois-ci, je vins à Saint-Augustin à l'invitation personnelle du général Jesup. Le rapport que j'avais envoyé au
gouverneur était sur le bureau du général quand j'entrai chez
lui pour notre entrevue. J'étudiai attentivement le nouveau
commandant en chef, tandis qu'il me bombardait de questions, et je m'aperçus que je ne l'aimais pas du tout. Pas du
tout. Différent du général Finch, qui pouvait, une fois coincé,
se montrer raisonnable, ce nouveau venu ne semblait qu'em-
phase, boursouflure et vanité, et parfaitement imperméable à
la courtoisie du monde civilisé à l'égard de laquelle il paraissait professer un mépris sans bornes. Pressentant que tout
cela n'était qu'un masque destiné à dissimuler son incertitude
présente, je m'efforçai à lui répondre le plus patiemment
possible.

— Le Big Wahoo est actuellement sec comme de l'ama-
dou, commença-t-il. Si je pouvais agir à mon idée, je l'entou-
rerais d'un cordon de police et je mettrais le feu aux quatre
coins. Une fois que nous les aurions enfumés, nous pourrions
faire la paix à mes conditions.

— Puis-je demander *quelles* sont ces conditions, monsieur ?

— Précisément celles qu'avait offertes Finch. Au besoin,
pour leur sauver la face, j'ajouterais deux concessions : nous
leur accorderions en Arkansas un terrain de chasse qui ne
serait *pas* contigu à celui des Creeks et nous leur laisse-
rions emmener leurs Noirs.

Là-dessus, je dressai l'oreille : il me semblait extraordinaire que cet avaleur de feu se montrât si généreux.

— Quand cette décision fut-elle prise, monsieur ?

— La semaine dernière, quand j'ai lu la liste des
malades. Si cette histoire dure encore un an, nos pertes se
compteront par milliers. Que diable, Paige ! ils ne sont pas
plus de cinq mille de cette vermine en Floride !

— Moins de cinq mille, monsieur. Eux aussi ont leurs
listes de malades.

— Washington ne m'autorise pas à les exterminer par le

feu. A moins qu'il ne pousse des palmes aux pieds de mes hommes, nous ne pouvons patauger dans les marécages pour leur mettre la main au col. Je suis donc préparé à réduire nos pertes et à marchander en vue du meilleur résultat possible. Je suis heureux de dire que mon état-major est entièrement d'accord.

— Y compris le major Campbell ?

— Vous voulez dire le colonel Campbell ? Si vous tenez à le savoir, l'idée vient de lui.

Ainsi donc la promotion de Campbell s'était faite pendant que je suais sur mes récoltes le long du Saint John's. L'inflexion de respect dans la voix de Jesup ne me surprit pas le moins du monde : après la façon brillante dont il avait tenu le terrain sur la Withlacoochee, mon ennemi déclaré avait été porté aux nues et encensé dans tous les journaux de New York et de Washington. Il était difficile de croire qu'il eût parlé en faveur de la pitié.

— Pourquoi cela n'a-t-il pas été proposé au powwow de 1835 ? Que de sang versé eût été ainsi épargné !

— Ne discutez pas la sagesse de l'armée en ma présence, jeune homme. Le président Jackson a donné des instructions au général Finch, qui les a suivies à la lettre. *Mes* ordres sont aujourd'hui de terminer la guerre dans le minimum de temps et de décider selon mon propre jugement de la méthode à suivre.

Ce qui fit rire bien haut le général, un rire bref et rauque qui ressemblait beaucoup plus au hurlement d'un loup qu'à l'expression d'une gaieté véritable. Il y avait d'ailleurs quelque chose de tout aussi rapace et cruel dans le regard de ses yeux bridés — le regard de loup — qu'il m'adressa.

— Vous avez vécu parmi ces bêtes puantes, Paige. Vous savez ce qu'ils ont dans le crâne ! Est-ce qu'ils viendront à Tampa Bay si je leur tends cet appât ?

— Vous voulez dire que l'offre n'est pas sincère ?

Le visage de Jesup se figea en une expression de surprise navrée.

— M'accuseriez-vous de double jeu ?

— C'est *vous* qui avez *dit* appât, monsieur.

— Et c'est bien appât que je veux dire. Mon boulot est de

parquer tout le troupeau et de l'expédier vers l'ouest. S'il me faut embarquer quelques centaines d'esclaves dans le tas, allons-y !

— Où viennent dans tout cela les anciens propriétaires ? Ils continuent à réclamer une indemnité.

— J'ai une caisse à cet effet.

— Les propriétaires n'accepteront pas volontiers l'emploi de fonds du gouvernement. Ils ont une clique puissante au Congrès.

— Que les propriétaires aillent au diable s'ils ne sont pas contents, Paige. Et que ceux qu'ils enverront à Washington pour taper sur la table et protester aillent au diable avec eux. J'achète la paix pour la Floride et je la paye à n'importe quel prix raisonnable. L'ensemble du pays me soutiendra. Ces listes de morts ne sont pas d'une lecture agréable.

— Avez-vous pensé à quelque moyen d'approcher Oscéola ?

— C'est bien pour cela que je vous ai demandé de venir ici. Voulez-vous me servir de messager ?

L'offre fut lancée brusquement, accompagnée par le plus martial froncement de sourcils du grand homme. Après un temps, je répondis :

— Le gouverneur peut très certainement suggérer un ambassadeur de plus de poids et d'importance.

— Votre nom figure en tête de la lettre que le gouverneur a épinglée à votre rapport. Il insiste pour que vous vous rendiez au pays des Séminoles et que vous fassiez tout ce que vous pourrez.

Je gardai les yeux baissés et parlai avec toute la modestie dont j'étais capable :

— Je suis sous vos ordres, mon général. Commandez.

— J'aimerais mieux que vous y alliez volontiers, Paige. Croyez-vous qu'ils accepteront l'offre ?

Mon esprit filait de l'avant, tâchant de rassembler quelques faits. Marie Campbell avait passé une bonne partie de l'été à Tallahassee. Je me demandais si elle avait vu mon rapport et quels commentaires elle avait pu faire au gouverneur. Je pouvais bien croire qu'elle me choisirait pour porter une branche d'olivier à Oscéola.

— Comment comptez-vous organiser le déménagement ? questionnai-je.

— La nation se rassemblera à Fort Dade et gagnera Tampa Bay par voie de terre. Ils pourront camper en dehors de la palissade jusqu'à ce que les transports soient prêts. Des trésoriers-payeurs seront à Fort Brooke pour régler la question des esclaves. Naturellement, nous attendrons de chacun qu'il dépose ses armes au bord de l'eau ; les chefs devront donner leur parole avant de monter à bord.

— Et pour ce qui est du bétail indien que vous avez capturé et parqué ?

— Nous payerons un prix équitable pour chaque tête.

— Beaucoup de femmes et d'enfants sont affaiblis par la faim. Distribuerez-vous des rations de l'armée avant que commence la marche vers la côte ?

Jesup me considéra d'un œil malicieux.

— Vous discutez comme un avocat indien, Paige. Est-il donc exact que vous ayez du sang séminole ?

Je pris la chose avec un sourire :

— Quelques gouttes seulement. Par voie d'échange avec Coacoochee. Vous pouvez compter sur ma loyauté.

— De doubles rations seront distribuées à Fort Dade. J'ai déjà eu à régler des situations de ce genre. C'est bon sens pur et simple de nourrir un homme avant d'en faire un captif.

— Oscéola est mon ami, dis-je. Si je dois faire en sorte qu'il me croie, il faut d'abord que je sache que je vais à lui en toute bonne foi. Y a-t-il plus au fond de cette histoire qu'il n'y paraît en surface ?

— Non, Paige. Vous avez ma parole sur ce point. Le colonel Campbell a ses instructions, il les exécutera à la lettre.

— C'est Campbell qui sera chargé des opérations à Fort Brooke ?

— Au moment où nos amis sortiront du gumbo — aussitôt que nous serons certains que leurs pieds resteront secs. Pour ne rien dire de leurs couteaux à scalper !

Jesup fit entendre de nouveau son bref rire de loup :

— Souvenez-vous ! Il faut que la bonne foi soit des deux côtés.

Ce n'était guère le moment de souligner que la bonne foi, jusqu'ici, s'était trouvée exclusivement au camp séminole. Et je ne pouvais pas dire non plus qu'Oscéola honorerait tel accord auquel nous parviendrions dans le Grand Wahoo. Pendant le séjour que j'y avais fait avec Arnaldo Sanchez, j'avais lu sur cent visages l'acceptation de reddition. Il n'y avait pas moyen de deviner si Oscéola, lui aussi, en avait assez de la guerre.

— Si les Séminoles se rendent à Fort Brooke, ils iront en paix. Cela, je puis vous le promettre dès à présent.

— Vous entreprendrez la mission ?

— Volontiers, monsieur.

Jesup frappa sur la table du plat de la main.

— Entendu, Paige. C'est bien ainsi. J'espère que vous avez apporté un vêtement du soir ?

— J'ai une garde-robe à l'hôtel Livingstone, répondis-je sèchement. Pourquoi cette question ?

— Nous dînons ici ce soir avec le colonel Campbell et son épouse. C'est là que vous recevrez vos instructions définitives. Pourquoi me dévisagez-vous ainsi, jeune homme ? Vous ne saviez pas qu'ils viennent de prendre une maison à Saint-Augustin ?

Je me ressaisis du mieux que je pus :

— Tout le plaisir sera pour moi, monsieur.

— Vous redirez cela, et en sachant pourquoi, quand vous aurez goûté le potage à la tortue des Campbell ! Madame tient la meilleure table de Saint-Augustin.

III

OU L'ON CONSTATE
QUE, SI CAMPBELL A TOUJOURS SERVI
EN PENSANT A SON AVANCEMENT,
MARIE A TOUJOURS PENSE A SES ARTICLES,
MAIS POUR SERVIR

Marie avait loué, pour une période indéterminée, le manoir Chalmers, au bord de l'eau. Le vieil Hector Chalmers, dont le compte en banque et la terreur qu'il avait des Indiens étaient aussi robustes l'un que l'autre, avait émigré vers Charleston pour « toute la durée de nos ennuis ».

Comme l'avait dit Jesup, la soupe à la tortue était excellente ; le caneton farci et le vol-au-vent aux marrons étaient à la hauteur, ainsi que le vin versé par deux graves sommeliers noirs.

Dans le scintillement des candélabres, devant les doux reflets de l'argenterie, il était difficile de croire que des gens avaient été abattus de sang-froid à moins de douze milles de l'endroit où nous étions assis ce soir. Il était, en vérité, plus difficile encore de croire que notre hôtesse (en robe de moire de soie rose tendre qui rendait pleinement justice à sa gorge et à ses blanches épaules) s'était, certain matin, réfugiée entre mes bras dans les profondeurs de Silver Springs.

Aussi sévèrement que possible, je me rappelai que notre idylle ne pouvait avoir de suites et, m'efforçant à déployer autant de grâces mondaines que mes moyens me le permettaient, je m'installai auprès de Campbell et de ses frères d'armes quand les dames nous eurent quittés pour la *sala* et que le porto eut commencé à circuler autour de la table. Le colonel flambant neuf m'avait accueilli de façon parfaite, me traitant en égal malgré l'écart de nos grades et de nos situations. S'il se souvenait des bizarres paroles que nous avions échangées naguère, accroupis derrière une barricade de viande de cheval, il n'en laissa rien paraître.

Durant tout le dîner, il avait peu été question de la guerre. La conversation ayant atteint ensuite un niveau exclusivement mâle, Campbell avait fait de son mieux pour discuter sans dommage un aussi inflammable sujet. Lorsque nous nous fûmes levés pour aller rejoindre les dames, il appuya sur mon épaule une main amicale.

— Ma femme voudrait échanger quelques mots avec vous, Paige, me dit-il, le visage éclairé de ce sourire affablement innocent dont j'avais appris à me méfier *a priori*.

— Si vous faites allusion à ma mission...

— A quel autre sujet pourrais-je faire allusion ? Vous serez, j'espère, content de savoir que Marie et moi considérons les choses d'un même œil. En fait, c'est elle qui m'a persuadé de toucher un mot du plan au général.

Voilà qui éclairait le tableau. Indubitablement, c'était Marie qui avait amené, suscité, l'offre de paix, d'abord dans ses conférences avec le gouverneur à Tallahassee, puis dans ses articles, qui constituaient autant d'éloquents plaidoyers pour la fin de la guerre. Quand le projet avait été approuvé à Washington, elle s'était simplement servie de son authentique héros de mari comme irréprochable agent de liaison pour amener le général Jesup à endosser ses vues... Le fait que Campbell avait donné son adhésion à l'arrangement n'avait rien pour surprendre : à présent qu'il avait gagné sa promotion — et les hommages de la presse nordiste — une guerre indienne indéfiniment étirée, prolongée, n'offrait plus que peu d'intérêt. Puisque Jesup le chargerait des opérations de déplacement à Tampa Bay, il pouvait aisément poser au pacificateur inspiré qui avait organisé la fin de la lutte.

— A notre point de vue, continuait Campbell, vous ne sauriez rejoindre trop tôt Oscéola. Je crois que le général vous a donné carte blanche ?

— Plus ou moins, fis-je sèchement. Pourvu, bien sûr, que je puisse séduire quelques milliers de ces vermines rouges et les persuader de se laisser parquer par lui, les crocs au préalable dûment arrachés.

— Je sais que cela paraît une tâche ardue, dit mon hôte. Mais n'êtes-vous pas l'homme qui se plaît aux tâches ardues ? Entrez dans la bibliothèque, et je détacherai Marie de sa réception.

Je devais me souvenir de la main cordiale me serrant le coude pour me faire passer la porte de la bibliothèque, et du sourire qui rappelait le chat après son célèbre festin du canari. Hypnotisé que j'étais par l'idée de revoir Marie seule, je me débarrassai de mon pessimisme indéfinissable.

La pièce dans laquelle Campbell m'introduisit était en vérité un petit cabinet de travail installé avec goût. Les éditions des classiques (reliés en maroquin par les soins d'Hector Chalmers) me toisaient du haut de rayons surchargés de livres, une immense sphère occupait l'espace entre les deux fenêtres et la table de Chippendale. Avant même d'avoir vu la trousse de travail que Marie avait emportée en expédition, et le manuscrit annoté qui se trouvait tout auprès, j'avais senti que cette calme retraite était le coin préféré de Marie. Sans intention indiscrète, je donnai un coup d'œil à la page supérieure du manuscrit, et je ne pus m'empêcher de sourire en voyant qu'elle avait esquissé l'histoire de mon départ pour le Big Wahoo et pour des pourparlers essentiels, d'importance vitale, qui, peut-être, se termineraient par la paix.

Campbell, en me quittant, avait fermé la porte. Je ne me retournai pas tout de suite en l'entendant se rouvrir, mais je sentis la présence de Marie avant même qu'elle eût parlé.

— Ce fut très bon à vous d'avoir accepté de dîner avec nous, Charles.

Elle avait parlé doucement, mais je sentais la tension sous les simples paroles. Je me tournai vers elle.

— Pourquoi ne m'avez-vous pas appelé directement ? Je serais venu depuis longtemps.

— Vous connaissez la raison aussi bien que moi.

— Si vous voulez dire que Silver Springs...

— Silver Springs était un éden que nous ne retrouverons pas, Charles.

— N'en soyez pas trop sûre, Marie.

Elle n'avait jamais paru plus exquise, plus charmante, plus désirable. L'instinct me disait que la réserve qui l'enveloppait n'allait pas plus loin que l'épiderme. En même temps, un instinct plus profond me disait de ne pas perdre la tête. Campbell avait arrangé ce moment *à deux* juste un rien trop facilement : il était tout à fait possible qu'il en écoutât furtivement le moindre mot.

— Il semble que je puisse enfin vous aider à quelque chose, dis-je.

— Voulez-vous retourner au marais et plaider en faveur de la paix ?

— Si telle est réellement votre idée.

— C'est *entièrement* mon idée, Charles. Non que j'en réclame aucun crédit. Tout ce que je demande, c'est de raconter l'histoire au monde.

— Et si j'échoue dans ma mission ?

— Vous n'échouerez pas. Pas si vous avez une conversation face à face avec Oscéola et Micanopy.

— Cela peut être arrangé. Le docteur Sanchez est encore dans le Grand Wahoo. Je puis y retourner, le rejoindre toujours en qualité d'assistant et transmettre l'offre du général Jesup.

Marie écouta en silence le détail des points que j'avais exposés au général lors de notre entrevue. De temps en temps elle prenait une note rapide. Quand j'eus terminé, elle déposa la plume avec un sourire.

— C'est généreux de la part de l'armée d'offrir doubles rations. C'est peut-être cela qui fera pencher la balance.

— Le général Jesup veut la fin de la guerre. Votre mari la désire aussi. Et, plus encore, la nouvelle administration qui prendra le pouvoir à Washington au printemps. Mr. Van Buren n'est pas un tranche-montagne ni un avaleur de feu comme le vieux Jackson, bien qu'il soit de son parti.

— J'en suis sûre, Charles. Le seul point épineux, c'est la question des esclaves. Les Séminoles doivent être absolument certains que leurs alliés noirs partiront avec eux pour l'ouest. Voulez-vous insister particulièrement sur ce point, Charles ?

— Je n'y manquerai évidemment pas. Mais cela paraît trop beau pour être vrai.

Marie se leva et se tourna vers moi.

— Merci, Charles. Je savais que je pourrais compter sur vous.

Il n'y avait plus de motif pour m'attarder. J'avais accepté ses ordres et sa bénédiction. Et, pourtant, je ne parvenais pas à rompre le charme de sa présence si proche.

— Je ne partirai pour le sud quand le général Jesup voudra. Demain s'il le faut.

— Je crains que ce ne soit pas demain. Il devra parler de vous au secrétaire d'Etat à la Guerre, lui faire connaître votre nom et votre personne, lui prouver que vous êtes l'ambassadeur même qu'il faut.

— Serez-vous présente quand on transportera la nation ?

— Cela aussi pourra être arrangé, dit-elle. On m'a promis que je visiterai Fort Dade quand ces précieuses doubles rations seront distribuées. Le général Jesup est un commandant habile : il fait en sorte que la nouvelle de sa générosité parvienne au *New York Herald*

— Donc nous nous rencontrerons de nouveau au pays séminole.

— Nous nous rencontrerons de nouveau. C'est une chose sur laquelle nous pouvons compter.

— Ne serait-ce pas plus facile pour vous si nous ne nous rencontrions plus ?

— Non, Charles, dit-elle.

Et elle fut dans mes bras.

Nous étions enlacés à présent, en une joie, en une étreinte, en un baiser qui ne semblaient devoir jamais finir. Elle se dégagea néanmoins et alla jusqu'à la glace pour arranger ses cheveux. Puis, avec un sourire qui me bouleversa, elle se retourna vers la porte et, touchant mon bras de ses doigts d'ange :

— Je crois que nous méritions bien cela, n'est-ce pas, chéri ?

— Comment cela finira-t-il, Marie ? Quitterez-vous la Floride une fois la guerre terminée ?

— Je ne quitterai jamais la Floride. Nous ne pourrons pas revoir la Grande Source, mais nous pourrons toujours avoir Millefleurs. Cela, Alan ne peut pas nous l'enlever.

Je regardai l'armure de son calme, de son équilibre mondain se reformer autour d'elle. Je ne fis pas un geste pour l'arrêter quand elle ouvrit la porte et s'en fut rejoindre ses invités. Pendant un long moment, je demeurai sur place, tandis que les notes d'un clavecin m'arrivaient faiblement depuis la *sala*. Sans savoir pourquoi, j'étais sûr que c'était mon hôtesse et qu'elle jouait du Mozart...

IV

MESSAGER ? SYMBOLE DE PAIX ? OTAGE ?

Marie, je m'en rendis compte, avait calculé juste dans ses prévisions : février était là avant que je quitte Fort King pour ma mission destinée à mettre fin à la guerre de Floride.

J'avais passé les portes seul. Il avait fallu d'interminables discussions pour faire admettre au général Jesup que je me rende au Grand Wahoo sans uniforme et sans escorte militaire. Pour le même motif, je choisis la piste principale vers la Withlacoochee, assuré que je me sentais d'être observé avant d'avoir parcouru un mille. Mes risques de recevoir en plein corps une flèche ou une balle furent les plus grands pendant cette première demi-heure. Après quoi, continuant ma route vers le sud sans être molesté, je m'installai plus confortablement sur ma selle de *vaquero*. Il n'y avait pas à douter que j'avais été épié — et reconnu — et qu'il me serait permis de continuer jusqu'à ce que j'aie la possibilité d'exposer la raison de mon voyage.

La seconde nuit, je dormis au gué de la rivière, à un jet de pierre de l'endroit où j'avais gagné mon match de lutte avec Coacoochee. Un jour plus tard, je choisissais prudemment ma voie à travers le premier de plusieurs bourbiers qui entouraient Big Wahoo Swamp. Déjà, j'avais dépassé la limite de pénétration de l'armée. Tôt dans l'après-midi, je me trouvai dans une région criblée de trous de roseaux et traversée en tous sens par des fondrières qui s'entrecroisaient autour de moi. Mon cheval avançait dans une boue noire, aussi traîtresse que de la glu et qui lui montait au-dessus des boulets, et la piste indienne s'était amenuisée jusqu'à n'être plus que de rares traces peu perceptibles et qui semblaient près de disparaître entièrement sous l'étreinte moite et de plus en plus collante de la jungle.

J'avançai d'un mille encore avant que le premier commandement d'avoir à m'arrêter parvînt à mes oreilles. Il était lancé en séminole et semblait sortir du vide de l'air. J'obtempérai immédiatement et, sur un second ordre, je mis pied à terre et conduisis par la bride ma monture épuisée jusqu'à un léger monticule de sol spongieux qui émergeait d'entre les cyprès. Le docteur Sanchez avait quitté le Wahoo depuis quelques semaines pour regagner le fort, et je n'étais pas tellement sûr de l'accueil qui m'attendait.

— *Fitconnit !*

J'obéis à nouveau et m'arrêtai, mais cette fois j'élevai la voix à mon tour :

— Je suis Charlo, le frère de sang de Coacoochee, l'ami d'Oscéola. Je viens pour rencontrer vos chefs avec un message du général Jesup.

— Pose ton fusil, Charlo. Et ton couteau.

J'appuyai le fusil contre le tronc d'un cyprès et enfonçai mon couteau dans le bois humide. A sa voix, j'avais reconnu celui qui me hélait et je savais qu'il m'avait reconnu.

— Montre ta face, Aigle Blanc. Je viens en paix.

La sentinelle — un Indien mince et agile, l'un des coureurs de Micanopy — tomba, debout sur ses pieds, de sa cachette dans un arbre tout flamboyant de fleurs épanouies qui poussait au bord du monticule. Une douzaine de visages, luisants comme du cuivre sous la lumière réfléchie par les vasières, apparaissaient déjà, sortant d'autres embuscades. La plupart d'entre eux m'étaient étrangers : je sentis mes cheveux se hérisser en voyant que je l'avais échappé belle.

— Viens avec moi, Charlo, dit Aigle Blanc. Les canoës sont de l'autre côté.

Quand nous franchîmes le monticule, je sus pourquoi ce lieu avait été choisi comme poste de guet. De sa pente sud une demi-douzaine de fondrières s'écartaient en éventail, sombres voies d'eau couvertes par endroits de branches qui s'entrelaçaient, de vigne sauvage et de lianes, que saupoudraient de loin en loin des taches de soleil, là où la luxuriante et trop prolifique végétation du marais s'écartait et laissait voir une trouée de ciel. Aigle Blanc — qui était visiblement la sentinelle principale — portait mes sacoches de selle et les jeta dans le premier canoë d'une file de dugouts rangés à l'abri du rivage.

— Assieds-toi au milieu, Charlo. Cette traversée-là, il faut que tu la fasses les yeux bandés.

— Et mon cheval ?

— Il broutera paisiblement jusqu'à ton retour. Ton couteau et ton fusil seront également en sécurité ; il y a toujours des sentinelles sur la piste.

Je me laissai bander les yeux et j'étendis mes jambes aussi confortablement que je pus dans le dugout. Une paire d'Indiens prirent les rames, un troisième manœuvra la godille à l'arrière. Aucune précaution de ce genre n'avait été prise lors de la visite du docteur Sanchez. Au mieux de mes souvenirs, le camp séminole était situé beaucoup plus près du bord du marais et il y avait encore des manières de pistes.

Notre journée par eau fut encore plus longue que ce que j'avais craint. L'obscurité était tombée quand mon bandeau fut enlevé et nous étions tirés sur la plage du plus important hammock (1) que j'aie vu en Floride — de quelque dix-huit ou vingt hectares de superficie, abondamment couvert de huttes qui avaient toutes un certain air de permanence et d'usure. Au premier coup d'œil, ce vaste camp semblait assez joyeux, avec des feux flambant dans chaque cercle communal, et le Feu du Conseil brillant de bienvenue au milieu du compound central. Toutefois, traversant le camp avec mon escorte, je m'aperçus que la plupart des marmites étaient vides. Les anciens et les petiots rencontrés sur le parcours chancelaient comme au bord de la famine. La plupart des femmes se contentaient de se tenir au fond des

(1) Hauteur boisée qui s'élève au milieu d'une zone marécageuse ; se rencontre fréquemment aux Etats-Unis, et surtout en Floride.

huttes et d'y attendre, dans une stoïque apathie, le retour de leurs maris.

Assez curieusement — et quoique l'odeur de la mort planât lourdement sur la plate-forme de sépulture élevée en dehors du camp — je remarquai peu de signes de maladie. Le désespoir que je rencontrai de tous côtés était plus inquiétant qu'une fièvre — un fléchissement général de la fibre morale tel que seule la faim peut le produire. Seuls, les braves de garde devant la maison du chef semblaient alertes et raisonnablement nourris. Le guerrier, étant indispensable à la survivance de la nation, avait, par privilège, droit à la part du lion dans ce qui subsistait encore d'aliments.

Après que je me fus arrêté pour saluer la demeure du chef et pour entonner officiellement ma demande d'audience, Abraham apparut dans le chambranle de la porte de Micanopy. Le maigre porte-parole semblait déjà étique et décharné en temps d'abondance ; aujourd'hui j'aurais pu compter ses côtes ; et les yeux qui rencontrèrent les miens étaient comme des charbons enfoncés dans son visage de suie.

— Pourquoi Charlo vient-il de si loin tout seul ? Nous n'avons pas demandé de docteur.

— Je viens en messager de paix du général Jesup.

— L'armée ne désire pas la paix.

— Le général offre double ration à chaque chickee si vous voulez vous rendre à Fort Dade et déposer vos armes.

Abraham continuait de m'étudier du même regard hostile.

— Quels sont les termes ?

— Je les apporte à Micanopy et à Oscéola.

— Le gouverneur des Séminoles souffre de la fièvre de l'homme blanc. Oscéola est parti avec Coacoochee, à la recherche de nouvelles résidences pour nous vers la mer Herbeuse.

Je savais que Micanopy était, depuis un certain temps déjà, semi-invalide, mais j'avais compté sur une conversation en tête à tête avec Oscéola. Son absence du camp était vraiment une mauvaise nouvelle. Manifestement, je n'avais d'autre ressource que de m'expliquer à Abraham et d'espérer que son esprit fanatique s'ouvrirait à mes paroles.

— Si le gouverneur accepte d'emmener son peuple dans

l'ouest, le général Jesup arrêtera aussitôt la lutte. La promesse de nourriture est faite de bonne foi. Micanopy et son peuple pourront se reposer quelque temps aux abords de Fort Dade, jusqu'à ce que les rations militaires leur aient remis un peu de chair sur les os. Les transports attendront à Tampa Bay jusqu'en juin.

— Et pour ce qui concerne mon peuple ?

— Cette fois-ci, l'armée accepte que vous accompagniez la nation. J'ai la parole du général.

Quelque chose qui ressemblait fort à un soupir s'échappa des lèvres d'Abraham ; les yeux, dans ce visage parcheminé, se fermèrent étroitement au-dessus des pommettes qui semblaient crever la peau, et sa bouche murmura une sorte de prière en un langage que je ne comprenais point.

— Si telle est la volonté de Dieu, dit-il en anglais, qu'il en soit ainsi. Je vais te conduire auprès du gouverneur.

Il écarta le pan en peau de cerf et me permit de le précéder au passage de la porte.

Micanopy était étendu sur un lit de sangle, dans une immobilité telle qu'il eût semblé mort si les yeux creux n'avaient gardé une vie fiévreuse. Leur regard seul m'offrit la bienvenue. Le corps que j'avais connu, lors du powwow de 35, encore pareil à une futaille, n'était plus qu'un sac d'os, preuve cruelle que la fièvre avait fait plus pour la cause des Blancs qu'une douzaine de combats.

— Pourquoi Charlo vient-il visiter le camp de ses ennemis ?

— Les Séminoles sont *mes amis,* dis-je, en m'agenouillant à côté de lui pour prendre son pouls. Le gouverneur a-t-il oublié que j'ai mêlé mon sang avec celui de Coacoochee ?

— Pourquoi viens-tu ici à présent ?

Je levai les yeux vers Abraham, mais le porte-parole s'était déjà détourné et demeurait immobile, les bras croisés. Le fait que j'avais été autorisé à m'adresser à Micanopy était, en soi, un signe encourageant. Le pouls régulier du vieux chef était encourageant aussi, ainsi que la moiteur de son front. Evidemment, la fièvre avait suivi son cours et, bien qu'il eût été presque à toute extrémité, il était désormais sur la voie de la guérison. Si ce lit de sangle pouvait être transporté à Fort Dade, ce serait un aimant pour toute la nation — actuellement éparpillée entre une douzaine de hammocks semblables, dans ces marécages sans pistes.

— Parle, Charlo. Si tu viens en amitié, prouve-le.

Je répétai la proposition du général Jesup de façon aussi concise que je pus — appuyant sur l'offre de vivres. Une fois de plus, j'eus conscience du soulagement qui montait aux yeux de l'homme épuisé, encore que son visage demeurât immobile sous son masque de fatigue.

— Tu as entendu, Abraham, dit-il. As-tu pesé cette offre pour ton peuple ?

Le porte-parole répondit sans se retourner :

— Dans chaque chickee, il y a de nos bébés qui meurent. Nos ventres réclament de la nourriture. Emmène-nous avec toi vers l'ouest : peut-être pourrons-nous y trouver la liberté.

— Donne nos salutations au général blanc, dit alors Micanopy. Dis-lui que nous accepterons cette proposition nouvelle. Nous nous rassemblerons aux abords de Fort Dade dès que nous serons en état d'entreprendre la marche. Mais demande-lui d'envoyer d'abord des vivres sur le rivage du marais. Il faut que nous réparions nos forces pour faire le voyage.

— Le général est à Fort King. Je partirai aux premières lueurs du jour pour lui porter le message.

— Reste, Charlo. Mets mes paroles sur un papier-qui-parle, et j'enverrai mon propre courrier. Toi, tu as encore à persuader Oscéola.

Abraham reprit, avec une colère contenue :

— Le gouverneur est le grand chef des Séminoles. S'il conduit son peuple vers les bateaux, les autres doivent suivre.

— Cela est assez vrai, dis-je. Si Micanopy fait le voyage à Tampa Bay, nombreux sont ceux qui marcheront à ses côtés. Mais les jeunes gens suivent toujours Oscéola : s'il n'accepte pas nos termes, la guerre continuera. Et ce que veut le général, c'est transporter *toute* la nation. Si les combats continuent, il arrêtera les rations. Il les arrêtera même si certains d'entre vous restent en arrière.

— Devrons-nous attendre le retour d'Oscéola avant d'obtenir des vivres ? s'inquiéta Micanopy.

— Des provisions vous attendent dès à présent à Fort

King, lui assurai-je. Le général les expédiera immédiatement comme preuve de bonne foi.

— J'accepterai cette preuve, dit Micanopy. Ce soir, au Feu du Conseil, Abraham annoncera que les rations sont en route.

En prononçant ces paroles, il leva une paume contre laquelle je plaquai la mienne. Abraham hésita un instant avant d'accomplir le même geste. Je sentis un poids s'enlever de mon esprit. Il y avait eu quelque chose de profondément réconfortant dans le contact de la chair rouge, de la chair noire et de la chair blanche.

— Il faut que Charlo attende Oscéola ici, dit encore le vieux chef.

C'était une simple constatation et faite d'un ton bénin. Je n'en sentis pas moins le commandement voilé. A présent que j'étais un symbole de leur délivrance, tous dans le camp seraient ardemment désireux de me garder à vue constante — ne serait-ce que comme certitude, comme preuve que leur délivrance était réelle.

— J'attendrai tout l'hiver s'il le faut, dis-je. La paix dans l'honneur vaut n'importe quel prix.

V

ESPERANCE ?... PLUTOT RESIGNATION

En fait, une semaine ne s'était pas écoulée qu'Oscéola et le Chat Sauvage débarquaient d'un dugout qui transportait les corps de trois cerfs en travers des bancs de nage. Les rations étaient arrivées de Fort King deux jours plus tôt. Ce soir-là, les marmites bouillirent réellement et on entendit des rires dans le camp. La nouvelle s'était répandue qu'Oscéola s'était incliné devant le désir du gouverneur et avait donné son accord au déplacement de la nation *in toto*.

Je m'étais attendu à un refus quand je lui parlai de l'offre du général Jesup, ou tout au moins à une discussion en vue d'obtenir la migration d'ensemble vers le sud. Mais Oscéola m'écouta en silence, tandis que nous marchions côte à côte hors des limites du village, suivis à quelques pas par Coacoochee. Quand j'eus fini mon exposé — que j'espérais persuasif, — il demeura assis quelque temps dans une petite clairière, faisant couler entre ses doigts le sable de Floride, comme pour y lire quelque présage.

— Tu dis que l'idée vient de la femme-des-livres ?

— Dès le début.

— Ils ne feront aucune concession de plus ?

— Non, *jefe*. Il te faut choisir : une paix honnête ou une guerre que tu ne pourras jamais gagner. Souviens-toi, la faim est notre alliée. Et nous sommes une nation jeune, qui est toujours arrivée à ses fins.

Le sable continuait de couler entre les doigts bruns. Coacoochee et moi nous accroupîmes à côté d'Oscéola, attendant qu'il nous dise ce qu'il avait dans l'esprit.

— Peut-être ne pourrions-nous jamais gagner la guerre contre vous, admit-il. Mais le Chat Sauvage et moi avons visité la mer Herbeuse, nous l'avons explorée depuis le grand lac que vous appelez Okeechobee jusqu'aux marais salants de l'ouest. Si le Séminole s'installait là, il pourrait défier vos ordres et vivre à sa guise.

— A quoi sert le défi à qui n'a point de vivres ?

Coacoochee plongea la main dans son havresac et en tira une racine de coontie, la plus grosse que j'eusse jamais vue. La coontie est ce fruit-légume du genre pomme de terre qui pousse dans certains coins marécageux de la Floride du Sud. Depuis des générations, les squaws l'avaient déterrée, en avaient exprimé le jus vénéneux, puis lavé la pâte avec de l'eau avant de la mettre sécher au soleil. Ainsi préparée, la coontie fait une farine savoureuse et remplace parfaitement le blé ou le maïs.

— Dans cette région, dit Coacoochee, il y a des champs de coonties qui se perdent à l'horizon. Il y a des oiseaux sans nombre et des poissons plus grands qu'un homme ; il y a des cerfs et des ours et toutes sortes de petit gibier. La mer Herbeuse elle-même est parfaitement claire et coule vers le sud comme un fleuve jusqu'à ce qu'elle se jette dans la mer. Il s'y trouve des îles, des hammocks dix fois plus grands que celui-ci, où toute la nation pourrait vivre en sécurité, à l'abri des attaques...

— Tu as blessé l'homme blanc dans son orgueil, dis-je. Tu l'as vaincu dans la bataille et tu as amputé ses meilleures troupes. Il n'y aura plus jamais de sécurité pour vous en Floride...

— L'homme blanc ne pourrait pas vivre dans le sud, objecta le Chat Sauvage.

— Aujourd'hui peut-être. Ou même peut-être dans dix ans. Mais il poussera régulièrement son avance, avec le temps il la poussera jusqu'au bout avec ses charrues, avec son bétail. Un jour ou l'autre, il pourra même se mettre dans la tête de cultiver la mer Herbeuse.

— Il se noierait s'il y mettait le pied.

— Je te dis qu'avec le temps il l'explorera entièrement. Dès qu'il aura appris la richesse de la région, il drainera son sol et il l'apprivoisera pour son usage.

Oscéola était demeuré à l'écart de notre discussion. A présent, il posa une main sur mon bras.

— Assez parlé de l'avenir, dit-il. Charlo est notre ami. Il n'a cherché à nous rejoindre que pour une raison : pour nous apporter ce que l'armée estime sa meilleure proposition, son marché le meilleur. Si nous émigrons, si le peuple d'Abraham peut véritablement se joindre à nous, peut-être nous trouverons-nous en fin de compte mieux sur les terres de l'ouest. La nourriture n'y sera pas aussi abondante ; nous devrons bêcher dur pour faire pousser notre blé et notre maïs. Mais nous aurons enfin acheté la paix et nos jeunes hommes pourront vieillir tranquilles dans leurs chickees...

Il s'arrêta, comme s'il attendait un défi.

Aucun défi ne s'élevant, il reprit d'un ton sonore comme s'il s'adressait à un auditoire beaucoup plus vaste :

— Ici, nous ne sommes que peu nombreux et nous parlons d'une voix faible. Si nous rejoignons nos frères rouges dans l'ouest, nous nous compterons par dizaines de milliers. Nous ne sommes pas tous ennemis. Les Creeks et les Séminoles ne seront pas obligatoirement opposés à perpétuité. Nous pourrions avec le temps apprendre à parler d'une seule voix. D'une voix si forte et si haute que même le Père blanc à Washington l'entendrait et comprendrait.

— Cela pourrait arriver, dis-je.

— Peut-être pourrions-nous quelque jour élever une voix dans ce que vous appelez le Congrès.

— C'est une noble ambition, dis-je.

Pour la première fois, je me demandai s'il devinait que je parlais pour une postérité que je ne pouvais entrevoir, pour un siècle meilleur que le nôtre. Comment pourrais-je entretenir ces brillantes espérances dans un monde qui mettait encore l'homme rouge au rang des animaux ?

Mais Oscéola s'était retourné vers Coacoochee et parlait comme s'il n'avait pas entendu mon faible acquiescement.

— Le Chat Sauvage est jeune encore, disait-il. Il peut se permettre d'aller vers la mer Herbeuse. Peut-être y pourra-t-il calmement finir ses jours comme faisait notre peuple avant qu'arrive l'homme blanc.

— J'irai, dit Coacoochee, où ira Oscéola.

— Si Chechoter avait vécu, peut-être parlerais-je d'une voix différente. Aujourd'hui tout ce que je puis voir, c'est Toschee, les joues creusées par la faim avant que l'homme blanc nous envoie des rations. Nous savons tous les deux que la nation a perdu sa volonté de combattre. Les Blancs me blâment pour cette guerre, et leur blâme est justifié.

» Si nous continuons à résister, Toschee et moi serons pourchassés et traqués comme la panthère traque et pourchasse le cerf. Non, mon ami, nous ne pouvons pas vivre ensemble dans la mer Herbeuse et y vivre en paix. J'irai vers l'ouest avec Micanopy.

— Je suivrai donc, dit Coacoochee.

Oscéola sourit, cependant que les derniers grains de sable coulaient entre ses doigts.

— Alors nous sommes toujours frères de la chasse. Il y a des cerfs en abondance dans l'ouest, et de grosses bêtes que l'homme blanc nomme buffalo, bison. Ce ne sera pas comme ici. Mais la nation pourra être grande encore.

VI

... AVEC LES HONNEURS DE LA GUERRE ?

La décision fut prise aussi simplement que cela.

A peine une semaine plus tard, des éclaireurs avaient commencé à descendre les pistes qui conduisaient des marais aux pinèdes, une douzaine d'hommes prudents, circonspects, avec des carrés de linge blanc fixés à la hampe brisée de leurs lances — avant-garde de la tribu de Micanopy.

Les guerriers de la tribu vinrent ensuite, par groupes de cinquante, les joues innocentes de toute peinture de guerre, les arcs détendus.

Suivaient des chefs en turban, un groupe marchant les yeux baissés.

Et, finalement, des équipes de guerriers aux épaules et aux reins vigoureux qui se relayaient pour transporter hors du Grand Wahoo le lit de sangle de Micanopy. Le gouverneur des Séminoles y reposait en sa splendeur solitaire, une peau d'ours drapée autour des épaules, les mains étendues en un geste de bénédiction chaque fois que d'autres unités de la nation coulaient hors de l'ombre pour confluer avec le cortège initial et accompagner sa marche.

Le jour de l'arrivée de Micanopy, près de sept cents wigwams étaient déjà plantés en dehors de la palissade de Fort Dade.

Deux régiments de réguliers — qui considéraient du haut du terre-plein avec des yeux incrédules le camp qui croissait sans cesse et dont la liste d'appel s'allongeait constamment — étaient employés par équipes pour répartir les piles des précieuses rations de l'armée. Ces boîtes, caisses et sacs de bœuf séché, de biscuits, de farine, de pommes de terre et de sel étaient entassés en grandes pyramides en un point distant de la piste d'une centaine de mètres.

En comptant jusqu'au dernier bébé porté dans les bras, j'évaluai, le troisième jour, à près de deux mille les Séminoles campés dans la pinède — et près d'un millier d'autres étaient annoncés, en route depuis leurs diverses retraites dans les bas-fonds au sud et à l'est de la Withlacoochee.

Le général Jesup, qui savait calculer ses entrées aussi bien qu'un acteur, n'arriva à cheval avec son état-major que quand une semaine entière fut écoulée et que toute la nation eut, de première main, apprécié l'abondance militaire.

Jusqu'à présent, il n'y avait point encore eu de reddition officielle d'armes. Et il n'en fut pas demandé quand un nouveau Feu du Conseil fut allumé dans l'espace dégagé devant les portes du fort, et une nouvelle table de campagne placée devant les chefs.

Tandis que je regardais ces préparatifs, je me demandais si l'histoire se répéterait aujourd'hui. Les principaux personnages du drame n'étaient pas changés, à cela près qu'un autre général à face de betterave occupait la chaise centrale et qu'Alan Campbell — déjà en train de préparer l'organisation des transports — n'était pas à sa place habituelle. Marie, son carnet de notes ouvert, était, aujourd'hui, assise à la droite du général Jesup. Elle était arrivée au fort la veille avec les officiers de l'état-major du général — mais je n'avais pu jusqu'à présent échanger un mot avec elle dans toute la confusion et tout le remue-ménage du protocole.

Les Séminoles l'avaient tout d'abord regardée curieusement, mais je sentis que sa présence avait une influence apaisante. La réputation de la femme-des-livres s'était étendue dans tous les coins de la péninsule pendant que la guerre s'éternisait ; même le plus ignorant des Indiens se rendait compte qu'elle était du côté des Séminoles.

Par comparaison avec celui de l'Oklawaha, ce powwow-ci commença — et se termina — sur une note banale. Jesup lut les articles de capitulation d'une voix de maître d'école, aussi sèche que la poussière. Abraham en débita l'interprétation à l'oreille de Micanopy, cependant que je rendais le même service au roi Philip. Dans l'ensemble les termes étaient justes. Les chefs, fixant sur leurs antagonistes des regards de pierre, permirent à la lecture de se poursuivre sans élever un murmure.

Il y eut une légère agitation quand le général introduisit une clause demandant aux Indiens de livrer à Fort Brooke des otages qui répondraient de leur transport, et précisant que l'un d'eux devrait être Micanopy. Ce murmure-là aussi s'apaisa quand le vieux chef leva la main en signe de consentement.

Etudiant les visages autour de moi, émaciés encore, et portant tous des marques de privation, je ne pouvais m'empêcher de déplorer l'inutilité de ce conflit. Il était vrai que le Séminole avait partiellement atteint son objectif, mais ses rangs étaient amenuisés à fendre le cœur si on les comparait avec ce déploiement de force de l'armée. De leur côté, les pertes des hommes blancs étaient encore plus effarantes. Sauf à la bataille de la Withlacoochee, l'armée était sortie perdante de tous les combats. Les pertes d'argent se chiffraient par millions — par le pillage d'innombrables demeures qui exigeraient des années pour être reconstruites. Une fois encore, je me dis que toutes ces morts, toutes ces destructions auraient pu être évitées si, au Conseil de l'Oklawaha, Finch et Campbell avaient cédé sur la question des esclaves.

Les chefs se formèrent en une longue et lente file pour apposer leur marque au bas de l'acte de capitulation. Oscéola n'était aujourd'hui qu'une silhouette enturbannée parmi beaucoup d'autres et il attendait son tour, regard baissé, visage de bois. J'avais beau essayer de me convaincre, je ne parvenais pas à me faire croire que tout cela s'était passé si simplement, qu'il accepterait la plume aujourd'hui, oubliant le poignard dans sa ceinture. Obéissant à une impulsion que je n'avais pu analyser, je tournai le dos et ne le regardai pas signer.

Quand tout fut terminé, le général Jesup fit un bref discours, dans lequel il loua le bon sens des chefs et parla en termes enflammés de la vie qu'ils allaient bientôt mener dans l'ouest. Fait significatif, ce ne fut pas Oscéola, mais Micanopy qui répondit au général au nom de la nation, se félicitant de l'accord conclu. Les paroles du gouverneur furent encore plus de pure forme que celles de Jesup et ne firent aucune allusion à la générosité de celui-ci dans la question du ravitaillement.

Il avait été entendu, comme clause essentielle de la reddition, que les Séminoles commenceraient leur voyage par terre dans le délai d'un mois. Par petits contingents et sous escorte de l'armée, ils s'assembleraient sous les murs de Fort Brooke, près de Tampa Bay. Là, ils embarqueraient aussi rapidement que les transports le permettraient. Le solstice d'été était la date fixée pour la fin du déménagement. New Orleans serait le port d'escale avant leur long et dur voyage pédestre jusqu'au territoire de l'Arkansas.

Le groupe autour de la table de campagne se défit lentement, comme si les chefs ne pouvaient tout à fait croire que leur capitulation était officielle. Je refoulai mon impulsion d'aller causer avec Oscéola : les yeux de l'armée étaient sur moi aujourd'hui et je sentais que j'étais toujours suspect de favoriser la cause de l'ennemi. En outre, je n'aurais pu parler selon mon cœur. Ce n'était guère le moment de dire à mon ami combien je le plaignais pour le choix auquel il s'était trouvé acculé. Et je n'avais certes aucune intention de le féliciter pour sa décision d'éteindre le brandon de la guerre.

Je décidai donc de rechercher Marie, de la séparer du groupe de jeunes officiers avec lesquels elle bavardait et de marcher avec elle jusqu'à la guérite de la sentinelle du fort d'où nous pourrions regarder l'activité des squaws dans le village de wigwams situé au-dessous. La faim, du moins, était à peu près apaisée — grâce à la reddition. Une semaine encore et même les plus affaiblis des anciens pourraient songer à la marche sur Tampa Bay.

Un coup d'œil sur le visage radieux de Marie me montra qu'elle ne partageait aucune de mes appréhensions — et je ne pus tout à fait me résoudre à les formuler. Je questionnai seulement :

— Etes-vous aussi heureuse que vous en avez l'air ?

— Pouvez-vous m'en blâmer, Charles ?

— Je voudrais savoir quel côté, en fin de compte, emporte la victoire.

— Vous êtes le véritable vainqueur, dit-elle promptement. Vous avez terminé la guerre à des conditions qu'ils pouvaient accepter. Je raconte toute l'histoire dans ma prochaine dépêche. Quand elle paraîtra, vous serez un héros.

— Ce peut être un état bien solitaire que celui de héros, dis-je. En ce moment, je ne me sens aucunement héroïque et j'aimerais cent fois mieux être à Millefleurs à vérifier mes rangées de cotonniers.

— N'êtes-vous pas heureux que ce soit terminé ?

— Bien sûr, j'en suis heureux. Tout bonnement je ne puis parvenir à croire que cela ait été terminé si calmement.

— Qu'attendiez-vous ? Des arcs brisés et une marche funèbre ? Ce n'est pas une défaite séminole, Charles ; c'est une reddition avec les honneurs de la guerre. Ils ont accepté un nouveau terrain de chasse ; ne pouvez-vous espérer qu'ils y seront heureux ?

— Peut-être le seront-ils. Je n'ai pas dit que tout n'est pas pour le mieux.

Mais je ne pouvais bannir de ma mémoire l'image vivante de longs doigts bruns filtrant le sable de la Floride, d'une racine de coontie aussi grosse qu'une racine de palmette, d'un désert intact où un homme pourrait terminer ses jours comme il les avait commencés, dans le calme et dans l'abondance. Oscéola, me disais-je, pourra passer dans les manuels comme un type parfait de férocité guerrière. En vérité, il fut, aujourd'hui tout au moins, l'apôtre de la paix.

Marie parla doucement, et je sus qu'elle avait à demi lu dans ma pensée.

— Vous dirai-je pourquoi Oscéola s'est rendu ?

— Vous avez entendu la raison. Il a sauvé un peuple entier de l'extermination. Grâce à l'accord d'aujourd'hui, des centaines d'anciens esclaves trouveront la liberté dans l'ouest. C'est du bon travail à accomplir par ces temps difficiles...

— La vraie vérité est plus profonde, dit Marie. Quand il a signé le traité d'Oklawaha avec la pointe de son couteau, c'était un coup qu'il portait pour venger Chechoter. Il a continué à la venger pendant plus d'une année — avec chaque soldat blanc que son fusil abattait, avec chaque plantation qu'il incendiait.

» Aujourd'hui, comme vous le disiez, il a refoulé la vengeance derrière lui et pense au bien de son peuple. Cela s'est déjà produit, au cours de l'histoire.

— La vraie victoire d'Oscéola serait donc un triomphe remporté sur lui-même ?

— N'est-ce pas ainsi que vous l'appelleriez ?

— Le sauvage meurt difficilement dans l'homme. Prions pour que celui-ci ne ressuscite pas.

— Je me joindrai à vous pour cette prière, dit Marie.

Elle mit ses deux mains dans les miennes tandis que nous nous arrêtions à l'ombre d'une autre guérite. Je compris son intention sous-entendue et me résignai à considérer que la guerre d'aujourd'hui pouvait avoir trouvé une fin heureuse. Le sauvage qui guettait dans ma propre poitrine, l'homme primitif qui brûlait du désir d'abattre le colonel Alan Campbell et de prendre sa femme pour moi-même me défierait éternellement.

NEUVIEME PARTIE

RÈGLEMENT D'UN COMPTE

I

LE GOLFE DU MEXIQUE EST SPLENDIDE AU PRINTEMPS

AVEC LA GRANDE RED-
dition des Séminoles, en ce printemps de 1837, la vie sur la
péninsule floridienne perdit vite les aspects trépidants et fiévreux de la guerre.

De nombreuses unités de la milice avaient déposé leurs
armes avant la capitulation. Vers la mi-mai, j'avais moi-même
remis ma démission à la caserne Saint-François, faisant état
des exigences du travail à Millefleurs : mon père adoptif
était souffrant depuis plusieurs mois et les affaires de la plantation étaient désormais entièrement à ma charge.

Marie avait fait le trajet de Tampa Bay avec l'armée, voyageant — non officiellement — avec l'état-major du général
Jesup. Elle avait depuis longtemps atteint Fort Brooke, où
des appartements lui étaient préparés et où l'attendait un
époux présumablement affectueux et dévoué.

Quoiqu'elle ne m'écrivît point directement — pour des
raisons dont nous savions tous deux l'importance, — je pouvais assez bien me représenter sa vie là-bas, puisque ses
dépêches passaient toujours par Millefleurs et par moi. Et,
quand Marie parlait des beautés du printemps, sur le golfe,

des rires et des jeux qui égayaient l'existence au cantonnement indien, je sentais que le lien entre nous existait toujours.

Si je travaillais plus dur que jamais pour faire de la récolte à Millefleurs une réussite exceptionnelle, ce n'était que pour elle. Le fait que le colonel Campbell participerait à cette abondance était quelque chose que je m'efforçais d'ignorer — jusqu'aux moments où, dans le calme des nuits, je me réveillais, les doigts me démangeant de lui serrer la gorge.

En ces minutes-là, je ne pouvais que me réjouir de la largeur du territoire qui nous séparait.

II

LES EXILES EMPORTENT AVEC EUX
LA TERRE NATALE

Les choses étaient dans cette impasse quand juin se fondit en juillet et que je fis mes préparatifs pour mon propre voyage vers Tampa Bay. Le gouverneur de la Floride avait demandé que soit Emile Michaud, soit moi-même le représente quand les premiers transports partiraient pour La Nouvelle-Orléans. La santé de mon père adoptif lui rendant impossible un tel déplacement, j'en acceptai l'honneur.

Pendant tout ce début d'été, les Indiens n'avaient cessé d'arriver dans la région. Pour la plupart, ils étaient restés calmement dans les limites du camp, de sorte qu'il n'était entouré que d'une garde symbolique.

De loin en loin, le fort avait signalé de légers sursauts de violence : la plupart de ces éclats étaient dus tantôt à de simples excès de vitalité animale, tantôt à des distributions inconsidérées de rhum dans les magasins du mercanti.

La milice étant à présent en majeure partie licenciée, il n'y avait guère à Fort Brooke que la garnison normale et ces vétérans fatigués n'entendaient pas faire plus de service de

garde qu'il n'en fallait. D'où il résultait que le camp indien
assurait presque complètement sa propre police. Quant au
colonel Alan Campbell, il consacrait la majeure partie de son
temps et de son énergie à rassembler les vaisseaux nécessaires
pour transformer cette migration en fait accompli.

En dépit de ses peines, la date prévue à l'origine avait été
reculée à deux reprises. La moitié de juillet avait passé avant
que je suive la piste militaire et parvienne en vue de Tampa
Bay — calme mer intérieure encadrée d'une verte haie de
cette plante aux dures feuilles lancéolées qu'on appelle yucca
et souvent baïonnette espagnole. Pendant un grand moment,
je demeurai en selle au pittoresque point d'observation où je
m'étais arrêté, à regarder l'interminable file de wigwams qui,
au premier coup d'œil, semblait occuper tout l'horizon occi-
dental.

Vingt transports peut-être se trouvaient à l'ancre en ce
calme après-midi. Pendant que je regardais, un autre navire
à larges baux se glissait à son mouillage, avec un équipage
suant aux amarres. Le solide appontement avait été érigé sur
les bas-fonds boueux au-dessous du fort ; j'y remarquai une
section de fusiliers marins qui faisaient l'exercice, une sorte
d'exercice consistant à diriger les évolutions d'une seconde
flotte de baleinières dont la plupart faisaient une active
navette entre les vaisseaux et la rive. Je devais apprendre par
la suite que ceci n'était qu'un détail dans le plan d'ensemble
organisé par Campbell pour assurer le transbordement sans
encombre des Indiens et de leurs biens.

Comme je ne voulais point embarrasser Marie de ma personne et qu'il n'y avait aucune raison pour que je présente mes lettres d'introduction à Campbell avant la dernière
minute, je m'étais arrangé pour loger dans une des nombreuses cabines temporaires sises à côté des magasins du
mercanti. La cérémonie officielle de l'embarquement devait
avoir lieu le lendemain avec les honneurs appropriés. Un
essaim de fonctionnaires — tant militaires que civils — s'était
abattu sur Fort Brooke au cours de la semaine, afin d'effectuer
les innombrables formalités, l'immense comptabilité et la
considérable paperasserie résultant de la migration d'un
peuple. Plusieurs de ces gratte-papier campaient dans les

limites du fort où des huttes en troncs d'arbre étaient construites contre le mur de soutènement où s'encastraient les affûts des canons. D'autres préféraient, tout comme moi, habiter en dehors de la palissade.

Je reconnus (à contre-cœur) que, dans l'ensemble, Alan Campbell avait employé au mieux le matériel dont il disposait. Il y aurait demain musique militaire, salut des canons, quand les premiers chefs monteraient à bord et d'interminables discours ensuite. J'imaginais sans peine ces divers événements et l'histoire que Marie enverrait dans le Nord.

La dernière de ses dépêches parvenues à Millefleurs parlait des graves visages des squaws occupées aux préparatifs de départ — l'emballage des provisions et des peaux de daim, des outils agricoles pour le premier défrichement en Arkansas. La plupart des familles avaient insisté pour emporter les peaux de leurs wigwams et des provisions d'herbes contre le mal de mer. Et chaque famille, sans aucune exception, emportait un petit panier rempli de terre de Floride — dernier souvenir de la patrie qu'on ne reverrait jamais plus...

III

OU WILBURN REPARAIT ET, AVEC LUI, LA TRAITRISE ET LE MENSONGE

Le mercanti, vieil ami d'Emile Michaud, m'avait donné un logement étroit, mais pratique, une cabine sise un peu à l'écart des autres sur le rivage de la baie. Après que j'y eus fourré mes bagages et trouvé une écurie pour mon poney, je demeurai sur le pas de ma porte à fumer une pipe, en surveillant la scène où demain se ferait l'histoire. La discipline était, à ce que je vis, assez rigide dans le fort : le salut au drapeau, quand les couleurs furent amenées au coucher du soleil, était une chose de martiale perfection et les sentinelles, arpentant les coursives, baïonnette au canon, avaient l'air de sortir d'une boîte.

On m'avait dit que Micanopy était détenu avec quelques moins notoires personnages de la nation. Non sans surprise, je vis que son chickee était planté bien au-delà des portes, quoique à portée de fusil des chemins de ronde. Abraham somnolait, assis devant la porte. Je reconnus de loin quelques-uns des guerriers qui évoluaient dans le camp principal, mais je résolus de garder mes distances. La longue chevauchée m'ayant fatigué, j'avais déjà décidé de dîner avec le mercanti et de regagner mon gîte au soleil couchant. Il serait temps le matin d'aller présenter mes respects au fort.

Deux silhouettes émergeaient du camp indien dans l'obscurité tombante, comme, de retour dans ma cabine, j'allumais une bougie à côté de ma couchette. J'entendis une voix de femme appeler mon nom et, à ma surprise profonde, Marie Campbell entra vivement, Coacoochee sur ses talons. Elle prit ma main et la serra comme si elle ne pouvait tout à fait en croire ses yeux. Coacoochee, aussi face de granit qu'à l'accoutumée, ferma la porte de la cabine et s'y adossa, les bras croisés. Avant qu'aucun d'eux eût prononcé une parole, je sus qu'ils étaient porteurs de lourdes nouvelles.

— On m'avait dit que vous arriveriez aujourd'hui, fit Marie. J'espérais que ce serait de meilleure heure.

Je regardai Coacoochee qui, visiblement, partageait le même secret qu'elle.

— Les Séminoles refusent d'émigrer ?

— Ils refuseront probablement — quand ils auront appris la nouvelle.

Le Chat Sauvage parlait, en un murmure furieux :

— Une fois de plus, l'homme blanc est infidèle au traité...

— Cela a commencé à Washington, dit Marie. Bon nombre de membres du Congrès pour le sud ont protesté contre l'accord signé par le général Jesup, disant qu'il n'avait ni droit ni autorité pour donner leurs esclaves.

— Il n'est pas question de donner. Les propriétaires seront payés. Ils se sont même inscrits pour deux fois le nombre effectif de Nègres à Tampa Bay.

— Il semble qu'ils aient changé d'avis. Ils ne veulent plus d'argent, mais leurs Noirs. Ils sont puissants, ils sont organisés et, comme je viens de le dire, leurs représentants au Congrès les soutiennent. La nouvelle administration ne peut pas s'offrir déjà un scandale, aussi va-t-elle presque certainement faire machine arrière.

Je fis à pas rapides le tour de ma cabine et donnai dans le mur un violent coup de poing ; la douleur permit à ma fureur soudaine de se détendre.

— Quand avez-vous eu connaissance de tout cela ?

— Aujourd'hui — et tout à fait par accident ! Par le capitaine d'un des transports.

Marie eut une seconde d'hésitation, puis reprit hardiment :

— Tout le monde sait que vous êtes responsable de cet accord, Charles, et qu'Oscéola n'aurait *jamais* cédé *sans* la clause protégeant les Noirs. J'ai senti qu'il fallait le mettre au courant, ne serait-ce que pour protéger votre nom à ses yeux.

— Où est maintenant Oscéola ?

— Il est parti hier sur la Kissimee pour ramener la tribu de Coi-Hadjo, dit Coacoochee. Nous l'attendons d'un moment à l'autre.

— Tout le camp connaît-il la nouvelle ?

— Non, Charlo. La femme-des-livres ne l'a dite qu'à moi et j'en ferai part à Oscéola dès l'instant de son retour. J'ai promis de ne rien tenter jusqu'à ce que nous ayons causé avec toi.

Je regardai l'un après l'autre leurs deux visages : cela ressemblait bien à Marie d'avoir averti mon frère de sang sans s'arrêter à réfléchir aux conséquences.

— Comment les propriétaires entendent-ils récupérer leurs Noirs ?

— Ils ont un représentant ici actuellement — Elijah Wilburn.

Le cœur me manqua : si Wilburn avait osé montrer son visage à Tampa Bay, devant tous les Séminoles réunis, c'est qu'en vérité leur cas était désespéré, leur cause perdue.

— Il ne peut, du soir au matin, renverser les ordres de Jesup.

— C'est déjà fait, Charles, dit Marie. Le plan originel était, n'est-ce pas ? d'embarquer les Séminoles sur un groupe de navires et les Noirs sur un autre groupe, qui prendraient ensemble la route de New Orleans. Mais aujourd'hui les instructions relatives au transport des Nègres ont été changées : au moment où leurs bateaux sortiront de Tampa Bay, ils feront route vers Charleston (1).

— Qui a changé les ordres de navigation ?

Marie hésita encore, puis :

— Le capitaine Prescott a parlé très librement, dit-elle. Il semblait croire que je participais à la combinaison, puisqu'elle est sortie de la cervelle *de mon mari*.

— Vous voulez dire que Campbell a cédé à Wilburn ?

Elle hocha la tête.

— Je suppose qu'Alan croit agir pour le mieux — du moins... pour le mieux de sa carrière. Quand la nouvelle sera communiquée à Washington, il s'attend à être acclamé au Congrès — et récompensé par une promotion. Et il voit juste, très probablement.

— Le général Jesup a-t-il été mis au courant de tout ceci ?

— Il n'y a pas eu le temps, Charles. Le général est à Saint-Augustin... et je ne suis pas certaine que, s'il savait, il annulerait la décision d'Alan. Souvenez-vous qu'il lui a donné carte blanche...

Le tableau était complet. Des blocs politiques à Washington avaient réussi de pires coups dans le passé. Du point de vue de Campbell, il n'y avait rien d'extraordinaire dans cette volte-face. Dans son esprit, esclaves et Indiens n'étaient qu'autant d'obstacles. Une fois séparés sur des bateaux différents, les Noirs et leurs alliés rouges seraient également impuissants, les propriétaires retrouveraient leurs esclaves, la déportation des Indiens hors de la Floride serait une réalité — le *sine qua non* de la politique de l'homme blanc. Et, comme Marie elle-même l'avait dit, la première étoile sur les épaulettes de Campbell serait autant dire gagnée.

— Votre mari est certainement atteint de la folie de l'avan-

(1) New Orleans, en Lousiane, sur le golfe du Mexique, vers l'ouest. Charleston, en Caroline du Sud, sur l'océan Atlantique, vers le nord-est.

cement, mais il n'est pas idiot, dis-je. S'il est averti, il réflé-
chira sans aucun doute.

— Le camp est placé dans l'axe de ses canons, souligna
Marie. S'il le faut, il les fera embarquer de force et sous le
feu.

Je vis la main du Chat Sauvage se poser sur son couteau :
ce n'était guère le moment de le souligner, mais le colonel
Alan Campbell avait signé son propre arrêt de mort.

— Il faut que je lui parle, dis-je. Je ne crois pas qu'il irait
jusqu'à commettre l'assassinat en masse. Il *doit* voir qu'Oscéola se battra mains nues s'il le faut, plutôt que de céder...

— Faites ce que vous pourrez, Charles, soupira Marie.
J'espère qu'il vous écoutera...

— Avez-*vous* essayé de le convaincre ?

— Je n'ai pas osé. Comme... comme les choses sont entre
nous, mon intervention ne pourrait qu'aggraver la situation.
Mais il respecte votre intelligence. Il se peut qu'il écoute.

— Sait-il que vous avez découvert son plan ?

— Alan n'est mon mari que de nom. J'ai depuis longtemps cessé de lui confier mes pensées.

— Le quitterez-vous quand l'aventure sera finie ?

— Comment pourrais-je faire autrement ?

Je me retournai et posai ma main sur l'épaule de Coacoochee.

— Reste ici jusqu'à mon retour, dis-je. Si Oscéola arrive
au camp avant la nuit, dis-lui ce que tu sais — mais gardez
vos projets pour vous. Pour ma part, je vais aller voir Wilburn avant de voir le colonel Campbell.

— Le négrier est une vipère déguisée en homme, objecta
le Chat Sauvage. Il ne te dira rien.

— On peut peut-être le faire parler. Où est-il logé ?

— Il a pris une cabine en dehors de la palissade, dit Marie.
Vers le terrain de parade nord. Allons-y ensemble, Charles.

— Vous feriez mieux de vous tenir à l'écart de tout cela,
Marie. Restez où vous êtes et, si Oscéola me demande, priez-
le de m'attendre.

Marie leva sur moi des yeux pleins de trouble.

— Wilburn n'est pas seul, Charles. Il a amené avec lui

plusieurs de ses lieutenants. Et on dit qu'une femme partage sa cabine.

— J'ai déjà été aux prises avec Lije avant aujourd'hui, répondis-je. Peut-être puis-je le gagner de vitesse dans cette affaire et le prendre en défaut. J'en ai déjà deux fois plus qu'il n'en faut pour le faire pendre.

— Pas tant qu'il est sous la protection de l'armée.

— C'est mon affaire, pour l'instant, et je dois la mener à ma façon. Il va de soi que je ne puis discuter avec votre mari sans savoir comment Wilburn s'y est pris pour l'acheter.

IV

OU WILBURN PAYE SES DETTES...

Les derniers reflets du soleil couchant avaient disparu, laissant la cabine de Wilburn dans l'ombre de Fort Brooke au moment où je levai le poing pour frapper à la porte. Avant que le coup fût retombé sur le panneau de bois, un bavardage m'avait appris que mon homme était dans la pièce. Sans attendre d'autre invitation, j'ouvris la porte d'un coup de pied.

Wilburn était assis à une table, près du mur du fond, avec, ouverts devant lui, plusieurs registres et, à son coude, un pichet clissé de paille — malgré quoi il paraissait tout à fait sobre, ainsi d'ailleurs que Jack Buell, son flagorneur de lieutenant, qui s'étalait dans un fauteuil avec un registre de plus sur les genoux.

La pièce était maigrement meublée d'un lit de camp, d'une cantine de voyage, d'une marmite qui bouillait à petit feu sur un foyer découvert, de deux sièges et d'une table. A l'exception d'une seule bougie sur cette table, la cabine était dans l'obscurité. Je vis néanmoins une tunique de femme quelque part entre la table et le foyer, mais cette troisième occupante de la cabine avait fui par la porte latérale avant que j'aie pu apercevoir son visage.

Wilburn m'accueillit avec un grand cri d'allégresse en dépit de la brusquerie de mon arrivée :

— Entrez, cap'taine, dit-il. *Vous* êtes toujours le bienvenu !

— Enchanté d'apprendre que vous m'attendiez, Lije.

Tout en parlant, j'avais laissé tomber ma main sur la crosse du pistolet passé dans ma ceinture. Le geste n'échappa point à Jack Buell, qui abandonna si soudainement sa pose avachie que son siège se renversa.

— Hé là ! Attention, Mister...

J'ignorai sa tentative d'intervention.

— Nous avons des choses à discuter seuls, dis-je à Wilburn. Vous pourrez pointer plus tard votre bétail dans vos registres.

— Toujours disposé à obliger un ami, fit languissamment le négrier. Rapplique dans la salle de garde, Jack, et envoie donc prévenir le colonel que je serai un peu en retard.

Je gardai la main sur mon pistolet pendant que Buell, par la petite porte, quittait la pièce à reculons. C'était bien dans la manière du négrier de faire valoir, pour s'en glorifier, son association illégale, avant même que j'aie pu l'en accuser. De mon côté, je ne bougeai pas de la place devant le foyer que j'avais prise en arrivant, quand Wilburn se leva paresseusement et alla faire tomber la barre en travers de chacune des deux portes. Cette collision de front avait pris longtemps à se préparer : il ne s'agissait pas de brusquer les choses à présent. *Pas encore.*

— *Alors,* cap'taine. Vous êtes venu chercher une autre tournée de cuir vert ?

— Nous réglerons ce compte-là plus tard, dis-je. Expliquez-moi d'abord comment vous osez vous montrer ici après avoir tué la femme d'Oscéola ?

— Répétez ça, Paige ?

— L'agent des Affaires indiennes à Fort King nous a dit qu'elle était morte après que vous l'aviez enlevée.

Je vis ses yeux se rétrécir sous l'accusation ; pendant une seconde, j'aurais juré que je l'avais touché en un point sensible. L'illusion passa et je revis sa grimace familière, mi-simiesque.

— Ça se peut, après tout, qu'elle soit morte, puisque vous le dites. Qu'est-ce qu'une squaw de plus ou de moins ?

— Une question encore. Est-il exact que vous ayez le nom de chaque Noir du camp indien ?

— Le nombre, les noms et les prix, Paige. Le colonel s'est montré on ne peut plus serviable.

— Et vous avez réellement l'intention de les embarquer pour Charleston demain ?

— Comment savez-vous ça ?

— Ne vous inquiétez pas des comment. Le général Jesup, à la réunion de Fort Dade, a fait une promesse. Il m'a donné sa parole. A Tampa Bay, on manque à cette promesse, à cette parole.

Wilburn se versa un demi-verre de rhum et se l'envoya d'un seul coup dans la gorge : je l'avais déjà vu employer cette diversion quand il sentait qu'une argumentation lui échappait.

— Le général Jesup a abusé de son autorité, dit-il. Dès que les propriétaires d'esclaves ont entendu ça, ils ont gueulé comme des ânes rouges !

— L'ordre a-t-il été annulé à Washington ou avez-vous conclu un marché à Fort Brooke ?

Ma question n'était que pour la forme : quand ses yeux de furet quittèrent les miens, j'étais sûr de lui.

— Attention à ce que vous dites, Paige, gronda-t-il. N'oubliez pas que je suis parent du gouverneur de Géorgie.

— Et moi je suis le représentant du gouverneur de la Floride. Avez-vous promis une nouvelle promotion à Campbell s'il vous livrait les Noirs à Charleston ?

— Et si c'était ? Vous ne pourriez jamais le prouver.

— Et si je vous disais, moi, que c'est de notoriété publique dans le camp séminole ?

Je le regardai engloutir un autre verre de rhum et ne trouvai aucun plaisir dans la conviction d'avoir frappé juste.

— Personne n'a parlé, dit-il. Personne n'aurait pu. Vous n'êtes qu'un bleu, qu'un morveux, Paige, et pas même capable de calculer juste au second coup.

— Dieu sait que je suis un bleu ! dis-je en me tournant vers la porte.

Déjà la raison de ma visite me semblait aussi grotesque que les fanfaronnades de Wilburn. J'avais l'idée non précisée de régler nos comptes. A présent que j'avais lu sous ces paupières bridées l'éclat de la stupidité contente de soi, je voyais que les Wilburns de ce monde étaient imperméables à la discussion et au bon sens. La force nue était la seule persuasion qu'ils respectaient — et la force était en ce moment du côté de Wilburn.

J'étendis la main vers la barre de sûreté et constatai que Wilburn était debout entre moi et ma sortie. Pour un homme aussi massif, il s'était déplacé avec une rapidité surprenante.

— Partez si vite, cap'taine ? Déjà ?

— J'avais espéré que vous entendriez raison, dis-je. Le général Jesup aura votre tête. Evidemment vous n'en croyez rien.

— Si je dis le mot, Jesup sera flambé demain, quoi ! J'ai des amis plus importants que vous ne le supposez, cap'taine !

— Plus importants que le colonel Campbell ?

— Auriez-vous l'intention d'aller le trouver, le colonel ?

— Comment pourrais-je autrement arrêter une nouvelle guerre ?

Il était toujours entre la porte et moi — et sa main était tombée sur la crosse de son pistolet une seconde avant que la mienne en eût fait autant.

— Pas si vite, Paige ! Vous n'irez nulle part.

— Me conseillez-vous de m'ouvrir un passage à coups de feu ?

— Mon pistolet est amorcé. Comme le vôtre. Qui est plus prompt, vous ou moi ?

Il fit un pas en avant comme pour me défier de mettre sa vantardise à l'épreuve.

— Maintenant, nous sommes deux de jeu ! J'ai un témoin en la personne de Jack Buell. Vous êtes entré ici, violemment, brutalement, ivre au surplus, et brûlant du désir de vous battre. Si nous en venons aux armes à feu, je vous descendrai en légitime défense. Compris ?

Son intention était assez claire désormais, et je m'y prenais un peu tard pour me traiter de pauvre idiot. Comme il venait de le dire, j'avais fait irruption chez lui, de propos délibéré. Si nous tirions tous les deux, les chances étaient en sa faveur. Je l'avais vu faire sauter un point au choix sur une carte à jouer, à vingt pas et quand il était trop saoul pour se tenir d'aplomb.

— Vous avez gagné votre dernier combat à Saint-Augustin, cap'taine... Z'avez envie de voir si votre chance tient ?

Je me forçai à mettre de la crânerie dans ma voix, n'eût-ce été que pour faire cesser les violents battements de mon cœur. Ceci, je m'en rendis compte, était vraiment une épreuve. Avec la mort comme lot du perdant. Le désir qu'éprouvait Wilburn de m'exterminer n'était pas moins violent que le mien d'exterminer Wilburn.

— Je vous donne cinq minutes pour vous écarter de cette porte.

— C'est vous qui compterez, cap'taine ? Ou si ce sera moi ?

Petit à petit, je m'étais moi-même écarté de la porte, me demandant s'il était sage de tirer le premier, tandis que, par une soudaine esquive, je m'abritai derrière la table. Je n'étais point préparé à le voir foncer comme un taureau non plus que je m'attendais au coup de pied qui, d'un seul mouvement, enleva cette barrière rassurante et la fit s'écraser contre le mur. Si je n'avais plongé d'instinct, le bord de la table m'eût défoncé le front. Je n'avais pas eu le temps de me relever que la botte du négrier m'atteignit en plein dans l'aine.

La souffrance de ce coup bas faillit bien me faire perdre les sens et par là même me sauva la vie, car je m'effondrai en avant sur Wilburn de telle sorte qu'il s'étala. Le pistolet était déjà dans son poing et l'explosion jaillit tandis que nous nous écrasions ensemble au sol — mais la balle s'enfonça, inoffensive, dans le mur de la cabine.

Puisque l'arme ne pouvait tirer à nouveau qu'après avoir été rechargée, je bénéficiais pour l'instant d'un certain avantage — si toutefois je parvenais à repousser ses griffes de ma gorge et ses pouces de mes orbites. Pendant quelques secondes, nous luttâmes sur le sol, mais ma lutte principale, désespérée, était contre les ondes de douleur qui me parcouraient. Graduellement, elles s'apaisèrent et je me retrouvai suffisamment en possession de mes moyens pour pouvoir, tout au moins, faire tomber d'un coup de pied l'arme qu'il levait à présent pour s'en servir comme d'une matraque.

Quand je parvins à me dégager de ces bras semblables à des pattes d'ours, je pus cogner le premier — et mon poing rencontra sèchement le menton de Wilburn. Je vis ses yeux devenir vitreux, mais il resta debout. Même pendant qu'il secouait les trente-six chandelles qui troublaient sa vision, il restait planté entre les portes et moi.

Je gagnai le mur du fond en titubant, mais en même temps je tirai mon pistolet de ma ceinture, et la vue du canon braqué à sa hauteur arrêta juste à point son nouvel élan.

— Vous ne tireriez pas de sang-froid sur un homme désarmé, Paige ! Ce serait combattre selon *mes* règles.

Ma main n'hésita pas plus d'un battement de cœur, mais c'était pour lui un délai suffisant. Depuis la plus grande des deux portes, il s'élança à travers la cabine, masse de deux cents livres qui s'envolait d'un bond, et une balle de plus — la mienne cette fois — se perdit en l'air, inoffensive, quand l'étreinte de fer se referma sur moi, me broyant, et m'envoya m'écrouler, tête la première, contre la couchette — lui-même s'affalant à côté de moi.

Je ne fus qu'un moment étourdi par le terrible choc, puis je vis le négrier se redresser contre la table, restée debout près du mur. Etourdi lui-même par sa collision avec la couchette, Wilburn eut besoin de quelques secondes pour découvrir le pistolet demeuré à ses pieds — et ce fut une seconde fois ce moment qui me sauva la vie.

J'étais plaqué contre la couchette sans plus de possibilité de me mouvoir que si j'y avais été ligoté.

Le marchand d'esclaves s'en rendit compte quand il parvint en tâtonnant jusqu'à la corne à poudre accrochée au mur — à côté du long fouet de peau brute qui était l'insigne de son métier. Délibérément et comme s'il savourait chacun de ses gestes, s'en délectait, il se mit à recharger le pistolet.

Ce fut alors que je vis le volet s'entrouvrir, prudemment, pouce par pouce. Un long moment plus tard, juste comme Wilburn tassait la charge de poudre, Oscéola franchit le rebord de la fenêtre avec l'agilité veloutée d'une panthère et fit sauter l'arme de la main de son ennemi.

Le couteau, dans l'autre poing du Séminole, était une arme mortelle, une lame de neuf pouces, affilée comme un rasoir. Si Oscéola ne cloua pas immédiatement Wilburn au mur, ce ne fut que par inquiétude à mon sujet. Agenouillé à mon côté, il s'assurait que je n'étais pas dangereusement blessé : les quelques paroles que je lui murmurai promptement suffirent à le remettre sur pied.

Tout flottant entre ciel et terre que j'étais, je n'en remarquai pas moins l'effroyable changement qui s'était produit en Wilburn. En quelques secondes, son visage était devenu blanc comme un ventre de poisson mort ; ses mains, palpant les murs de la cabine à la recherche d'une sortie inexistante, semblaient aussi faibles et inutiles que les serres d'une vieille sorcière à l'agonie. A n'en pas douter, il avait lu sa propre fin dans l'arrivée d'Oscéola et devait avoir compris que plaidoyers et prières seraient sans effet. Il essaya pourtant de marchander — d'une voix qui n'était qu'un croassement.

— Reste où tu es, Injun (1). Ne fais pas de mal à un homme qui, lui, peut te faire riche. Je te payerai pour ta femme — et je payerai bien — en or et en whisky...

— Tu payeras en sang.

La voix d'Oscéola était sans inflexions, sans timbre, la voix du bourreau qui accomplit sa besogne sans y mettre ni passion ni malice.

— Tu as du sang blanc, Oscéola, geignait le négrier. Tu ne tuerais pas un homme sans défense, sans lui donner une chance...

— Attention, dis-je du sol. Il a essayé ce jeu-là avec moi.

Mais Oscéola, les poings sur les hanches, le couteau à demi caché dans sa manche, ne semblait pas entendre.

— Je te donnerai deux cents dollars pour ta squaw.

— Tu donneras ton sang.

— *Cinq cents !*

— Ton sang, homme blanc — et je n'ai pas besoin d'un couteau pour le faire couler.

(1) Prononciation familière d'*Indian*.

Je vis l'éclair de l'acier comme Oscéola lançait son arme par la fenêtre. Il ne s'était détourné qu'un quart de seconde pour ce geste, qui égalisait les chances du combat imminent. Encore une fois, ce bref délai fut suffisant pour Wilburn. Poussant un de ses beuglements de taureau, il roula jusqu'à l'autre mur et en arracha le fouet de cuir vert. Le Séminole se retournait à cet instant, juste à point pour recevoir en travers du visage une longue cinglée qui le fit trébucher en arrière. Si la lanière avait atteint son but, il eût été aveugle du premier coup. Il essuya le flot rouge qui lui voilait les yeux.

— Tu n'es pas aussi malin que c' qu'on raconte, Injun ! A ton âge, tu devrais avoir plus de jugement et ne croire personne !

Oscéola avait déjà empoigné une chaise pour s'en servir ainsi que d'un bouclier. Sa voix était d'un froid de glace quand il répondit :

— Ce sera plus long comme cela, mais tu n'en mourras pas moins.

— Cinq cents dollars pour Chechoter ! haleta l'autre.

En réponse, Oscéola se fendit à fond, ce qui fit tournoyer Wilburn hors de sa route. Maître dans l'emploi du fouet à bœufs, en deux coups le négrier eut réduit la chaise en bois d'allumettes et contraint l'Indien à une série de feintes et de plongées pour échapper aux meurtrières cinglées de la lanière de cuir.

A deux reprises, tandis que continuait la lutte inégale, je m'efforçai en vain de me remettre sur pied. Il me paraissait monstrueux que mon cerveau ne pût commander à mes membres, mais je parvins pourtant, d'un mouvement spasmodique, à pousser le revolver chargé de Wilburn sous la couchette.

Oscéola semblait insensible à la torture du fouet ; s'il y échappait de son mieux, ce n'était que pour garder ses forces pour la curée. Je sentais qu'il désirait me voir rester en dehors du combat. A présent qu'il connaissait la perfidie du négrier, il était résolu à la détruire à sa manière.

Le souffle de Wilburn ne venait plus que par à-coups haletants et rauques. N'eût été la rougeur qui lui était montée aux joues par plaques, sa figure aurait pu être son propre masque funèbre. Il avait compté sur le fouet pour tenir l'Indien à distance, mais, quand il vit celui-ci résister sans flancher sous les furieuses volées et venir au-devant des suivantes, il sentit s'effondrer sa dernière défense. Il fit une tentative désespérée, une fuite en crochet vers la porte. Une plongée vers la fenêtre obtint le même résultat.

Quand vint la fin, ce fut presque trop subit pour être croyable. Une lancée du fouet au-dessous de la tête, entraînant tout le poids du négrier, le trahit enfin. Essoufflé comme il l'était par ces constantes fuites et poursuites, il ne put retirer à temps le fouet quand le Séminole fonça dessus et le lui arracha.

Aussitôt le tourbillonnement changea de côté, et la lanière s'envola pour retomber en une longue boucle autour du cou de Wilburn.

Je regardai se resserrer la corde mortelle, jusqu'à ce que le lasso encerclât étroitement le cou du misérable ; je vis ses pieds quitter le sol quand Oscéola, se braquant en un effort suprême, souleva le corps, le lança en travers de la cabine, et le fit s'écraser contre le mur. Encore et puis encore, la carcasse de Wilburn s'envola au bout du fouet et s'aplatit contre un mur, jusqu'à ce que la langue lui pendît hors de la bouche et que ses yeux, violets et gonflés de sang autant que des raisins de vin, parussent prêts à jaillir des orbites. La cabine semblait trembler sur ses fondations tandis qu'Oscéola lançait sa victime avec la mortelle résolution d'un athlète olympique, concentré dans sa volonté de battre ses propres records.

En dépit de moi-même, je criai une protestation. C'était la première fois que je voyais la nature, crue et nue, se venger sur son ennemi, sans pitié, sans aucune pensée consciente. Tous mes instincts civilisés me poussaient à intervenir, mais une autre partie de moi se réjouissait de la punition.

— *Arrête, Oscéola ! C'est assez !...*

Le coup final avait déjà envoyé Wilburn contre le panneau de pied de la couchette ; j'entendis craquer ses vertèbres et je m'aperçus que tout son corps s'amollissait dans la grande détente de la mort. Oscéola enleva sa victime d'entre les débris de bois et la laissa tomber, tête la première, sur le bord de la pierre du foyer. Ce dernier geste de mépris me permit de voir que le cuir avait presque complètement séparé la tête du corps.

Le sang qui giclait pour venger Chechoter avait été tiré par les mains nues de son mari.

V

... ET OSCÉOLA PROUVE A CHARLO SON AFFECTION

Dans mon effort pour arrêter Oscéola, je dus m'évanouir brièvement. Quand je rouvris les yeux, il tenait à la main un verre de whisky et ses yeux étaient d'une curieuse douceur pendant qu'il versait l'alcool entre mes lèvres.

Le corps de Lije Wilburn, pitoyablement caché sous une couverture, restait où il était tombé, mais un nuage de cendres demeurait encore suspendu au-dessus.

— Bois, Charlo. Cela soulagera un peu ton mal.

Je commençai par secouer la tête en signe de refus ; je connaissais assez de médecine pour savoir que, si je souffrais vraiment d'une commotion cérébrale, l'alcool ne pourrait que nuire. Finalement, j'acceptai la drogue qu'il continuait à m'offrir.

— Tu m'as sauvé la vie, dis-je — et ma voix me parut venir de très loin. Il faut que je te remercie.

— Tu étais ici à cause de moi et pour moi, Charlo. Aurais-je pu agir autrement ?

Son visage parut se brouiller, comme si un crépuscule artificiel venait d'envahir la cabine.

Je parlai hâtivement, boulant mes mots, les forçant à sortir, car je me sentais glisser vers l'inconscience :

— Sauve-toi si tu peux, Oscéola. Prends ta liberté. Va

vers la mer Herbeuse. Et ne te fie plus jamais à aucun homme blanc.

— Pas même à toi ?

— Pas même à moi... si je te dis de croire à leurs promesses...

— Je m'en souviendrai, Charlo.

— Prends Coacoochee, tous les fusils et tous les vivres sur lesquels tu pourras mettre la main. Emmène jusqu'au dernier des guerriers qui voudront quitter le camp. Trouve un endroit où ils ne te poursuivront pas.

Ma tête tournait vraiment des effets tardifs des coups et du choc. Je parvenais encore tout juste à voir son visage penché sur moi, lune de cuivre suspendue dans le brouillard.

— Ne m'abandonne pas ici, Oscéola !...

Je sentis qu'il m'enlevait dans ses bras aussi facilement que si j'avais été Toschee.

— Ne crains pas, ami. Je ne t'aurais jamais laissé avec cette charogne.

J'entendis son mocassin soulever la barre de la porte et je vis une vague échappée de ciel. Quand je parlai de nouveau, je ne me sentais même pas sûr que ma voix l'atteignait, bien qu'il se penchât tout près de moi, tandis qu'il me transportait à travers le terrain désert.

— Où m'emmènes-tu ?

— Où nul homme blanc ne pourra nous trouver, Charlo, dit-il pendant que je sombrais dans l'oubli.

DIXIEME PARTIE

DU POIDS D'UNE CONSCIENCE

I

RETROUVAILLES

MON ESPRIT ETAIT
assez lucide quand je me réveillai, et je me sentais la tête
assez claire, bien que persistât le sentiment de flotter entre
terre et ciel.

J'avais conscience du tambourinement furieux de la pluie
sur la pente d'un toit en feuilles de palmier, au-dessus de ma
tête. Le lit de camp où je me trouvais étendu était primitif
mais confortable — une natte de saule tressé couverte de
plusieurs épaisseurs de peaux. Je demeurai blotti dans ce
bien-être pendant un moment, attendant qu'une arche se
forme qui rejoindrait la réalité présente à l'étrange néant qui
m'avait absorbé depuis le combat dans la cabine de Wilburn.

Je savais déjà que j'étais dans un wigwam de campement
— un de ces abris couverts mais ouverts, qui peuvent être
édifiés en quelques minutes grâce à l'abondante frondaison
des palmiers. J'avais dormi sous un pareil toit, au temps où
je chassais avec Coacoochee. C'était évidemment le centre
d'un campement assez considérable : de mon lit, je voyais,
au-delà de notre avant-toit ruisselant, une douzaine d'abris
semblables au nôtre, et l'odeur m'arrivait de venaison en train
de rôtir, pendant que les squaws s'affairaient autour de leurs
feux de cuisine. Ces foyers improvisés étaient placés dans

l'angle des chickees, avec un grossier tuyau d'aération pour évacuer le plus fort de la fumée. En soulevant légèrement la tête, je constatai qu'un tel foyer flambait ici et que deux silhouettes étaient accroupies auprès.

Je reconnus instantanément Oscéola : même en cet état vague qui tenait autant du sommeil que de la veille, je n'aurais pu confondre avec aucun autre ce maigre profil patricien, ni la voix sonore qui parlait à l'autre personnage dans cette langue séminole qui peut être plus harmonieuse et plus douce que n'importe quelle poésie. Quand je vis que la femme qui lui faisait face de l'autre côté du feu de pin était Chechoter, je me demandai si mon rêve persistait, dans ce matin fumeux. Mais, quand je regardai de nouveau, elle était toujours là — une Chechoter vieillie et infiniment triste, aux cheveux ruisselants de pluie, comme si elle venait tout juste de se réfugier dans ce havre et qu'elle ne fût pas sûre d'y rester.

L'eussé-je souhaité, j'aurais pu me joindre à eux, mais je restai immobile, étendu sur mon lit, et fermai à peine les yeux pour le cas où ils auraient regardé de mon côté. Dès les premiers mots que j'entendis, il me fut évident qu'ils se considéraient comme seuls dans la hutte et qu'ils parlaient à cœur ouvert.

— Je suis morte pour toi, disait Chechoter, depuis que l'homme blanc m'a couverte d'opprobre.

— Ce qui est fait est fait, dit Oscéola. Je te croyais morte ; à présent je me réjouis de te savoir vivante.

— Je t'ai fait tort. Trop gravement pour qu'aucun pardon soit possible.

— Ton seul tort fut d'avoir fui après que nous nous étions retrouvés. Tu devais savoir que je t'aurais ramenée à notre peuple.

— Comment pourrais-je encore montrer ici mon visage ?

C'était un cri de pure détresse, encore que la voix de Chechoter n'eût pas dépassé le murmure. J'ouvris les yeux dans le silence qui suivit. Le bras d'Oscéola était à présent autour des épaules de sa femme, et la tête de Chechoter était appuyée contre la poitrine de son mari. Bien que je n'entendisse aucun son, je devinai qu'elle pleurait amèrement.

— Tu oublieras cet épisode avec le temps, dit-il, et tu te sentiras de nouveau une des nôtres. Rien ne compte à présent, Lumière du Matin. Rien, sauf que tu es revenue auprès de moi.

— Je ne puis pas rester. Tu ne sais pas...

Elle avait levé vers lui son visage tout en parlant, et ses yeux ruisselaient encore de larmes. Il la fit taire d'un doigt appuyé sur ses lèvres, avant qu'elle pût en dire davantage.

— Je ne veux rien savoir. Sinon que tu es revenue vers moi et vers Toschee.

— Je... je voulais le revoir..., sanglota-t-elle. Comme vous étiez à Fort Brooke... c'était dur de demeurer à l'écart...

— Notre fils n'est plus le Petit Geai Bleu, dit Oscéola avec un tendre sourire. Bientôt il ira à la chasse et à la pêche avec les hommes.

— Où est-il à présent ?

— Les enfants et les anciens ont pris la route du sud. Ils s'arrêteront au bord de la mer Herbeuse pendant que nos alliés noirs abattront des arbres et façonneront des dugouts.

Elle cacha de nouveau sa face contre l'épaule de l'homme et je vis trembler son corps.

— Les soldats vous poursuivront. Ils essayeront de ramener les esclaves. Tu ne sais pas combien les négriers sont cruels.

— Ai-je oublié ce qu'ils t'ont fait ? Ou les cicatrices sur mon dos ?

Le Séminole souleva le menton de sa femme et l'embrassa doucement.

— Wilburn est mort et nous sommes vengés. La tristesse dont il nous avait accablés appartient au passé. Bientôt je vous montrerai la mer Herbeuse, à Toschee et à toi. C'est un lieu d'abondance pour tous.

— Ils vous y traqueront, avec le temps.

— Pas si Charlo et la femme-des-livres nous aident.

Je fermai vivement les yeux tandis qu'il tournait les siens dans ma direction.

— Bientôt Charlo s'éveillera de son long sommeil. Jusqu'alors il nous faut être patients.

Quels que pussent être les plans d'Oscéola, je compris qu'ils

les avaient discutés ensemble, car Chechoter n'éleva plus
d'objection, cependant qu'elle demeurait entre ses bras. Ils
restèrent longtemps ainsi, avant qu'il la prît par les épaules
et la regardât dans les yeux. Le visage qu'elle tourna alors
vers lui était rayonnant de confiance : par quelque magie
que je ne pouvais deviner, cette étreinte avait presque res-
suscité la Chechoter que je me rappelais si vivement.

— Ton cœur ne palpite plus comme un oiseau blessé, ma
bien-aimée, dit-il. Promets-moi de ne plus t'enfuir jamais.

— Je promets, mon mari. Je suis rentrée dans ton chickee
et, puisque tu m'y offres la bienvenue, j'y resterai.

— La pluie a presque cessé. Allons marcher parmi notre
peuple. Quand ils t'auront accueillie, nous irons à la hutte de
la femme-des-livres et nous parlerons avec elle. Nous allons
demander au Chat Sauvage de veiller sur Charlo.

II

LES VOIES DE L'HOMME BLANC
SONT INCOMPREHENSIBLES

Il y eut encore de ces murmures à voix douce pendant
qu'ils continuaient à célébrer leur réunion, mais je ne me
souviens de leurs paroles que par bribes. Peut-être étais-je
plus étourdi que je ne le savais, peut-être le choc de retrouver
soudain Chechoter ici était-il plus que ma tête ébranlée n'en
pouvait saisir d'un seul coup. Tout ce que je sais, c'est que
l'après-midi s'avançait quand je me réveillai de nouveau, et
qu'un soleil brillant ruisselait à son tour sur le chickee. Coacoochee, assis en tailleur à côté de mon lit, écartait les insectes
avec un éventail en plumes de dinde.

— Charlo est-il reposé après son sommeil ?

— Depuis combien de temps suis-je sous ce toit ? questionnai-je, sans faire une tentative pour me lever : le bien-
être de la guérison était trop parfait pour le gâter.

— Tu as dormi une nuit et un jour.

— La femme-des-livres est-elle ici ?

— Quand Oscéola t'apporta dans la cabine, elle t'y attendait toujours. Et, quand elle vit que nous voulions t'emmener avec nous, elle accepta de devenir également notre otage.

Un peu de mon effarement me quitta et fut remplacé par un brusque et profond sentiment de libération. Cela me surprit à peine de savoir que nous étions tous deux prisonniers des Séminoles et qu'une partie au moins de la nation avait quitté le camp de Tampa Bay. Je pouvais déjà deviner presque certainement la stratégie d'Oscéola.

— Les soldats blancs nous ont-ils laissés partir en paix ?

— La tempête est venue aussitôt la nuit tombée. La plupart des avant-postes demeurèrent dans leurs abris. Il nous fut facile de glisser entre les autres.

Les yeux de Coacoochee brillaient d'une allégresse impie.

— Les hommes blancs croyaient que nous étions des moutons qui demeureraient éternellement parqués. Ils oubliaient combien silencieusement un Indien peut se déplacer par une nuit de grande pluie. Quelques-uns tentèrent de donner l'alarme : nous fîmes en sorte qu'ils ne risquent jamais de parler.

— Et en ce qui concerne Wilburn ? Le colonel Campbell n'a-t-il pas découvert qu'il était mort ?

— Le colonel Campbell dînait à bord d'un des transports. Les affaires avec le négrier étaient terminées.

Je hochai la tête. Il était assez facile de comprendre la retraite écœurée de l'homme une fois le marché conclu.

— Jack Buell est revenu à la cabine de Wilburn à la nuit, continuait Coacoochee en souriant à son tomahawk. Comme nous *nous* en doutions, je *l*'attendais. A l'heure qu'il est, le colonel Campbell a certainement découvert les deux cadavres. Il ne trouvera jamais les deux scalps.

— Ainsi les flammes sont rallumées ?

— Et, cette fois, c'est une guerre à mort.

— Combien d'entre vous ont pu partir ?

— C'est là une question à laquelle je ne répondrai pas, Charlo.

Je hochai la tête en signe de compréhension : après tout,

j'étais un prisonnier à qui, de toute évidence, bien des faits devaient être celés. Plus tard, j'apprendrais qu'un millier d'Indiens avaient quitté le camp au cours de cette nuit-là, se mouvant comme autant de fantômes dans l'ombre des pinèdes, marchant sans arrêt par l'obscurité fouettée de pluie afin de mettre avant l'aube vingt milles entre eux et Fort Brooke.

— Il a certainement dû en rester, dis-je.

Déjà j'étais assis dans mon lit pour examiner notre bivouac actuel. Si vaste que fût le camp, celui de Fort Brooke avait été beaucoup plus important.

— Bien sûr. Il y a des hommes qui sont nés moutons, dit le Chat Sauvage. D'autres sont trop stupides pour flairer la trahison, fût-elle sous leur nez. La tribu de Coi-Hadjo préféra embarquer. Celle de Charley Emathla également.

— Et leurs esclaves ?

— Leurs esclaves ont fait comme leurs maîtres : ils ont refusé de nous croire quand nous leur avons dit que *leur* voyage se terminerait à Charleston. Nous avons emmené les nôtres avec nous. Ils sont partis en avant pour préparer le trajet vers la mer Herbeuse.

— Comment vivrez-vous là-bas ?

— Depuis le printemps nous nous sommes engraissés des rations militaires. Nous défricherons le sol de quelques-unes des îles pour nos champs de blé et de maïs, et sur les autres nous construirons des plates-formes pour les wigwams. Il y a plus de gibier et de poisson qu'il ne nous en faut. Nous avons des caches d'armes tout le long de la route et nous avons emporté de Fort Brooke du grain et de la farine de coontie. Le temps de la famine est derrière nous.

Je ne pus m'empêcher de sourire à cet aveu franc et candide : même au temps de la reddition, Oscéola n'avait point eu entière confiance en ses anciens ennemis. Comme un bon général, il s'était gardé ouverte une ligne de retraite complétée par un arsenal.

— Qui va vers la mer Herbeuse ?

— Les gens de Micanopy et ceux d'Oscéola. Mon père retournera vers l'Oklawaha quand la migration sera complète.

— Micanopy est-il toujours otage ?

Coacoochee eut une joyeuse grimace.

— Quand éclata la tempête, il est sorti de sa hutte à la porte de la forteresse, avec Abraham à son côté. A présent, il est en avant avec les anciens. En ce moment même, tu es sur son lit de sangle.

Je me levai prudemment de ma couche et fis un tour dans le chickee. Comme je l'avais espéré, mes jambes étaient d'aplomb. A un léger mal de tête et quelques meurtrissures près, mon duel avec Wilburn ne semblait qu'un mauvais rêve.

— Pourquoi Oscéola a-t-il dressé le camp ? Ne craint-il pas que les soldats le suivent ?

— Les soldats n'oseront pas quitter Fort Brooke avant que le dernier Séminole soit à bord, dit Coacoochee. En outre, s'ils apprennent que nous campons ici, beaucoup des nôtres pourront nous y joindre.

La retraite de Tampa Bay avait été brillamment organisée. Il faudrait un certain temps avant que le chargement des vaisseaux soit terminé. Avec les Séminoles insurgés fermement plantés en travers de la route de Fort King, il serait difficile de faire tenir un avertissement au général Jesup. Et même si Campbell était préparé à une avance en force, la nature du terrain rendait improbable toute attaque par surprise.

— Comment avez-vous découvert Chechoter ?

Pour la première fois, le Chat Sauvage baissa les yeux.

— On l'a vue hier, achetant des poissons au fort pour Wilburn. Nous avions tous peur de le dire à Oscéola — nous savions qu'il désirait penser à elle comme à une morte. Hier soir, après qu'il eut tué Wilburn, nous la rencontrâmes par le plus grand des hasards, pendant que nous commencions notre retraite. Elle aussi fuyait l'homme blanc. Jusqu'à ce qu'Oscéola vît son visage, il crut qu'elle était l'une des fugitives.

Il était facile d'imaginer la panique de Chechoter quand, en regagnant la cabine, elle tomba sur le corps de Wilburn à côté du cadavre de Jack Buell. Elle n'avait évidemment pas d'autre ressource que de fuir pour sauver sa peau. Et, puisqu'elle avait été le bien et la chose de Wilburn, elle risquait même d'être, par les Blancs, accusée de sa mort.

— A deux reprises au cours de la nuit, dit Coacoochee, elle a tenté de s'enfuir du camp. Les deux fois, je l'ai suivie et ramenée. A présent, elle comprend qu'elle doit oublier le passé. Le sang de Wilburn a lavé tous les torts.

— Pourquoi Nacohocteh est-elle ici ?

— Vous êtes les seuls amis qui nous restent. Nous avons besoin de vous plus que jamais.

— Désormais, nous ne pourrons guère intercéder. Tu viens de dire toi-même que c'est une lutte à mort.

— Seulement si Jesup ne veut pas nous laisser vivre à la mer Herbeuse. Oscéola espère que tu pourras le persuader. C'est pourquoi nous t'emmenons.

— Tu veux dire que vous allez me renvoyer en guise d'ambassadeur ?

— Tu diras la vérité au sujet de notre nouveau terrain de chasse. Et, dans le papier-qui-parle, la femme-des-livres expliquera pourquoi nous avons émigré.

Je hochai tristement la tête.

— Tu sais la vérité, mon ami. Aucun de vous ne demeurera avec l'ensemble des Etats-Unis contre vous.

— Nous ne demandons plus aucune aide. Seulement la liberté de vivre à la manière de notre choix. Et la chance de prouver que nous ne nous rendrons jamais.

— Jureriez-vous de vivre au sud de la rivière nommée Peace (1) ?

— C'est un serment que nous tiendrions, Charlo, si tu pouvais convaincre Jesup.

— Je puis essayer, dis-je en espérant que mon hésitation ne transparaissait pas dans ma voix. Combien de temps devons-nous rester dans la mer Herbeuse ?

— C'est à Oscéola d'en décider. Aujourd'hui, il faut qu'il monte la garde sur la route de Tampa. Plus tard, il t'ouvrira plus complètement son esprit.

Je choisis les paroles suivantes avec le plus grand soin : je ne voulais à aucun prix hasarder une fausse promesse en cette heure sombre.

— Je respecterai les désirs d'Oscéola. A présent et toujours. Que dit la femme-des-livres ?

*(1) *Peace* : paix. Mais il ne s'agit point d'un jeu de mots ; le cours d'eau de ce nom existe en réalité.

— Elle attend dans sa propre hutte, répondit Coacoochee.

Quelque chose dans ses yeux me faisait comprendre qu'en ce qui concernait Marie une énigme non résolue demeurait entre lui et moi. Je me souvins alors qu'il était présent à Fort Brooke quand Marie avait promis de renoncer à Campbell — et sa connaissance de l'anglais était excellente.

— Puis-je aller vers elle à présent ?

— Donne-moi ta parole, Charlo, et tu pourras aller où tu voudras.

Je n'eus qu'un instant d'hésitation. Je savais que les Séminoles avaient fait Marie prisonnière pour plus d'un motif. Evidemment, ils espéraient qu'elle écrirait d'autres dépêches en leur faveur une fois qu'ils seraient installés dans leur nouvelle réserve. Et, plus évidemment encore, ils comptaient se servir d'elle comme otage, au sens le plus complet du mot. Tant qu'elle demeurerait prisonnière, je n'aurais pas d'autre choix — ne fût-ce que pour la paix de mon esprit — que de demeurer parmi eux.

— Tu as ma parole, dis-je.

— *Hinklos*, mon ami. C'est bien. Je vais te conduire vers elle immédiatement. Vas-tu faire d'elle ta squaw pendant que vous serez parmi nous ?

Je m'empêchai difficilement de rire à cette question.

— La vie est plus simple dans votre monde, fis-je. Dans le mien, il n'est pas toujours possible qu'une femme partage le chickee de l'homme qu'elle aime.

— Et pourquoi pas ? Elle a renoncé à Campbell en ta faveur. Cela ne signifie pas qu'elle est à tes ordres ?

— En aucune manière ! protestai-je avec fermeté. Je l'épouserais demain si le colonel Campbell était mort ou s'il consentait au divorce. Comme les choses se présentent aujourd'hui, nous avons les mains liées.

— Elle a dit qu'elle le quittait. Il n'est pas bon pour une femme de vivre seule. Tu vas certainement la prendre comme épouse pendant que vous vivrez dans la mer Herbeuse.

— Je ne vais très certainement pas le faire. C'est une chose pour une femme de quitter son mari, dis-je. C'en est une toute différente pour elle d'épouser l'homme de son choix : son mari ne veut pas lui rendre sa liberté.

— Campbell ne veut pas divorcer ?

— Sa femme est une femme riche. Un jour ou l'autre, elle héritera de Millefleurs. Le colonel Campbell a épousé ces richesses, il ne les lâchera jamais.

— Alors il faut qu'il meure, il n'y a rien d'autre à faire, tu aurais dû le tuer depuis longtemps.

— Il n'y a pas d'excuse au meurtre dans notre monde.

Le front de Coacoochee se rembrunit.

— Je suis ton frère de sang, je ne puis t'enseigner la sagesse de la terre. Dans votre monde de mensonge, on recule devant la suppression d'un être malfaisant. Tu désires cette femme et j'ai lu dans ses yeux qu'elle te désire. Vous devriez vous prendre l'un l'autre et remercier le Grand Esprit pour votre bonne fortune. Telle est la route de la vie, Charlo. Et l'homme qui tourne le dos à la vie ne peut que se détruire — et détruire en même temps ce qu'il aime.

— J'accepte ta sagesse de frère et je t'en remercie. Néanmoins la femme-des-livres et moi dormirons dans des lits différents.

Le Chat Sauvage haussa les épaules d'un air de lassitude, avec un sourire doucement moqueur.

— A ta guise, mon ami. Je répète cependant qu'elle t'appartient. Pourrais-tu le nier ?

— *Le cœur a ses raisons que la raison ne connaît pas.*

— Quel langage est-ce là ?

Je répétai le proverbe en espagnol et j'ajoutai :

— Un Français seul peut dire que le cœur est plus sage que l'esprit. Les Français sont passés maîtres en amour.

— Le Séminole également, affirma Coacoochee. Cependant, puisque tu dédaignes mon avis, je ne t'en dirai pas davantage ; viens, je vais te conduire vers ta squaw.

— Pour la dernière fois, elle n'est pas ma squaw.

— Appelle-la du nom que tu voudras, conclut Coacoochee. Dors cette nuit roulé dans ta propre couverture, s'il te plaît ainsi. Les voies de l'homme blanc sont incompréhensibles : désormais je tiendrai ma langue.

III

ACCOMPAGNER UNE NATION FUGITIVE
ET APPELER CELA UNE PARTIE DE PLAISIR !...

Je découvris Marie dans un autre abri temporaire, au milieu d'un cercle d'enfants qui écoutaient un conte de fées parvenu à son instant le plus solennel.

Comme toujours, elle s'était intégrée à son entourage sans effort apparent. Grâce à ses cheveux noirs tressés en deux longues nattes, à la tunique de daim décolorée par le soleil, aux bottes de peau qui lui montaient aux genoux, elle aurait presque, dans la lumière décroissante, pu passer pour une Séminole.

A contempler la calme concentration qu'elle mettait à son récit et son effort affectueux pour rendre heureux ses auditeurs, nul n'aurait supposé que ce camp improvisé était cerné d'un cordon de sentinelles en armes.

Seule une légère rougeur trahit la notion qu'elle avait de ma présence quand, sous l'avant-toit de la hutte, je mis un genou en terre et la regardai en souriant. J'attendis jusqu'à ce qu'elle eût terminé son histoire et que, pareils à des moineaux retournant au nid dans le crépuscule, les enfants se fussent éparpillés vers leurs propres feux de cuisine. Protégés comme nous l'étions par l'écran de feuilles de palmier, nous ne nous étions jamais sentis plus isolés, sauf en cette inoubliable minute de découverte à la Grande Source. Le baiser qu'elle m'offrit rendit nôtre, sans la moindre parole, ce primitif abri.

— On m'a dit que vous reposiez paisiblement, dit-elle, sa main caressant doucement la mienne. J'ai refusé de me tourmenter.

Je la tins fermement à longueur de bras. Pendant un long instant, nous nous regardâmes dans les yeux sans rien dire. Ce regard échangé, partagé, contenait un monde de bienvenue, d'accueil au foyer, d'appartenance, à la fois sans nom et d'une inexprimable profondeur. Il semblait cruel de troubler une telle communion par une froide avalanche de faits.

— Oscéola nous emmène tous les deux vers la mer Herbeuse, dis-je. Aviez-vous compris cela ?

— Chechoter me l'a dit en m'habillant pour la piste, répondit Marie avec un regard vers sa tunique perlée, puis avec un sourire des yeux à mon adresse.

— J'espère que vous trouvez cette tenue seyante, Charles ?

— Dites-moi, que faut-il pour vous effrayer ?

— Ces gens sont mes amis — et les vôtres.

— Ne vous seriez-vous pas rendu compte que nous sommes en plein dans la guerre — flambant neuve... et qui flambera fort, si on ne fait rien pour éteindre l'incendie ?

Elle écouta en silence quand je lui rappelai les événements de Fort Brooke, en commençant par ma rixe mortelle avec Wilburn et en terminant par la retraite dans la tempête.

— A la place d'Oscéola, s'enquit-elle, auriez-vous agi différemment ?

— C'est à côté de la question, dis-je. Admis que votre mari a besoin de toutes ses forces à Tampa Bay jusqu'à ce que les embarquements sur les transports soient terminés, il est (moralement du moins) obligé de former une expédition punitive. Ne serait-ce que pour vous délivrer.

— Pourquoi Alan s'inquiéterait-il de savoir si je suis morte ou vivante — *à présent* ?

— Sait-il que vous voulez le quitter ?

— Non, Charles. Pas formellement. Je voulais envoyer un mot au fort, mais le temps a manqué... Le plus simple était de vous suivre et de le laisser tirer ses propres conclusions.

— Le fait demeure que *vous avez été faite prisonnière,* pour un motif précis. Même s'il nous soupçonne, il ne peut se permettre de vous laisser partir sans au moins une tentative de sauvetage. Après tout, votre mari est officier et gentleman.

— En surface, Charles. En surface *seulement.* Vous ne pensez pas que je n'ai pas découvert ce qui se cache sous cette coquille extérieure ?

— Il n'en chargera pas moins à votre poursuite. Pluie ou

pas pluie, je me sentirais plus tranquille si nous avions à tenir la piste aujourd'hui.

J'englobai le camp d'un coup d'œil attentif et prudent, car un soupçon tout neuf m'entrait dans l'esprit.

— Peut-être bien Oscéola *espère-t-il* que le colonel nous poursuivra. Il peut, il peut par le seul fait qu'il campe ici, provoquer une bataille. A présent qu'Elijah Wilburn est mort, votre mari est l'homme le plus profondément haï de toute la Floride.

— Je vous en prie, ne continuez pas à appeler Alan mon mari. *Vous* êtes mon mari à présent, sauf de nom.

Coacoochee était loin, mais le souvenir de sa grimace malicieuse demeurait en mon esprit.

— Et vous êtes ma femme, Marie, dis-je aussi solennellement que je pus.

Il m'était difficile de ne pas rire tout haut, de pure joie, à cet aveu.

— Cela vous intéressera peut-être de savoir que les Séminoles s'attendent fermement à me voir vous réclamer comme squaw.

— N'ai-je pas l'apparence du personnage ?

— Mais si, de façon très authentique. Toutefois le colonel Campbell ne saurait être considéré comme une affaire classée.

Elle m'écouta, en un silence réfléchi, lui exposer les plans d'Oscéola, puis :

— Les Indiens pourront-ils atteindre le marais assez rapidement ?

— D'ici, ce n'est qu'une marche de deux jours. Mais ils doivent d'abord attendre que leurs Nègres aient construit une flotte de dugouts, et ensuite les approvisionner. Si Campbell attaque de front, ils peuvent battre en retraite — ou livrer la bataille la plus décisive de cette guerre. Pour l'heure, je n'essayerais pas de lire dans l'esprit d'Oscéola. A mon avis, il est en train de prier pour que sa chance tienne.

— Et en admettant qu'elle tienne, Charles ?

— Alors nous émigrerons vers un éden aquatique que je ne puis imaginer, même en rêve. Seuls quelques hommes blancs l'ont vu — plus rares encore sont ceux qui ont osé l'explorer au-delà de ses rives. Une fois établis là, nous serons priés de vivre comme des Séminoles. Le cas échéant, on attendra de vous que vous écriviez vos expériences. Et je serai envoyé au général Jesup pour lui exposer que la nation a droit à son domaine.

— Vous sentez-vous capable d'attendre le départ, Charles ? Ses yeux pétillaient.

— Evidemment, oui. Cet éden dont je parle n'existe peut-être que dans mon rêve. On m'a dit que les moustiques y atteignent la taille des chauves-souris et qu'on ne peut poser le pied nulle part sans que ce soit sur un serpent — en un mot que la mer Herbeuse n'est habitable que pour les alligators et les grues aux grandes pattes.

Les yeux de Marie n'avaient point perdu leur pétillement espiègle.

— Est-ce que vous essayez de gâcher d'avance cette excursion, Charles ?

— Excursion ! m'exclamai-je. Je crois qu'il est grand temps de devenir sérieux.

— Et moi, tout simplement, je ne suis pas d'accord. Je me refuse à être lugubre *a priori*. Pas avant d'avoir vu de mes propres yeux ces îles de la mer Herbeuse et d'en avoir tâté le sol de mes propres orteils.

— J'espère que demain vous ne regretterez pas ces paroles !

— Aujourd'hui je suis près de l'homme que j'aime et délivrée d'Alan. Nous faisons partie d'une migration qui peut transformer l'avenir de la Floride. Que cela nous plaise ou non, nous devons aller avec le courant et, pour ma part, je me refuse à aller contre. Pas vous ?

— Si vous insistez, dis-je, couvrant sa main de la mienne.

— Bien sûr, je sais contre quoi vous vous révoltez ! C'est contre la perspective de vivre comme un Séminole. Même étant leur frère de sang, vous ne vous qualifieriez jamais du nom d'Indien !

— Voilà des années que je suis pratiquement un Séminole ! protestai-je avec une pointe d'indignation. Ce qui ne veut pas dire que je vous livrerais au même sort.

— Et pourquoi non, Charles, si je me promets d'en savourer pleinement chaque seconde ?

IV

UNE ATTAQUE QUI TOURNE MAL

Je levai brusquement les yeux avant que cet ultime aveu eût atteint mon cerveau. Quelque part, assez loin vers l'ouest, j'entendis un son pareil à du bois sec qui craque — un bruit qui est synonyme de guerre depuis l'invention de la poudre à canon.

Marie l'avait entendu aussi et ses doigts se serrèrent sur les miens pendant que s'effaçait son sourire.

— Il se peut que vous ne savouriez pas l'heure qui vient, soulignai-je.

— Oscéola disait qu'ils n'attaqueraient pas avant le matin ?

— Peut-être les a-t-il mal jugés — pour une fois.

Il y eut un second crépitement d'arme à feu, beaucoup plus proche que le premier, et auquel se mêlait le bruyant défi d'une trompette de cavalerie. Dans les arbres, déjà une douzaine de guetteurs avaient amorcé leurs fusils. Je regardai les sentinelles s'étaler en éventail, se préparer à combattre en tirailleurs, en même temps qu'une phalange de guerriers enfilaient la route charretière, juste au-delà du camp. Une année de combat avait porté ses fruits de bronze : les braves commandés par Oscéola s'étaient depuis longtemps fondus en un efficace et compact instrument de guerre.

— Don Quichotte lui-même ne chargerait pas dans une telle trappe ! dis-je.

— Est-ce vraiment la cavalerie, Charles ?

— A ce qu'il semble. Il y a au fort une compagnie de dragons montés.

A présent, je me souvenais de la Withlacoochee et de la folle chevauchée de Campbell piquant droit dans une seconde embuscade. Il était difficile de croire qu'il commettrait encore la même erreur — même s'il avait cette fois désigné un officier d'état-major pour mener la charge à sa place.

Marie était debout : il fallut toute ma force pour la retenir à l'intérieur du chickee. Grâce à la conformation du terrain, la plus grande partie des abris étaient dressés dans un creux herbu. Le bourrelet de verdure au bord de la route et un rideau de chênes de tourbière assureraient aux wigwams une protection temporaire si le 1er dragons s'aventurait dans le camp, sabre au clair.

— Vous allez connaître pour la première fois le goût de la bataille, dis-je. Gardez la tête baissée et priez !

Alors, comme nous nous étalions à plat sur l'herbe, elle s'accrocha à moi. Pendant un bout de temps, nous restâmes ainsi, cependant qu'une autre volée soulevait une brume de fumée sur la route. Puis, aussi soudainement qu'il avait commencé, le feu cessa.

— Pourquoi se sont-ils arrêtés, Charles ? Les dragons ont-ils traversé le camp ?

— Bien loin de là ! Ils ont fait halte quelque part vers l'ouest.

La vérité de ma prédiction fut soulignée l'instant d'après, quand un poney de l'armée entra dans le camp, sans cavalier, se cabrant follement, comme s'il voulait se débarrasser d'un fardeau qui le gênait. En moins de rien, le camp sembla plein de chair animale devenue folle. La plupart de ces montures furent laissées libres de galoper, inoffensives, dans la broussaille environnante. Par-ci par-là, je vis des squaws arrêter les moins rétifs de ces animaux, les entraver rapidement et les charger de matériel. D'autres furent placés dans les harnais de ces grossiers traîneaux tripodes qui étaient les seuls moyens de transport lourd des Indiens.

Marie et moi continuions à nous cramponner au douteux abri des chênes de tourbière jusqu'à ce que les guerriers eux-mêmes commencent à rappliquer vers le camp avec Oséola en avant-garde. Un regard vers son visage et je sus que nous n'avions rien à redouter pour le moment. Je m'en sentis suffisamment convaincu pour me lever de ma cachette et aller me placer au côté du chef.

— Le régiment de Fort Brooke vous poursuit-il ?

— Pas encore, Charlo, dit-il avec cette expression grave que je connaissais bien. Il n'y a que quelques pelotons en campagne ; ils sont retranchés derrière des parapets sur la route de Tampa, à quelque trois milles vers l'ouest. Nos éclaireurs surveillent leur marche depuis l'aube.

Je regardai Marie, qui nous avait rejoints sur la route de fascines : trop tard, je m'aperçus que plusieurs de ces braves portaient des scalps sur leurs tomahawks dressés. Ils commençaient déjà à fixer ces hideux trophées à une perche, vers le centre des huttes. Un instant de plus et la rituelle danse de guerre commencerait à tourner, avec cet affreux totem en guise de moyeu. Le fait même que les Séminoles pouvaient s'attarder à ce genre de célébration prouvait que la poussée de l'ouest, quel qu'en fût le motif, avait été brisée sans possibilité de reprise.

— Avez-vous attaqué les parapets, *jefe* ?

Oscéola secoua la tête.

— Ils n'ont pas osé envoyer un escadron contre notre position. Ce n'était qu'une épreuve de notre force et, comme vous l'avez vu, une épreuve qui a mal tourné pour eux.

— Craignez-vous une seconde attaque ?

— Pas avant le matin, Charlo, si même elle se produit alors. D'autres soldats sont en route à l'est de Fort Brooke, mais ils progressent lentement, par crainte d'une embuscade. Ils se sentiront plus craintifs encore, à présent qu'ils ont perdu leur commandant.

En dépit de ma volonté, mes yeux s'égarèrent vers la perche aux scalps. Il s'y trouvait plus de trente trophées quand le cercle des guerriers entama sa danse lente et piétinée. J'entendis que Marie avait un hoquet d'horreur et je sus qu'elle aussi se demandait si les cheveux d'Alan faisaient partie de cette macabre exhibition.

— L'homme nommé Campbell vit toujours, dit Oscéola. Il a été pris selon mes ordres — en même temps que son aide de camp.

Il se fraya un passage à travers un rassemblement de guerriers qui venaient d'arriver sur la piste. Marie et moi demeurâmes immobiles quand nous entrevîmes deux habits bleu ciel au milieu de la mêlée de membres de cuivre. Un murmure de haine, une sorte de hululement lent et sourd, monta de tout le camp, les squaws et les guerriers s'écartant du même mouvement pour laisser le passage aux captifs.

Campbell marchait le premier, le menton sur la poitrine et les cheveux sur le visage. Tom Beaufort, le lieutenant, roide comme une baguette de fusil, qui lui servait d'aide de camp, avançait sur les talons de son colonel, une paire de canons de fusil lui taquinant l'échine. Les deux hommes étaient étroitement ligotés et attachés l'un aux poignets de l'autre par une lanière en peau brute. Au premier coup d'œil, ils ne paraissaient pas blessés bien que leurs uniformes fussent couverts de poussière et que Campbell eût sur l'épaule une longue traînée verdâtre qui suggérait un contact violent avec le sol. Puis, à mesure qu'ils approchaient, je distinguai juste au-dessus de sa botte une tache rouge sombre qui s'élargissait, et je me rendis compte que sa marche n'était que l'aveugle trébuchement d'un homme épuisé jusqu'au vertige.

Marie le remarqua aussi et fit un pas dans la direction de son mari. Un garde la repoussa de l'épaule et elle retomba en arrière dans le cercle de mes bras. Campbell déjà était passé, moitié tournoyant, moitié titubant, sans lever les yeux. Beaufort, qui n'était pas blessé, m'adressa un regard désespéré, puis fut violemment poussé dans le cercle des huttes.

Une centaine de guerriers semblèrent converger sur les deux silhouettes vêtues de bleu, les effaçant à notre vue dans un immense nuage de poussière.

En cette minute, je me sentis assuré que les deux captifs allaient être dépêchés sur-le-champ et je gardai Marie dans une étreinte serrée pour la détourner de ce spectacle et l'en préserver. Puis, sur un mot crié par Oscéola, les guerriers se reculèrent, suffisamment pour me permettre de voir le lieutenant et le colonel adossés l'un à l'autre. Beaufort considérait ses ravisseurs avec une sorte de mépris glacé qui lui gagna mon admiration rétive. Campbell, blessé comme il l'était, couvert de boue jusqu'aux yeux, ressemblait plutôt à un épouvantail qu'à un soldat. Seul, le bras robuste que son aide de camp avait réussi à passer sous le coude de son supérieur, pendant qu'ils oscillaient au milieu des piétinements de la foule, le maintenait debout.

— *Finconnit !*

Le silence fut immédiat dès que la voix de stentor d'Oscéola se fut fait entendre par-dessus la poussière qui commençait à se déposer. Le Séminole étendit largement les mains, contraignant le cercle à se distendre jusqu'à ce qu'il s'y trouvât suffisamment de place pour que Marie et moi puissions y entrer.

— Il s'agit de nous préparer pour la marche. Laissez-moi les captifs.

Pendant un long et hostile intervalle, le cercle demeura immobile, et je sentais que la vie du colonel Campbell tremblait encore dans la balance. Puis, à contre-cœur, les Indiens, par groupes, s'éloignèrent pour rejoindre les squaws dans l'exécution des tâches que comporte la levée d'un camp. Seul, Coacoochee demeura, la colère de ses yeux masquée par un froncement de sourcils familier et sardonique, attendant qu'Oscéola parle de nouveau.

— Charlo, soigne sa plaie.

Je m'agenouillai à côté de Campbell et fendis avec mon couteau de poche la jambe de son pantalon. Le sang coulait d'un trou rond et propre, fait par une balle qui avait traversé les muscles de la cuisse, puis était sortie de l'autre côté sans endommager l'os. Je fis ce que je pus, utilisant un pansement de fortune. Ce ne fut qu'en levant les yeux de dessus ma tâche que je me rendis compte que Marie s'était approchée pour m'aider.

— Vivra-t-il, Charles ?

— S'ils veulent bien le laisser vivre. C'est Oscéola qui en décidera, pas moi.

Nos voix n'avaient été que de faibles murmures. Campbell, qui avait reçu mes soins sans que le moindre indice permît de croire qu'il m'avait reconnu, chancelait toujours dans la poigne de fer de Beaufort. Comme je finissais de serrer le bandage, je vis la tête du blessé retomber et je sus qu'il s'était évanoui tout debout.

— Il ne pourra pas suivre la marche, dis-je.

— On le portera, dit calmement Oscéola. Sur le lit de sangle.

Sa voix était dépourvue de toute sonorité, de toute

inflexion. Il indiquait la chose à faire, sans plus. Les yeux qui rencontrèrent les miens étaient glacés. Je n'osai poser aucune question : quoi qu'il eût décidé au sujet des captifs, il n'était pas préparé à communiquer ses plans pour le moment. Pour le moment, il suffisait que Campbell vécût encore.

Nul d'entre nous ne bougea quand quatre robustes guerriers apportèrent le lit de sangle et laissèrent choir Campbell dans le nid de fourrures. Beaufort tourna vers moi des yeux débordants d'une prière silencieuse quand ses mains furent de nouveau liées et attachées à un des montants du lit. J'eus beau chercher un mot de réconfort, ma mémoire ne m'en fournit aucun, mon imagination pas davantage. La situation des deux officiers semblait vraiment désespérée et je craignais qu'un geste amical, si furtif fût-il, ne fît qu'aggraver leur cas.

Marie ne poussa qu'un seul cri, quand les quatre braves (soulevant le lit de sangle avec une aisance trahissant une longue pratique) s'en allèrent vers la route charretière en un trot qui devint bientôt une course à longues foulées faciles. Oscéola se tourna vers elle et leva la main dans un geste de congédiement, avant d'aller à grandes enjambées surveiller la désagrégation du camp. Coacoochee trottait sur les talons du chef.

— Je ne comprends pas, Charles. Pourquoi l'ont-ils épargné ?

— Ordres d'Oscéola. Pour des raisons à eux. Comme ils nous ont pris pour des raisons à eux. Je présume qu'ils décideront de son sort au prochain powwow.

— S'il est marqué pour l'exécution, pourquoi n'en finissent-ils pas ? Ce n'est pas là agir humainement.

— Les Indiens, sur le sentier de la guerre, vivent suivant des règles qui ne sont pas les nôtres. Le fait qu'ils nous ont permis de panser sa plaie témoigne qu'ils le veulent bien portant. Prenons cela comme un signe favorable et attendons la prochaine halte.

Je n'ajoutai pas que le chef suprême de la nation n'était point Oscéola mais Micanopy ; si Campbell et Beaufort n'avaient pas, sous nos yeux, été achevés au tomahawk, cela ne prouvait rien au-delà du fait que, probablement, ce serait au vieux chef à décider de leur sort.

V

CAMPBELL, TOUJOURS !...

La route jusqu'à la mer Herbeuse était beaucoup plus longue que je ne l'avais pensé. Notre trajet rendit le voyage plus long encore, car Oscéola fit prendre le large à sa colonne pour éviter Fort Dade. S'il l'avait voulu, il aurait pu sans peine écraser ce petit avant-poste avec les forces dont il disposait ; à vrai dire, le Conseil en discuta au cours de notre seconde nuit sur la piste, et le vote repoussa l'attaque du poste à une faible majorité. Le chef des Séminoles — et sa stratégie était à présent transparente à chacun des guerriers — voulait atteindre la rive de ces glades aqueux en un temps très bref, avant que le général Jesup ait pu être mis au courant du drame de Fort Brooke et le rejoindre en terrain découvert.

Nous n'avions que fort peu de nouvelles de Campbell et de son aide de camp, nous avions besoin de toutes nos forces pour garder l'allure de la colonne. Coacoochee venait nous voir de temps en temps, nous parlait du paradis des chasseurs qui nous attendait, mais détournait la conversation si je me hasardais à le questionner sur la santé de l'occupant du lit de sangle. De loin en loin, j'apercevais l'étrange fardeau que des équipes d'Indiens emportaient en se relayant.

Bien qu'aucun effort ne fût fait pour nous en empêcher, aucune garde préposée à notre surveillance, je ne m'aventurai pas dans la direction du lit, et je conseillai à Marie de demeurer, elle aussi, à distance.

— Mais il est encore mon mari, Charles ! même si j'ai décidé de me séparer de lui — et un Blanc !

— S'il a besoin de soins, on nous enverra chercher. En dehors de cela, il n'est rien que nous puissions entreprendre pour les aider l'un et l'autre.

— La plaie d'Alan paraît grave. Ne s'enflammera-t-elle pas ?

— C'est une balle qui a traversé de part en part, sans rien briser. Il y a au moins une chance sur deux pour que la blessure guérisse proprement.

Je n'ajoutai pas que les secousses constantes infligées au lit par la route et la course n'étaient probablement pas le meilleur traitement à conseiller pour un blessé. Et je n'ajoutai point que la nuit précédente j'avais rampé silencieusement tout le long de la rangée des hommes endormis pour parvenir jusqu'à Campbell. Ce n'eût été que décrire le colonel gémissant et geignant de souffrance, et Beaufort maudissant leurs ravisseurs en trois langues différentes, tandis qu'il s'efforçait à apaiser son supérieur et à l'amener à un sommeil agité.

Au soir du quatrième jour, la colonne descendit par de nombreux lacets jusqu'à la berge d'un long lac en forme de doigt, au sud duquel s'étendait une vaste superficie de verte savane. Nous avions rejoint, sur la rive nord, les anciens et les enfants de la nation, partis en avance, et qui, avec l'aide de quelques dizaines de Noirs, avaient dressé un camp de fortune. Les Nègres travaillaient à toute vitesse, abattaient des cyprès, les creusaient et déjà avaient terminé un certain nombre de dugouts. La hutte de Micanopy se dressait au bord de l'eau, une impressionnante bâtisse au milieu du bois, construite en pins fendus et feuilles de palmette, à côté de laquelle s'élevait le chickee d'Oscéola... L'inévitable Feu du Conseil brûlait devant la porte où le vieux chef était installé en pompe, entouré de plusieurs de ses femmes qui, pour s'occuper de le servir, avaient accompagné le premier cortège de partants.

Des cris de bienvenue nous accueillirent de toutes parts, tandis que nous débouchions sur le terrain du Conseil. Oscéola donna quelques ordres essentiels et immédiats, fit se débander la colonne et envoya chaque groupe familial vers le bout de terrain qui lui était d'avance assigné. Seuls, les chefs et les deux prisonniers demeurèrent devant le feu.

Marie et moi étions restés sur la rive, en attendant que le chef séminole nous appelât. Durant toute la longue marche, son attitude avait été à la fois bienveillante et distante.

— Tu peux soigner la plaie de Campbell, Charlo, dit-il. La femme-des-livres peut aider si elle le désire.

Campbell était assommé par une fièvre violente, bien que je fusse certain qu'il m'avait reconnu pendant que je lui donnais toute l'aide qu'il était en mon pouvoir de lui apporter. La blessure par elle-même ne paraissait pas grave, quoiqu'elle fût loin d'être guérie. Ce qui me préoccupait le plus, c'était sa peau sèche comme du papier et son pouls follement rapide. Comme je m'y étais attendu, le long parcours épuisant et poussiéreux avait aidé à se révéler une maladie cachée, une de ces « fièvres d'origine indéterminée » qui causaient tant de ravages, depuis un an surtout, et dont le nom vague à souhait couvrait un monde d'ignorance médicale dans le vocabulaire des médecins frontaliers.

— Va-t-il mourir ?

Je devinais la terreur sous-entendue dans la question de Marie. Le fait qu'elle avait été assez irréfléchie pour parler anglais en était une preuve suffisante. Lui répondant en séminole, je ne risquai pas un œil vers le cercle des guerriers hostiles.

— Le Grand Esprit fera connaître son jugement par la voix d'Oscéola. Qui sommes-nous pour discuter la sagesse infinie ?

— Si le pansement est terminé, Charlo, dit Oscéola, qui était demeuré à mon côté, immobile et les bras croisés, tu peux emmener ta squaw jusqu'à votre abri. Vous aurez besoin de repos après ce long voyage.

Je guidai Marie vers la hutte sise à la droite du chickee d'Oscéola. Celui-ci nous suivit, tandis que les autres chefs, assis en cercle sur leurs talons autour du lit de sangle, attendaient en silence son retour. J'aidai Marie à monter à l'échelle qui conduisait à notre plate-forme.

Le fait qu'Oscéola nous avait accordé l'honneur de son escorte me réconfortait quelque peu.

— Es-tu exécuteur ce soir, *jefe*? demandai-je en espagnol.

— Il mourra si j'en donne l'ordre. Désires-tu sa mort ?

— Dieu du ciel, non ! m'écriai-je avec indignation. Je ferai tout ce qui dépendra de moi pour le sauver.

— Dieu du ciel, et pourquoi donc ? fit Oscéola.

Le fait qu'il invoquât la divinité sous cette forme et en espagnol, lui aussi, semblait étrangement peu en accord avec ses pensées.

— L'homme nommé Campbell est un membre de ma race. Je ne peux pas vouloir sa mort.

— Bien qu'il ne soit que malice et méchanceté ?

— Bien que ! Il n'en a pas moins une âme et, si je le puis, je dois le sauver.

Oscéola revint à sa langue maternelle.

— Le mot âme est beau en espagnol, dit-il. Je suis bien obligé de l'employer puisqu'il n'en existe pas l'équivalent dans notre langue. *Alma. Alma de mi corazon,* âme de mon cœur. Coacoochee dit que cela exprime ton amour pour la femme-des-livres.

Je donnai un coup d'œil vers la hutte et vis que Marie était retirée dans le coin le plus éloigné, où elle était assise sur le sol, la tête entre ses bras.

— Dans notre monde, dis-je, l'homme tue par haine, jamais par amour. Notre conscience ne le permet pas.

— Voilà encore un mot dont tu te sers et que je ne puis comprendre. A quoi sert cette conscience, si elle permet au mal de croître et de prospérer ?

— Il y a, dans notre religion, un commandement qui interdit de tuer. Parfois nous le violons pour prouver notre haine et pour faire la guerre. Mais nous ne pouvons tuer par amour. Il n'y a pas de mots séminoles qui permettent de t'expliquer pourquoi.

— Le monde serait un endroit plus vivable si Campbell n'y était plus. Cette chose que tu appelles conscience souffrirait-elle si c'était *moi* qui le tuais — pour me montrer ton ami ?

— Sûrement oui, *jefe,* elle souffrirait.

— Regarde vers le Feu du Conseil et dis-moi ce que tu voudrais que je fasse.

Pendant notre conversation, nous étions restés sur la plate-forme du chickee, élevé, comme c'est la coutume sous ces latitudes, sur pilotis, à quatre bons pieds au-dessus du sol. Grâce à cette altitude, je pouvais surveiller l'ensemble du camp, et ce que je vis me glaça jusqu'aux moelles.

Un large cercle cabriolant s'était déjà formé autour du terrain du Conseil; un peu au-delà, un tambour palpitait à un rythme sourd et menaçant ; les battements en étaient obscurcis par un millier de piétinements continus... Des lances et des tomahawks étincelaient de tous côtés dans cette masse tournoyante et chaque geste était dirigé vers le lit de sangle où le colonel Alan Campbell s'agitait en plein délire. La volonté collective de la nation était, semblait-il, exprimée d'avance, avant même que le Conseil ait pu délibérer.

Les chefs, eux, conservaient encore leur dignité. Toujours groupés dans la même attitude depuis leur arrivée, ils semblaient indifférents à la danse de mort qui évoluait derrière eux ; même quand un danseur, un peu plus hardi que les autres, s'approcha du lit à quelques pieds seulement de distance avant de regagner sa place, les chefs ne firent pas mine de s'en apercevoir.

Micanopy, tirant sur sa calebasse à la place d'honneur, avait tourné dans notre direction un regard méditatif, mais ni lui ni les autres ne donnaient aucun signe d'impatience.

Ce qu'Oscéola avait dit n'était que trop vrai : les chefs voteraient d'une seule voix pour se venger de la trahison de Campbell. Comment un autre Blanc pourrait-il renverser le flot ?

— Tu as parlé en faveur de ton ennemi, Charlo. Il est temps à présent que nous votions.

— Le vote est déjà acquis, Oscéola. Tu le sais.

— Parle aux chefs, si tu le veux. Tu as ma permission de t'adresser à eux.

Je respirai profondément et inclinai ma tête devant cet honneur. Derrière nous, j'entendis Marie pousser une exclamation étouffée et je me rendis compte qu'elle avait suivi point par point ma lutte pour la vie de son mari. Le droit de s'adresser à un powwow n'était que rarement accordé à un étranger, et, dans ce cas, à quelque sachem d'un autre clan s'il s'agissait d'arriver à un accord important.

— *Gracias, amigo mio,* dis-je. Je me ferai entendre.

Oscéola lança un seul commandement et sauta de la plate-forme au sol. Je le regardai prendre sa place au Conseil, puis j'étendis les mains au-dessus de la multitude — et le murmure hostile s'éteignit.

— Grands chefs de la nation, guerriers séminoles, écoutez votre ami Charlo.

Les mots avaient amené le silence à leur suite. Je permis au silence de s'établir complètement, cependant que de tous les côtés du campement hommes et femmes convergeaient vers les bords du terrain du Conseil et que le dernier danseur cessait sa giration. Le tambour me semblait palpiter et battre encore dans ce calme immense : au bout d'un temps, je m'aperçus que c'était le choc de mon propre pouls, insistant dans mon cerveau comme quelque marteau monstre.

— Vous avez été trahis à Tampa Bay — je le reconnais. Ce soir, celui qui vous a trahis est parmi vous, au milieu de vous, pour être puni comme vous le jugerez convenable...

Je m'étais attendu à ce qu'un mugissement d'assentiment souligne ces mots : le silence qui continuait à m'envelopper était beaucoup plus réfrigérant. Je forçai ma voix à s'élever plus haut que ma crainte.

— Votez la mort si vous estimez devoir le faire. Je serai le dernier à vous en blâmer. Mais — avant qu'il meure — posez-vous une question : ne sera-t-il pas plus utile comme prisonnier que comme cadavre ?

Oscéola se leva au milieu du Conseil et, à son tour, étendit les mains pour réclamer l'attention.

— Comment pourrions-nous nous servir d'un traître, Charlo ?

— Soignons-le pendant sa fièvre. Je suis suffisamment médecin pour le guérir et la femme-des-livres m'aidera. Quand il sera assez bien portant, qu'il envoie son lieutenant au général Jesup avec un message. Un papier-qui-parle qui persuadera les soldats blancs de nous laisser en paix.

— Jamais il n'écrira un papier de ce genre.

— La femme-des-livres l'écrira, dis-je. Campbell le signera pour sauver sa vie. Cela du moins je puis vous le promettre sur mon honneur.

— Que dira le papier-qui-parle ?

— Que vous avez trouvé un lieu de résidence — si profondément enfoncé dans le Payahokee que les soldats ne pourront jamais vous déloger. Que tout ce que vous demandez, c'est d'y vivre vos jours au calme. Que vous jurez de ne jamais dépasser par le nord la rivière nommée Peace et que vous enterrerez la hache de guerre dans le terrain où nous campons — et l'y laisserez enterrée.

Les chefs, à présent, discutaient entre eux à furieuse allure. Si attentif que je fusse, je ne pouvais découvrir si le vent avait tourné. Seul Oscéola, ferme comme un roc au milieu des courants contradictoires, put proposer une réponse finale comme conclusion à ce tintamarre.

— Si nous épargnons Campbell et s'il signe un papier qui doit nous apporter la paix, *faudra-t-il qu'il vive ensuite* ?

— Oui.

— Il nous a trahis à Tampa Bay.

— Vous êtes des Séminoles, et donc des hommes d'honneur. Vous ne pouvez pas rendre le mal pour le mal. En outre, il aura une grande valeur comme otage. Aussi longtemps qu'il vivra, le général Jesup hésitera sûrement à marcher contre vous.

A nouveau le tintamarre infernal monta de l'obscurité. Je vis le cercle se resserrer, l'acier luire, et je me dis que jamais ce que je considérais comme la sagesse ne parviendrait à vaincre la haine.

— Je n'en dirai pas davantage, m'écriai-je. L'homme nommé Campbell est votre prisonnier ; usez de lui à votre guise.

Oscéola réclama l'ordre ; il y avait quelque chose dans le ton de sa voix qui arrêta net le tohu-bohu.

— Charlo a parlé en vérité. Pesez ses mots avant de voter. Qui votera le premier ?

Coacoochee fut debout instantanément, réclamant la mort. Ainsi firent la plupart des jeunes chefs. Assez curieusement, le premier qui interrompit cette succession fut Alligator. Il contourna le cercle à grandes et lourdes enjambées, effigie rouge et trapue de Belzébuth, dévisagea chacun tour à tour, lès yeux dans les yeux, et proposa d'épargner la vie de Campbell. Après cela, le vote oscilla entre les oui et les non, la majorité semblant toutefois acquise à la condamnation à mort.

Le dernier à proclamer son vote fut le chef de guerre lui-même. Je fus à peine surpris quand Oscéola, se penchant vers Micanopy, lui chuchota quelque chose à l'oreille et, main levée, réclama ensuite le silence. Cette fois, il ne fut pas besoin de commander le retour à l'ordre : il s'effectua de lui-même et les langues mues par la volonté du conflit s'arrêtèrent.

— Le gouverneur des Séminoles votera avec moi, dit Oscéola. A son point de vue, l'avis de Charlo est bon. Il se range à cette sagesse.

— Cela veut-il dire, questionna Coacoochee, que Campbell sera épargné ?

— Uniquement parce que sa vie sera un moyen pour servir à une fin, dit Oscéola. S'il refuse de signer le papier-qui-parle, je l'abattrai de mes propres mains.

— Et, s'il signe, lui donnerons-nous la liberté ?

— Pas avant que la paix soit assurée. Dans l'avenir seulement. Quand la trahison de l'homme blanc sera entrée dans l'histoire.

— Dans ce cas, dit sombrement le Chat Sauvage, il sera notre otage perpétuel.

— Ainsi soit-il. Discuterez-vous l'opinion du gouverneur ?

— Pas si ta voix et la sienne sont jointes, répondit Coacoochee — qui tourna le dos au Conseil, un mouvement que les autres boutefeux imitèrent.

Oscéola grimpa sur le porche du chickee de Micanopy et s'adressa au peuple d'une voix de stentor :

— Il a été voté en ce jour d'épargner la vie de Campbell ; Charlo et la femme-des-livres le soigneront pour le guérir afin qu'il puisse faire hâter notre prise de possession de la mer Herbeuse.

» Il logera dans un wigwam de prisonnier avec le lieutenant nommé Beaufort. Il y aura jour et nuit un garde à chaque piquet de leur tente. Pendant ce temps, nous travaillerons dans la forêt de cyprès avec nos alliés noirs pour y construire de plus en plus de dugouts ; les squaws déterreront des racines de coonties et prépareront de la viande fumée pour notre voyage. Si d'autres veulent se joindre à nous, il leur sera facile de nous atteindre. Si les soldats blancs veulent livrer bataille, ils nous trouveront prêts... »

Ici, Coacoochee parla de nouveau, le dos toujours tourné :

— Et si la fièvre tue Campbell ? Vous permettrez donc à la maladie de nous avoir dérobé notre vengeance ?

— Charlo est un trop bon médecin pour le laisser mourir, fit Oscéola — et j'aurais pu jurer qu'il souriait en prononçant ces paroles. Il a une médecine qui passe la compréhension. *La nation accorde-t-elle sa confiance à Charlo ?*

Le rugissement approbateur qui accueillit la question m'aurait réchauffé le cœur à tout autre moment. Ce soir je ne pouvais que remercier par un sourire ceux qui me votaient leur confiance. Si désespérée qu'elle eût été, cette première manche de ma partie était gagnée. Le plus obtus des guerriers de cette effervescente multitude avait compris la sagesse et la portée de mon point de vue. Ce serait évidemment une autre chanson si la fièvre enlevait Campbell et me laissait les mains vides.

— Conduisez-le à la tente du bord de l'eau, dit Oscéola. Charlo ira le soigner dans quelques instants.

— Et que fait-on du lieutenant nommé Beaufort ? s'enquit Alligator.

— Le wigwam est assez grand pour deux, dit Oscéola.

A présent que le but était atteint, le chef paraissait soudain très las.

— Beaufort peut donner une partie des soins, ajouta-t-il.

Sur quoi le Conseil se sépara. S'il y avait eu de l'hostilité dans l'air, elle n'était plus vraiment menaçante pour Campbell, car le lit de sangle avait été emporté dans l'obscurité.

Par-ci par-là, une hache brillait encore d'une lueur furtive, mais, pour la plupart, les guerriers semblaient accepter de bon esprit l'autorité d'Oscéola, regagnaient leurs feux de cuisine et, bergers paternels, dirigeaient leurs petits vers le repas du soir. Les seules signes de tension qui subsistaient encore se manifestaient autour du Feu du Conseil — et, même là, les groupes se disloquèrent promptement après la dernière question d'Alligator.

Oscéola suivait à présent, du seuil de mon wigwam, la dispersion de l'assemblée et conservait son attitude de hauteur bienveillante.

Il parla soudain, il murmura plutôt, en espagnol, pour les oreilles de Marie et les miennes :

— Il sera en sûreté pendant un bout de temps, cela je puis te le promettre, Charlo. Ce qui arrive le lendemain est une chose que jamais nul homme ne peut prédire.

— Je ne saurais suffisamment te remercier, *jefe*.

— Réserve tes remerciements, ami. Puissions-nous ne pas avoir à regretter plus tard notre travail de ce soir.

VI

OU MARIE TROUVE QUE LA CIVILISATION
EST PARFOIS DIFFICILE A SUPPORTER

Je constatai que Campbell était beaucoup plus gravement malade que je ne l'avais supposé lors de mon examen superficiel au Feu du Conseil.

Jusqu'à ce que la fièvre le quittât, nous ne pouvions pas faire grand-chose de plus que l'envelopper de couvertures et lui administrer de la teinture d'écorce du Pérou que certains médecins appelaient quinine, spécifique souverain contre les maux de cette nature. Cette quinine provenait de mes sacoches, que Coacoochee avait rapportées, et d'où provenait aussi le flacon de grossier whisky d'arrière-pays que je remis à Beaufort après qu'il eut accepté de veiller le patient jusqu'au matin.

Quand je revins au campement d'une vingtaine d'abris en feuilles de palmier, les marmites exhalaient un arôme tentant. Marie s'activait autour de son propre foyer de cuisine. Ainsi que la plupart des guerriers, je m'accroupis sur les talons à côté de ce foyer qui était aussi le mien et je la regardai, impassible, pendant qu'elle se penchait sur la marmite pour me servir une portion du savoureux ragoût de gibier qui mijotait.

— Ne dînez-vous pas avec moi ?

— Naturellement pas ! répondit-elle, les yeux baissés, mais avec une note de gaieté dans la voix. Voulez-vous scandaliser la tribu ? Avez-vous oublié qu'une squaw ne dîne que quand l'homme à terminé ?

Sachant que des yeux étaient fixés sur nous, je ne présentai nulle objection et, quand j'eus mangé à ma faim, j'allumai ma calebasse. Tant que nous avions traversé le marais, nous avions mangé au feu communal, étendu nos nattes sous les étoiles. Ce soir, j'éprouvai un curieux frisson d'anticipation quand Marie étala ces mêmes nattes sur la plate-forme surélevée du chickee et s'écarta avec déférence pour me laisser passer dans l'intérieur ombreux.

Le wigwam était doucement parfumé par l'haleine du soir. De l'autre côté du lac, l'appel d'un engoulevent ne faisait qu'accentuer le calme qui commençait à descendre sur le camp, tandis que les derniers Séminoles éteignaient leurs feux et se préparaient au sommeil.

Convaincu que, pour ma part, le sommeil me fuirait, je m'allongeai sur une des deux nattes et j'attendis impatiemment que Marie en eût terminé avec ses tâches ménagères. Sur la piste, un sommeil accablé saisissait immédiatement les corps écrasés de fatigue. Je ne pouvais, ce soir, que prier pour que l'active conscience qui m'avait soutenu au Feu du Conseil me soutienne encore dans l'épreuve qui m'attendait à présent...

— Etes-vous éveillé, Charles ?

J'ouvris les yeux dans la pénombre pleine d'arômes. Bien que Marie reposât à côté de moi, je ne l'avais point entendue gravir l'échelle. Ses doigts s'enlaçaient aux miens — c'était une habitude que nous avions prise sur la piste. Je n'osai pas tourner la tête dans sa direction, j'entendais sa respiration douce et régulière et je la sentais aussi épuisée que moi, d'une fatigue plus profonde que la fatigue de la chair. Pourtant, je le savais, son esprit était parfaitement alerte.

— Dites-moi quelles sont ses chances. *Il faut* que je sache.

— Si la fièvre le quitte, il vivra, dis-je. Pourvu qu'il accepte de prendre des ordres.

— Alan n'a jamais pris un ordre de sa vie, sauf dans l'armée.

— Il a donc des progrès à faire et il les fera certainement. Dès qu'il pourra tenir une plume, il devra signer ce papier pour le général Jesup. Qui mieux est, il devra admettre le fait qu'aux yeux des Séminoles vous n'êtes plus sa femme. Tant qu'il est le prisonnier d'Oscéola, il faut qu'il vive à l'écart du camp : dès que nous serons dans la mer Herbeuse, il est très probable qu'ils l'installeront sur une île déserte. Pendant tout ce temps, évidemment, vous continuerez à me servir de squaw ; ce que nous pourrons tenter de mieux sur ce point sera de l'assurer que ce n'est là un mariage que de nom...

— Il ne vous croira jamais, Charles. Et il n'acceptera pas de telles conditions. Il ne peut vivre sans orgueil.

— N'en soyez pas trop sûre ! Un homme payera toujours cher pour sa vie. Et Dieu sait que nous n'avions d'autre moyen de le sauver.

— Regrettez-vous d'avoir réussi ?

— Je ne prétends pas qu'il soit un hôte très bienvenu, dis-je. Toutefois, il *fallait* que j'agisse comme j'ai agi ce soir. Autrement je n'aurais pu continuer à vous aimer.

Je l'entendis gémir doucement dans l'obscurité et ses lèvres cherchèrent les miennes. La tenant contre moi et sentant les battements de son cœur, je savais que je n'avais qu'à le vouloir pour qu'elle m'appartienne et qu'elle aspirait à l'acte de possession aussi fiévreusement que moi-même. Mais, en même temps, je sus que j'aurais la force de l'écarter de moi pour cette nuit et que dans la claire lumière du matin nous nous réjouirions tous les deux de ce courage.

— Je suis à toi, Charles. Entièrement à toi — de corps, d'esprit et de cœur. Y a-t-il quelque importance à ce que tu me prennes à un moment plutôt qu'à un autre ?

— Une grande importance, dis-je. On ne peut construire la vie sur la mort et espérer y trouver tout de même du bonheur. Et on ne peut priver un mari de sa femme sans lui donner sa chance de lutter.

— Qu'allons-nous faire ? Si même ils nous rendent demain la liberté, comment pourrions-nous lutter contre lui ?

— C'est un problème que nous aurons à résoudre plus

tard. Pour l'heure, je ne suis sûr que d'une chose : c'est que nous ne pourrons jamais nous sauver sans faire tous nos efforts pour le sauver aussi. Autrement, nous ne pourrions pas nous considérer comme civilisés.

— En ce qui concerne la civilisation, ne vous arrive-t-il jamais de perdre légèrement patience ?

— Plus que légèrement. La vie serait tellement plus simple pour nous deux si nous étions nés Séminoles !... encore qu'elle ne soit pas tellement simple pour les Séminoles non plus...

La pression de ses doigts sur les miens comme elle s'installait dans le sommeil était la seule réponse dont j'eusse besoin. Marie Campbell était mienne, de l'unique manière qui importât — quoiqu'elle ne pût jamais m'appartenir réellement tant que mon compte avec son mari ne serait pas réglé. Campbell et moi devions nous livrer cette bataille sur un pied d'égalité quand cet épisode de captivité ferait partie du passé. Si je dormis profondément cette nuit-là, ce fut uniquement parce que je savais avoir fait tout ce que je pouvais pour rendre possible cette rencontre.

ONZIEME PARTIE

OU TOUT, UNE FOIS DE PLUS, EST REMIS EN QUESTION

I

UN RISQUE ET UNE ESPERANCE

UNE SEMAINE S'ECOU-
la avant que la fièvre abandonnât Campbell et qu'il nous fût possible de parler d'avenir d'une façon cohérente.

Pendant ce temps, venant de diverses directions, deux cents Séminoles peut-être nous rejoignaient. La plupart d'entre eux étaient des déserteurs de Fort Brooke, où l'évacuation de ceux qui acceptaient de partir pour l'ouest était à présent autant dire terminée. D'autres arrivaient de hammocks proches — petits groupes de résistance qui avaient combattu l'émigration et qui étaient aujourd'hui ardemment désireux de se joindre au mouvement vers la mer Herbeuse. Grâce aux armes qu'Oscéola avait secrètement mises à l'abri, à l'entraînement rigoureux de ses guerriers et à la fidélité enthousiaste et presque fanatique qu'il inspirait, le campement au bord du lac du Doigt était devenu une force formidable. Si formidable que je ne fus pas autrement surpris d'apprendre que le général Jesup avait prudemment décidé de maintenir sa propre armée à l'est du Saint John's et d'attendre les instructions de Washington.

Le matin qui suivit le tempétueux powwow auquel Campbell avait dû la vie, je m'éveillai au hennissement de nombreux poneys, juste à temps pour voir la tribu du roi Philip prendre le chemin du terrain de chasse qu'elle s'était choisi en Floride centrale — la région marécageuse qui borde l'Oklawaha, pas très loin de Millefleurs. Coacoochee, qui était resté en arrière des autres pour une ultime conversation avec Oscéola, s'arrêta ensuite auprès de notre feu de cuisine pour partager notre déjeuner. Il nous expliqua la manœuvre avec une franchise désarmante.

— Aucun chef parmi les Séminoles n'est plus respecté que mon père. Même Jesup comprendra qu'il s'en va en paix. Aucun colon ne convoite le marais qu'il s'est choisi pour terrain de chasse.

— Le Chat Sauvage pense en termes du passé, dis-je. Le général Jesup a l'ordre de déloger de Floride jusqu'au dernier Séminole. Pourquoi ferait-il une exception en faveur du roi Philip ?

— Les bourbiers et fondrières de l'Oklawaha sont profonds. Une fois que nous y serons établis, nous devrions être en sécurité. C'est une chance — un risque — qu'il nous faut courir pour le bien de la nation.

— Vous partez donc vers le nord avec plus d'un but ?

— Nos récoltes sont plantées en des coins secrets du marécage, dit Coacoochee. Pendant que les squaws les rentreront, nous chasserons et pêcherons jusqu'à ce que nos réserves soient pleines. Si la paix arrive au printemps, il se peut que nous votions la réunion avec nos frères de la mer Herbeuse. D'ici là, notre peuple ne sera pas aveugle, ses oreilles ne seront pas fermées.

— Cela paraît tout de même une manœuvre risquée.

— Toute guerre est risque, Charlo, et nous sommes encore en guerre, mais, si plus aucun combat ne se livre cette année, peut-être Jesup cédera-t-il quand il aura reçu les nouvelles de Campbell. S'il en est ainsi, nous n'aurons rien perdu. S'il en est autrement, Oscéola aura le temps de se préparer à une attaque.

— Crois-tu que l'armée vous laissera réunir vos forces ?

Coacoochee eut un mince sourire.

— Nous avons des amis à Saint-Augustin, qui sont au

courant de tout. Aujourd'hui, par exemple, nous connaissons jusqu'au dernier le nombre des dragons de Jesup. A Fort Brooke, la garnison n'ose pas quitter sa palissade, à présent qu'elle a mesuré notre force. Il en va de même à Saint-Augustin. De nouveaux soldats viendront, avec le temps — nous y sommes préparés. Aujourd'hui nous pourrions avancer jusqu'à pénétrer dans l'ombre du fort, et nul ne s'opposerait à notre marche. Telle est la terreur que répand sur la Floride le nom d'Oscéola.

II

OIGNEZ VILAIN, IL VOUS POINDRA !

La sagesse des paroles de Coacoochee pénétra mon esprit après mon premier entretien avec Campbell. Si faible qu'il fût, je m'étais attendu à ce qu'il invectivât furieusement contre moi du fond de son lit, dès mon entrée dans le wigwam du bord du lac. Au lieu de quoi, il m'écouta dans un silence maussade et ne parla que quand j'eus fini mon solennel exposé.

— Ainsi donc, il faut que je vous remercie de nouveau, Paige, pour m'avoir sauvé la vie.

— Essayez de comprendre que je n'aurais pu agir autrement. Pour l'heure, vous êtes bien un pion sur un échiquier, rien de plus. Oscéola vous emploiera comme il le jugera bon, c'est aussi simple que cela.

— Ainsi donc, il faut que je conseille à mon général en chef de terminer cette guerre aux conditions que fixera un renégat ?

J'eus du mal à garder mon calme, mais j'y parvins.

— La nation séminole est toujours une entité souveraine. Oscéola en est le chef choisi — et sa réputation de guerrier fera quelque jour le tour du monde. Eussiez-vous été moins avide à Fort Brooke, vous ne vous trouveriez pas devant cette menace. Comme sont les choses, le général Jesup doit discuter le mieux qu'il pourra.

— Et si je refuse de signer le papier que Marie prépare ?

— Ils découperont votre cœur hors de votre poitrine et ils le feront rôtir. Oscéola ne vous a épargné que parce que j'ai intercédé dans ce sens. S'il le voulait, il n'aurait qu'à y porter la torche pour mettre la Floride entière en feu — et nul ne le sait mieux que Jesup. Si vous lui conseillez un accord en somme peu coûteux, il est possible qu'il saute sur l'occasion.

— Vous ne connaissez pas le général. Donnez-lui jusqu'au printemps et il exterminera cette vermine. Washington n'acceptera aucune autre solution.

— Il y a un nouveau président à la Maison-Blanche, ne l'oubliez pas, dis-je. Et n'ayez pas la prétention de deviner ses pensées. Il se peut qu'il soit un pacificateur résolu, s'il croit qu'Oscéola tiendra parole.

— Depuis quand un Indien a-t-il tenu parole ?

Je me détournai du lit de sangle et de l'homme malade qui y gisait, pétulant malgré tout et se refusant à rencontrer mon regard. Je savais, sans avoir besoin de le lui demander, qu'il nous considérait comme des traîtres, Marie et moi, et qu'aucun argument ne le convaincrait que nous avions agi dans son intérêt aussi bien que dans le nôtre... A ses yeux, je n'étais guère qu'un Blanc qui s'assimilait aux indigènes et j'avais de quelque façon persuadé sa femme à lui, Campbell, de partager mon wigwam et ma philosophie.

Le fait qu'il devait sa vie à ce même Blanc indianisé était suffisamment indigeste. Le fait qu'il devait en outre collaborer à un plan de paix qui pourrait, dans une certaine mesure, accorder aux Séminoles leur objectif initial lui était proprement intolérable.

— Méditez un peu plus longtemps sur ces choses, lui dis-je. Mettez-vous bien dans la tête qu'un refus équivaut à la signature de votre arrêt de mort. Si vous signez ce papier, et si Jesup suit ce conseil, vous pouvez encore vous tirer de cette affaire avec les apparences d'un héros.

Je le quittai là-dessus, lui laissant ces arguments à remâcher, Beaufort à injurier et à découvrir qu'il lui fallait céder.

Ma supposition se révéla exacte : trois jours plus tard, comme les Indiens commençaient à lever le camp pour leur départ vers le sud, le lieutenant se présenta et demanda le papier.

— Il faut qu'il le signe en présence des chefs, dis-je.

— Il ne le fera jamais.

— Je vous avertis qu'ils commencent à s'impatienter. Comme vous pouvez le voir ils se préparent à partir vers leur nouveau terrain de chasse. Ou bien vous partez vers le nord avec la signature de Campbell au bas de ce papier, ou bien vous serez tous les deux de la provende pour les vautours.

Beaufort pâlit sous son hâle et repartit vers le wigwam du malade, avec un dernier — et éloquent — haussement d'épaules. Nous avions pris, lui et moi, la résistance et le défi de Campbell pour ce qu'ils étaient — le dernier geste boudeur et hargneux d'un homme qui avait atteint le fond de ses ressources et à qui rien ne restait que l'orgueil.

Cette nuit-là, le lit de sangle fut porté devant le Feu du Conseil pour que tous dans le camp pussent voir. Oscéola lui-même se tenait à côté, portant haut une torche, tandis que Beaufort plaçait le pupitre transportable de Marie sur les genoux du colonel. Celui-ci, dans cette lumière crue, ressemblait assez à une idole chinoise quand, à grands traits furieux, il zébra le papier de sa signature. Seuls dans son visage, ses yeux vivaient à force de haine et cette haine n'était pas bonne à voir.

Avant l'aube, le camp était en pleine activité. Vingt dugouts peut-être étaient déjà hors de vue, perdus dans le lacis de bourbiers au bout du long lac en forme de doigt. Micanopy et la plupart des vieux chefs étaient partis avec ce groupe, et les squaws avec les enfants suivirent en une seconde flottille une heure après le lever du soleil. Avec leurs rapides transports ils comptaient être établis à la nuit tombante au lieu qu'Oscéola et Coacoochee avaient de longue date choisi comme résidence permanente de la nation.

Envoyant leurs canoës dans le marécage en un long arc de cercle, les guerriers partirent les derniers afin d'être doublement certains qu'aucun mal ne pourrait atteindre les émigrants en route. Ils étudiaient ainsi leur parcours pour repérer toutes les approches éventuellement accessibles de leur nouveau terrain de chasse, pour le cas où le général Jesup se risquerait à tenter une incursion vers la mer Herbeuse. Oscéola, en chef qui ne laissait jamais une issue non gardée, se sentirait de la sorte assuré contre toute surprise.

A l'aube, Beaufort était parti vers le nord — avec une escorte qui le mènerait jusqu'à une journée de marche de Fort King. Le papier qu'il emportait ne demandait point de réponse ; comme le chef séminole l'avait dit lui-même, tout ce que la nation désirait, c'était d'être laissée en paix. Pour l'heure, en tout cas, ce serait trop demander que de compter sur une amnistie légale. Entraîné comme il l'était à penser avec un cerveau de Blanc, Oscéola savait que Washington le considérait à présent comme un hors-la-loi depuis qu'il avait faussé compagnie aux troupes de Jesup à Fort Brooke.

— Il faut laisser passer le temps, disait-il, debout à la godille de gouvernail d'un dugout. Aucun général ne se lancerait avant le printemps, avec des forces divisées. Nous planterons notre grain comme toujours, avec l'espoir que son cœur s'adoucira. Si nous pouvons récolter ce grain, et qu'aucun sang ne soit répandu dans les sillons, nous pourrons nous dire que la guerre a vraiment pris fin.

» Est-ce que je parle avec la langue d'un prophète, Charlo ? Ou bien les vents me sont-ils contraires ?

— Ce matin même, dis-je, la femme-des-livres et moi avons prié Dieu en lui demandant qu'une telle prophétie s'accomplisse.

Oscéola regarda à distance le canoë dans lequel étaient assises Marie et Chechoter ; le colonel Alan Campbell, capote militaire bleu ciel sur les épaules, était entre elles. Adossé à un banc de nage, il ressemblait curieusement à une poupée bourrée de son. A sa propre requête, Marie avait été désignée pour soigner son mari pendant les difficultés et les fatigues du voyage. Chechoter s'était portée volontaire pour lui servir de compagne et au besoin d'aide, puisqu'elles étaient les deux seules femmes restées en arrière avec le groupe des guerriers.

— L'homme nommé Campbell a d'autres espérances, me dit Oscéola en espagnol. Il est vraiment un homme de destinée, comme disent les hidalgos : il voudrait que les guerres durent toujours.

— Le relâcheras-tu si le général Jesup t'offre la paix ?

— Si tu le désires, Charlo, mais ce serait à contre-cœur parce que ce serait agir contre la sagesse.

Oscéola parlait aussi calmement que s'il discutait du sort d'un coursier.

— Le colonel est un tueur. Il est né pour tuer. Il est préférable que de tels hommes soient morts.

— Et si l'armée demande sa libération comme prix d'un traité ?

— Alors nous ferons un marché, évidemment. Mais de tels marchés sont choses du futur. Pour le présent, il est une chose que tu ne peux pas oublier. Cet homme a toujours été ton ennemi. Jamais il ne t'a haï plus amèrement qu'en ce jour.

Je regardai Oscéola, pendant qu'il dirigeait notre course vers le sud, aussi droite et précise qu'un trait de flèche, mais ses yeux étaient fixés sur l'horizon, vert comme quelque interminable rivage à la jonction de la savane et de l'eau.

Lorsqu'il parla de nouveau, il semblait à demi inconscient de ma présence.

— Quand on sauve la vie d'un ami, le lien se renforce. Quand on épargne un ennemi, rien n'augmente que sa haine. Méfie-toi de l'homme nommé Campbell, où que tu le rencontres par la suite. Aujourd'hui, ce n'est qu'un aigle plumé, il lui faut prendre son temps jusqu'à ce que ses rémiges aient repoussé.

Nous ne parlâmes plus avant qu'un très long temps fût écoulé. Tous les muscles, dans cet énorme dugout, étaient occupés à une pagaie. De temps en temps, les Séminoles chantaient un air joyeux tout en courbant le dos sur leur travail : cette première pénétration du Payahokee était une affaire d'attention aiguë, de concentration. La plupart d'entre eux avaient exploré ces bourbiers la semaine précédente sous la direction d'Oscéola. Les cartes qu'il avait tracées de la région au-delà étaient primitives, mais précises. Il y avait, autour de l'aventure, un esprit pionnier qui rendait les paroles inutiles.

On ne s'arrêta point pour le repas de midi. Ce ne fut qu'assez tard dans l'après-midi qu'Oscéola ordonna une halte sur le rivage d'une île de vastes proportions, où un énorme manglier s'élevait, telle une tour naturelle, sur un fond de blanche brume de chaleur.

Depuis une heure, la flottille descendait en simple file dans le bourbier qui coupait les hautes herbes du nord vers l'ouest, en une diagonale apparemment interminable. Ceux qui, dans d'autres canots, étaient chargés d'un complément d'exploration arrivaient par des canaux secondaires pour confirmer que celui que nous parcourions était bien l'artère principale qui coulait depuis le lac où se trouvait notre camp des jours précédents.

— Viens, Charlo, dit Oscéola. Et va chercher la femme-des-livres pour qu'elle nous accompagne. Cet arbre est notre première tour de signalisation. De son sommet, tu pourras voir notre résidence future et apprécier son étendue.

Campbell, à ce que je vis, s'était écrasé dans un sommeil d'épuisement, la tête sur les genoux de Chechoter. Marie vint immédiatement à mon appel. Avec Oscéola ouvrant la marche, nous escaladâmes les énormes racines saillantes du manglier, d'où nous gagnâmes les branches basses. Je m'aperçus alors que les Indiens avaient déjà creusé le long du tronc des espèces de marches et fixé des appuis aux points stratégiques. Ce fut alors une affaire simple et facile que d'atteindre le vaste champignon que formait le haut du manglier et sous lequel était solidement établie une plate-forme en feuilles de palmier étroitement nattées en travers de fortes branches de cyprès, l'ensemble protégé des éléments par un triangle en peau de daim. Un foyer y était installé, à côté duquel s'empilaient des nœuds de bois léger.

Ce ne fut que plus tard que Marie et moi enregistrâmes ces détails. Tout d'abord, main dans la main au bord de la plate-forme, nous ne pûmes que demeurer sans voix devant l'immensité du panorama qui se déroulait sous nos yeux. Rien, pendant notre trajet au long du canal bourbeux, parmi les hautes herbes qui, de toutes parts, bornaient la vue, ne nous avait préparés au spectacle qui nous attendait. De tous côtés, bien au-delà du champ de vision des plus puissants télescopes connus, l'eau verte s'étalait, allait se perdre dans la brume de chaleur au bout de l'horizon — royaume sauvage inconnu des cartographes, ni terre ni fleuve, mais tenant de la nature des deux.

Cette vue d'ensemble me permit de comprendre pour la première fois la nature du nouveau terrain de chasse des Séminoles. En pente continue depuis les prairies du Kissimee jusqu'au niveau de la mer, les grasses savanes se fondaient dans les premiers bourbiers qui traversaient, en un dessin géométrique, la mer de hautes herbes.

Ici, où s'élevait le manglier, le niveau de l'eau était continu, formait une sorte de rivière peu profonde au cours paisible, qui s'étalait indéfiniment vers le sud et l'ouest, jusqu'à ce qu'elle pût se fondre, bien au-delà de l'horizon, dans les marais salants et dans la mer elle-même.

Partout, hors de cette calme rivière d'un vert brun, émergeaient des îles, les unes simples touffes de palmiers, d'autres vastes espaces semblables à des parcs et qui auraient appelé la hache des colons s'il leur avait été donné de les apercevoir. Vers l'est, je pouvais tout juste discerner le reflet argenté de ce grand lac que les cartographes blancs appellent Okeechobee. Inconnue d'eux, la mer Herbeuse elle-même changeait, disait-on, la forme de ses rives à chaque automne, selon le caprice des ouragans.

— Ai-je bien choisi, Charlo ?

Je fus ramené au moment présent par la question d'Oscéola prononcée à voix douce. Pour la première fois, je constatai que les rides de fatigue avaient presque disparu autour de ses yeux. L'homme qui me faisait face sur cette rudimentaire tour de signalisation était en paix avec lui-même et avec son domaine. Le pèlerinage qu'il avait si brillamment guidé portait en lui — maintenant que le but était presque atteint — sa propre récompense.

— Il semble bien en effet, *jefe,* que dans cette région aucun ennemi ne puisse vous poursuivre.

— Regarde vers le nord, ami. Si les soldats blancs se hasardent à traverser le Kissimee, ils ne peuvent approcher de nos îles que par ce bourbier, où nous pourrons les exterminer à loisir. Jesup ne se hasarderait pas dans un piège mortel comme celui-là. S'ils amènent une flotte jusqu'au lac, ils ne parviendront jamais à trouver le passage au-delà de la rive ouest. A l'ouest et au sud, la mer Herbeuse est interminable : même le Chat Sauvage et moi, quand nous fîmes notre première exploration, nous n'osâmes pas nous risquer au-delà des marais salants.

— Pourrez-vous assurer votre existence ici, même si vous n'êtes aucunement molestés ?

— Je le crois. Nous aurons, bien sûr, besoin de fusils et de poudre dans un certain temps, et nous devrons acheter des choses telles que le sel et les remèdes pour nos malades. Nous pourrons en obtenir en échange de fourrures et de peaux d'*allapatacos* — d'alligators, comme disent les Blancs. Nous pourrons, au début, avoir la vie un peu dure, mais nous trouverons des moyens de prospérer. Si les soldats blancs nous coupent de tout commerce et de tous échanges avec le reste de la Floride, nous vendrons nos peaux aux îles espagnoles du Sud.

— Oscéola a bien établi ses plans, dis-je. Permettra-t-il à la femme-des-livres d'écrire le récit de ce voyage et de ce qui viendra ensuite ?

— Sinon, pourquoi lui aurais-je demandé de grimper si haut ?

Le chef des Séminoles regardait attentivement le soleil vers le sud, au point où, de quelque îlot lointain, s'élevait un plumet de fumée. Marie émergea de profondes réflexions personnelles et abrita ses yeux contre les paillettes de soleil qui dansaient sur l'eau, au-dessous de nous.

— Est-ce un signal, Charles ?

Je déchiffrai à son intention le message, bouffée par bouffée ; mes amis dans la nation m'avaient depuis longtemps instruit dans l'art de lire la fumée.

— Micanopy est campé sur une île appelée Terre de l'Aigle des Tempêtes. Le gibier y est abondant, il s'y trouve une source sulfureuse sur la hauteur, et les chikees se construisent rapidement. Déjà il prépare pour notre arrivée un grand banquet de queues d'alligator.

A côté de moi, j'entendis Oscéola rire tout haut ; c'était la dernière preuve dont j'avais besoin pour être assuré de sa confiance dans l'avenir.

— Réponds pour moi, Charlo. Dis que nous allons camper cette nuit sur l'île du signal et que nous le rejoindrons demain. Dis-lui aussi que nous sommes enfin arrivés chez nous.

— Et l'homme nommé Campbell ?

— Chechoter peut le soigner pendant quelque temps ; je m'occuperai moi-même de faire assurer sa garde.

Marie me regardait avec des yeux ronds, tandis que j'allumais un feu de nœuds de bois léger, préparais un tas de mousse humide et commençais à épeler une réponse au message de Micanopy. La brise se levait avec le jour finissant, et le monde aqueux qui s'étendait sous nos regards parlait à présent un langage qui lui était propre — musique préhistorique née de milliers de cordes d'herbes. Dans les semaines à venir, nous allions apprendre ce chant par cœur et apprendre à en aimer chaque note. Ce soir, tandis que le feu frémissait sous mes mains, nous ne pouvions qu'écouter en une surprise et une admiration silencieuses.

— Pouvez-vous croire que c'est vrai, Charles ?

— Cela paraîtra vrai demain.

— On dirait une grande harpe d'herbe, qui jouerait une musique plus vieille que l'homme.

— Pas aux oreilles des Séminoles. Oscéola voit juste, ils sont enfin arrivés chez eux.

— Pourront-ils rester ? L'homme blanc les fera-t-il mourir de faim ?

— Pas avec Oscéola pour les guider. Il trouvera des moyens.

III

UN EDEN TROP PARFAIT POUR DURER,
UNE PROPOSITION TROP BELLE
POUR ETRE HONNETE

Je ne m'étendrai pas longuement sur ces mois que nous passâmes au pays de la mer Herbeuse. J'en dirai simplement qu'il se montra un éden qui dépassait nos rêves les plus fous.

Certes, ce paradis n'était pas dépourvu de serpents, et d'autres dangers étaient tapis en divers points pour détruire l'imprudent. Vivant comme vivaient les Séminoles, chassant et pêchant tout le jour, dormant à l'aise dans un wigwam haut perché, nous apprîmes bientôt à éviter les lises où vivait le mocassin d'eau, les broussailles où le serpent à sonnettes faisait entendre son avertissement, les petits lacs dont l'arôme écœurant et douceâtre prévenait le chasseur attentif qu'un alligator y avait sa souille... Pour la plus grande partie, cette rivière de carex et de joncs aux feuilles tranchantes, si sombre qu'elle parût dans son ensemble, était un flot limpide qui coulait interminablement vers la mer.

Avant que notre première semaine fût écoulée, sur cette île que les Séminoles appelaient la Terre de l'Aigle des Tempêtes, nous avions appris à nous reconnaître sans hésitation au milieu du dédale des voies d'eau qui l'entouraient.

Bien qu'elle fît sa part des travaux du camp avec les squaws, Marie m'accompagnait dans mes expéditions. Puisqu'elle préparait, pour ses dépêches, la description de la nouvelle résidence des Séminoles, Oscéola désirait vivement qu'elle explore la mer Herbeuse jusqu'à ses limites. Il ne craignait apparemment pas qu'elle tente de s'évader, puisque j'avais donné ma parole. Il lui suffisait que nous rentrions en fin de journée dans le dugout à faible tirant d'eau que nous employions pour la chasse — brûlés de soleil, heureux, avec du gibier jusqu'aux plats-bords.

Au bout du premier mois — l'été avait déjà commencé à se fondre dans le sec automne de Floride — nous étions parvenus à trouver la route encore inexplorée de la côte ouest du lac Okeechobee. Nous y avions campé à l'abri d'une île couverte de mangliers, cependant qu'une petite flotte de canoës quittait le camp pour nous rejoindre. Tout le long de cette journée, nous avions pêché dans les eaux peu profondes de cette mer intérieure et rapporté aux enfumoirs de l'île une prise exceptionnellement abondante.

Deux fois, au cours des semaines qui suivirent, nous nous aventurâmes très loin, vers le sud, dans le désert de carex et de joncs, et nous fûmes récompensés par une brève vision de la pleine mer au-delà d'une formidable barrière de mascaret et d'un nuage d'oiseaux de mer tournoyant en si grand nombre que le ciel en était parfois obscurci. Ainsi qu'Oscéola l'avait dit, le domaine qu'il avait choisi pour son peuple était vaste à n'y pas croire : tant qu'il se contenterait de vivre entre ses limites aqueuses, il semblait impensable qu'il pût y être molesté.

Marie avait envoyé plusieurs dépêches aux journaux du Nord, dépêches qui avaient été déposées à Millefleurs par d'intrépides courriers indiens, audacieux éclaireurs tels que l'Aigle Blanc, qui faisait une constante navette entre le domaine du roi Philip et la Terre de l'Aigle des Tempêtes. Puisque la nation continuait de vivre en Floride sans aucune sanction formelle du général Jesup, dans un sens ou dans l'autre de tels contacts étaient indispensables. Au surplus, les courriers ne se faisaient pas faute de commercer en route. Nombreux étaient les colons récents qui appréciaient les fourrures et les peaux de crocodiles que les Séminoles apportaient vers le nord, et qui étaient disposés à fournir de leur côté des articles aussi précieux que le sel et les médicaments. De tels hommes étaient plus que disposés à établir des postes de troc sous le nez même des patrouilles de l'armée, pendant que se traînaient les mois d'une incertaine trêve.

Campbell boudait à longueur de jours et de semaines, à longueur d'attente, dans un asile à lui seul réservé. Oscéola avait choisi cette prison avec un soin extrême — un îlot bien à l'écart de la plage sud du camp principal, situé au milieu d'un lac découvert qu'entourait de trois côtés un impénétrable fourré de carex, il constituait un univers à part, où le colonel épuisait sa rage en marches et contremarches de l'aube à la nuit.

Sa guérison avait progressé rapidement, s'était trouvée complète quelques jours après notre installation — de sorte que je ne fis rien pour apaiser sa fureur. Trois fois par jour, ses repas lui étaient apportés par son gardien, un guerrier âgé qui avait pour mission de surveiller l'îlot pendant le jour. Au coucher du soleil, Campbell était attaché au piquet central de son chickee par une chaîne de fer fixée à ses pieds.

De temps à autre, je pagayais jusqu'à sa prison et tentais d'engager la conversation avec lui, sans jamais entendre autre chose que des jurons et des invectives. Marie n'avait pas mieux réussi —toutefois, dans son cas, il se refusait à prononcer même une parole, se contentant de lui opposer un visage de pierre.

Parfois, il semblait qu'il eût abandonné tout espoir de délivrance et qu'il tournait doucement à la folie. Mais j'avais l'inquiétante conviction que tout cela n'était que faux semblant, qu'en vérité il jouait un jeu d'attente — rassuré par la certitude qu'il était un otage trop précieux pour avoir à redouter le moindre mal aux mains des Séminoles.

Une chose était certaine : si martialement qu'il se pavanât, le colonel Alan Campbell était aussi désarmé qu'un bébé. Marie nous avait assuré qu'il ne pouvait pas tirer une simple brasse, de sorte que la garde (et le gardien) n'était que simple formalité. Eût-il même été capable de nager jusqu'à un des canoës, il se serait instantanément perdu dans le labyrinthe qui entourait la Terre de l'Aigle des Tempêtes. Si, à une demi-journée d'aviron vers le nord, où la plate-forme de signalisation était installée en haut du manglier géant, la route de la terre ferme était claire et relativement facile à découvrir — ici, seuls les vétérans parmi nos chasseurs parvenaient à retrouver la route du retour à la fin de leur journée.

Telle était la situation quand octobre eut dépassé son milieu — et que Coacoochee parut parmi nous un après-midi plein d'un soleil fuyant. Il apportait des nouvelles qui, en un clin d'œil, firent s'effondrer nos espérances.

Le Chat Sauvage avait voyagé par étapes forcées depuis l'Oklawaha — cela se voyait à son visage tiré et couvert de poussière. Marie et moi revenions précisément d'une expédition de dénichage dans le sud, et nous étions en train de débarquer nos prises sur la plage, quand mon frère de sang descendit de son canoë sur le sable et partit aussitôt vers le chickee de Micanopy sans donner un coup d'œil à droite ni à gauche. Le fait qu'il avait omis de nous saluer en arrivant était en soi assez inquiétant. Quand, au bout d'une heure, Coacoochee nous convoqua l'un et l'autre sous la tente de Micanopy, j'étais autant dire prêt à entendre... précisément le récit que nous entendîmes...

— Le roi Philip a été fait prisonnier, dit Oscéola. Le Chat Sauvage va vous raconter comment.

Coacoochee me regarda sombrement avant de commencer ; je sentais qu'il se refusait à reconnaître, à admettre même, la fatigue qui l'habitait.

— J'ai fait tout ce que le gouverneur avait commandé, dit-il. Avec mon père nous avons conduit notre peuple à son ancienne installation dans les marécages de l'Oklawaha. Tout au long de l'été, nous avons chassé et pêché, sans aucun empêchement. J'aurais juré que les hommes blancs ne se doutaient même pas de notre présence.

Micanopy leva une main qui imposait silence à tous ; le vieux chef était à présent atteint de paralysie, mais la colère effaçait l'âge dans sa voix qui demeurait claire.

— Nos guerriers ont-ils troublé ou dérangé quelques colons blancs ?

Coacoochee lui répondit sans une seconde d'hésitation :

— Jamais. Nous n'avons rien fait que suivre tes ordres, étudié les soldats et évalué leurs forces.

— Où le roi Philip a-t-il été capturé ?

— Près de Payne's Prairie. Pendant une chasse au cerf. Nous étions à court de viande fraîche et nous nous sommes

aventurés à découvert. Une compagnie entière de soldats
attendait là...

— Le Chat Sauvage a-t-il dit *attendait* ?...

J'entendais avec surprise ma propre voix prendre part à
la discussion. Ce fut Coacoochee qui répondit avec amertume :

— Mon frère de sang a bien entendu. Les soldats blancs
étaient déployés comme des chasseurs à une battue. Ils
s'avancèrent sur nous sans tirer, mais baïonnette au canon.

— Comment le Chat Sauvage a-t-il pu s'échapper ?

— J'ai été capturé avec les autres ; nous étions six et
ils nous ont tous pris. Pendant une semaine j'ai été bouclé
avec mon père dans un cachot souterrain du castillo, sans
air, sans lumière, et au sol couvert d'eau. Nos chiens n'auraient pas voulu de la nourriture qu'ils nous ont donnée.

Un sourd murmure de colère passa dans le chickee ; il
eut son écho à l'extérieur où des braves s'étaient rassemblés
par douzaines pour entendre l'histoire de Coacoochee. Je
questionnai :

— Comment es-tu arrivé parmi nous à présent ?

— Le huitième jour, j'ai été emmené dans la cour du castillo, et on a gratté sur moi la boue et la moisissure du
donjon. Je fus alors conduit devant Jesup en personne.

» Je m'attendais à ce qu'il m'injurie et me menace, mais
jamais sa voix ne fut plus douce. Il me répéta que le Père
blanc de Washington souhaitait la paix.

— Il vous a dit cela, après sept jours d'emprisonnement ?

— Il m'a dit que je devrais me rendre aussitôt à la mer
Herbeuse et transmettre son message à Oscéola.

Le Chat Sauvage parlait lentement. Il aurait pu répéter
une leçon désagréable à laquelle il ne croyait qu'à demi, bien
qu'il en connût le texte par cœur.

— Il me dit que la Floride centrale devait nous rester
fermée. Que le roi Philip n'avait pas le droit de retourner à
son ancien terrain de chasse et avait été fait prisonnier par
châtiment. Mais, ajouta-t-il, le Père blanc de Washington
n'a point de colère contre les Séminoles. Si nous acceptons
de respecter nos frontières, la paix pourrait encore être
conclue.

— Est-ce là un autre piège, Charlo ?

Oscéola parlait en demi-sourdine, l'indignation étranglant sa voix, comme si ces paroles étaient arrachées de son cœur. Chechoter s'était glissée près de lui, il passa son bras autour d'elle en un geste naturel de tendresse. Puis il fixa sur moi un regard sombre sous des sourcils froncés.

Mes yeux s'arrêtèrent sur Marie, qui se tenait dans l'embrasure de la porte. Grande, carrée d'épaules, la peau hâlée d'un brun profond et chaudement doré après nos semaines de soleil, elle était à tous égards une des nôtres. Elle s'approcha et glissa ses doigts entre les miens.

— Dites ce que vous pensez, Charles. L'avenir de la nation en dépend peut-être.

— Que propose le général Jesup ?

— Le drapeau blanc, dit Coacoochee. Il m'a envoyé afin que je ramène Oscéola à Saint-Augustin sous la protection du drapeau des parlementaires, afin qu'ils puissent discuter sur un pied d'égalité.

— C'est là ce que vous souhaitiez, dis-je. L'honneur de l'homme blanc ne lui permettra jamais de violer la foi au drapeau blanc.

Chacun des Séminoles présents dans le chickee exhala un long soupir. Je vis qu'Oscéola avait espéré en une telle réponse. Seule Chechoter s'écarta légèrement des autres et secoua la tête pour marquer son incrédulité.

— Je n'aime pas cette offre, mon seigneur.

— Charlo a parlé, dit Oscéola. Douterais-tu de sa sagesse ?

— Charlo, lui, est notre ami et il est incapable de traîtrise, répondit Rosée du Matin, les yeux baissés. Je n'en suis pas moins effrayée.

— Que dit la femme-des-livres ? questionna le chef.

— C'est un bien long voyage d'ici Saint-Augustin, dit Marie. Si le général désire des pourparlers de paix sur un pied d'égalité, ne peut-il vous rencontrer à mi-route ?

— Jesup redoute la colère d'Oscéola (C'était Coacoochee qui répondait). Il ne désire pas quitter la protection du castillo.

Je demandai :

— Admettons qu'Oscéola refuse d'aller à lui. Alors quoi ?

— Alors des soldats en plus grand nombre viendront du nord, répondit le Chat Sauvage. Il y en aura davantage au printemps. Jesup dit que c'est à Oscéola aujourd'hui de choisir entre la paix et la guerre.

— As-tu le sentiment que cette offre est un piège ?

Coacoochee haussa des épaules lasses .

— Mon esprit est trop fatigué pour pouvoir peser les raisons de l'homme blanc. Mais je sais que, si le cœur de mon père est celui d'un jeune guerrier, son corps n'a plus de force et qu'il ne vivra pas s'il reste dans ce cachot du castillo.

Ce fut au tour d'Oscéola de baisser la tête. Quand il parla, il s'adressa à Chechoter plutôt qu'aux autres :

— C'est moi qui ai conseillé au roi Philip et à son peuple de retourner à Oklawaha comme ils le souhaitaient. Je ne peux pas laisser ceux qui ont eu confiance en moi mourir dans le donjon de l'homme blanc.

— *Non ! Oh ! non.*

Ce fut un cri de détresse et d'agonie qui s'échappa de la poitrine de Chechoter. Loin de continuer la pensée du chef, il le suppliait de ne pas se livrer.

— J'irai parce que je le dois. Charlo viendra en qualité de porte-parole. Coacoochee marchera à mon côté. Nous prendrons vingt hommes et leurs squaws afin de prouver que nous venons en paix.

— Et moi ? Faut-il que je demeure en arrière ?

— Tu resteras dans la mer Herbeuse avec Toschee. La femme-des-livres te tiendra compagnie.

— En un moment pareil, murmura-t-elle, je voudrais être à la main droite de mon seigneur.

— Et moi je dis que tu dois rester ici. Ne discute pas mon ordre.

— Et que fait-on du colonel Campbell ? questionnai-je.

— Campbell demeure en notre garde. Il est la garantie de la bonne foi de Jesup.

Oscéola me considéra attentivement.

— Charlo a-t-il exprimé sa pensée tout entière ?

— Fais une chose pour ta propre sécurité, dis-je. Insiste pour que la réunion ait lieu en dehors du Fort Peyton. Il n'est pas nécessaire de discuter aux portes de Saint-Augustin.

Fort Peyton était un avant-poste militaire, légèrement au sud de Matanzas, à deux heures de marche peut-être de Saint-Augustin. Pendant des années, il avait servi de lieu de réunion, chaque fois que des éléments de la nation quittaient en masse leur réserve.

— J'enverrai un courrier à Jesup avec cette offre, dit le chef.

— J'aimerais que la femme-des-livres puisse nous accompagner, dis-je. Elle raconterait l'histoire au monde.

Oscéola secoua la tête : je m'attendais à son refus.

— J'ai ordonné à ma squaw de demeurer en un lieu de sécurité. Tu dois faire de même en ce qui concerne la tienne.

— Il ne saurait y avoir de danger sous le drapeau blanc.

— Même *si* cela est, il faut qu'elle demeure dans la mer Herbeuse. N'oublie pas qu'elle aussi est otage.

Quand le gouverneur des Séminoles nous eut congédiés de sa hutte, Marie et moi, d'un accord tacite, nous dirigeâmes vers la plage sud de l'île. De là, par-dessus un quart de mille d'eau sombre et paresseusement coulante, nous avions une vue très nette de la prison de Campbell et de la silhouette qui arpentait ce domaine en une fureur solitaire.

— Pensez-vous que ce soit un piège, Charles ? Vous auriez dû exprimer le fond de votre pensée.

— Il y en a plus qu'il n'y paraît, dis-je. Le fait demeure qu'un général d'armée ne déshonorera pas un drapeau de trêve. Oscéola n'a rien à perdre à cet entretien. Il est tout juste possible qu'ils arrivent à un accord.

— S'ils voulaient la paix, pourquoi ont-ils arrêté et gardé le roi Philip ? Et pourquoi, avec chaque paquebot, des soldats en nombre toujours plus grand se répandent-ils sur la Floride ?

— Oscéola sait que c'est un jeu de hasard, dis-je obstinément. C'est un risque qu'il ne peut éviter de courir. Peut-être est-ce la dernière fois qu'il se trouvera en face du général Jesup des deux côtés d'une table de conseil.

Ces mots devaient résonner dans ma mémoire pendant des

années, avec le son amer d'une prophétie. Je me souviendrais tout aussi clairement de la silhouette bleu ciel d'Alan Campbell, s'arrêtant au cours de ses interminables allées et venues, de l'autre côté de l'étroite bande d'eau, et levant le poing dans le geste classique de la malédiction. J'étais trop éloigné pour entendre ses injures, mais je n'en devinais que trop aisément le sens et la portée, et Marie également. La pression de ses doigts sur mon bras me le fit savoir.

— Et, si la paix est faite, Charles, qu'adviendra-t-il de nous, une fois en liberté ?

J'écartai cette question à laquelle je ne pouvais répondre. La silhouette dansant de rage sur cette berge éloignée, semblable à un geai bleu pris de folie, était la seule et menaçante réponse qui se pût imaginer. La guerre entre l'homme blanc et l'homme rouge avait une faible chance de trouver sa solution à Fort Peyton. La guerre entre le colonel Alan Campbell et moi ne permettrait jamais de compromis.

DOUZIEME PARTIE

L'ADIEU AU HÉROS VAINCU

I

OU CHARLES REDEVIENT MESSAGER

NOTRE VOYAGE AU nord de la mer Herbeuse fut pénible et ardu, mais je ne m'attarderai pas ici sur les détails.

Neuf jours après avoir dit adieu à Marie et à la Terre de l'Aigle des Tempêtes, notre troupe lasse traversa la crique à marée délimitant par le sud le terrain de Fort Peyton et entra dans la pinède où, en préparation à d'importantes conférences, une génération de Séminoles avait planté des abris en peau de daim. En comptant les femmes et les enfants nous étions plus de vingt : Oscéola avait insisté pour qu'une certaine proportion de femmes fissent partie de sa suite, n'eût-ce été que pour témoigner de ses intentions pacifiques. Nous n'avions pas rencontré un seul visage pâle sur la piste qui traversait les landes de la Floride centrale, et cela même était un puissant témoignage de la force séminole.

De loin en loin, un fantôme cuivré passait, furtif, entre les broussailles — pour la plupart des gens du village du roi Philip. Ces suiveurs isolés étaient restés aux flancs de notre groupe pendant toute la dernière et fatigante journée. A présent que nous déposions (avec reconnaissance !) nos sacs dans l'ombre amicale des pins, une vingtaine de ces suiveurs persévérants erraient autour de notre bivouac. Sur la proposition d'Oscéola, ils furent invités à se joindre au campement et à participer à notre repas du soir.

— Il est bon que notre peuple sorte de ses cachettes, Charlo, dit-il. Je pourrai promettre à Jesup de les emmener vers la mer Herbeuse — si lui-même le souhaite.

Sa voix, je le constatai avec joie, était assez calme à présent que l'instant de l'épreuve était sur lui. De tout notre voyage il n'avait point parlé ; c'était Coacoochee qui avait réveillé notre colonne tandis qu'elle avançait lentement, maintenant le courage et la bonne humeur grâce à sa verve. Cet après-midi, les rôles étaient renversés. Ici, dans les pinèdes, avec la palissade de Fort Peyton dressée devant nous, c'était Oscéola qui semblait ouvrir son esprit à des perspectives d'avenir et le Chat Sauvage qui se retirait dans la coquille qui, de tout temps, avait servi à masquer les sentiments de sa race.

— Il reste un peu de jour, dis-je. Irai-je jusqu'au fort ?

— Si tu veux, Charlo. Attends un instant, je vais te donner notre drapeau blanc.

Sur ces mots, le chef de guerre des Séminoles arracha de son turban une plume d'aigrette et l'assujettit solidement à la hampe d'une lance.

— Tiens haut ceci, quand une sentinelle t'interpellera, me dit-il. Dis alors que je rencontrerai Jesup demain, à l'heure de son choix.

Le sentier de la pinède conduisait à une longue pente verdoyante ombragée par des chênes verts et qui aboutissait aux remparts du fort — lesquels, vus de loin, semblaient hérissés d'artillerie à toutes les embrasures. Le bon sens m'assurait que le général Jesup était depuis longtemps au courant de notre venue : l'éclair d'une blanche plume d'aigrette à la hampe d'une lance avait de tout temps été le signal que les Indiens étaient disposés à parlementer. Malgré quoi, je reconnais que mon arrivée à la porte entrouverte n'était rien moins qu'allègre et que je ne me sentais pas le cœur particulièrement léger.

Pendant les derniers deux cents mètres de cette marche solitaire, je savais qu'une douzaine de rifles me couchaient en joue. A cause de ma vêture en peau de daim, de la chevelure noire qui me tombait en abondance sur les épaules, d'une peau que le soleil avait rendue couleur d'acajou, je pouvais aisément, dans la lumière incertaine, être pris pour un guerrier. Ce qui était plus grave, je m'aperçus que je pensais comme un Séminole, tandis que j'obligeais mes pieds chaussés de mocassins à continuer leur marche : il me fallut rassembler jusqu'aux ultimes bribes de mon sang-froid pour ne pas m'abriter derrière les dernières broussailles qui restaient encore sur le bout de terrain à parcourir.

Vu en plein midi, Fort Peyton n'était qu'un bastion de frontière, simple point d'appui qui gardait l'approche de Saint-Augustin par le sud. Mais, dans le crépuscule, il évoquait le château d'un ogre, complet avec donjon, cachots et dragons cracheurs de feu. Quand un commandement de faire halte m'arriva de l'ombre d'une guérite qui se dressait au-dessous des portes, m'enjoignant de m'arrêter sur place, ce me fut un véritable soulagement.

— Qui va là ?

— Capitaine Charles Paige, de la milice territoriale, agissant comme délégué d'Oscéola.

En même temps que je prononçais ces paroles, leur invraisemblance me frappa. J'avais la conviction absurde qu'un reste d'accent séminole demeurait accroché à mes lèvres — car, après tout, je n'avais pas prononcé dix phrases d'anglais depuis plusieurs semaines.

— Avez-vous dit Oscéola, capitaine Paige ?

Un dragon apparut sous le portail, silhouette solennelle, à la démarche pleine d'importance, à la poitrine de pigeon boulant, à qui rien ne manquait pour être complet, des chevrons aux éperons. Maintenant qu'il avait parlé de nouveau, je reconnaissais la voix du sergent Simpson, qui faisait partie de façon permanente du personnel du général Hernandez.

— Oscéola est au camp indien, sous la protection du drapeau blanc, dis-je. Il est prêt à discuter avec le général Jesup dès le matin.

Simpson, les poings sur les hanches, semblait n'en croire ni ses yeux ni ses oreilles.

— Avancez pour vous faire reconnaître, capitaine, dit-il

avec une sorte de politesse supérieure. Apporte une torche, Grady, je ne pense pas qu'une flèche te menace.

Un caporal s'avança, portant un flambeau. Je le suivis sous la porte, dans l'obscurité qui s'épaississait, et j'enfonçai ma lance profondément dans le sable de manière que la plume d'aigrette flottât, gaillarde, entre nous. Les deux hommes saluèrent ; je tendis la main à Simpson et leur commandai repos.

— Il n'est pas besoin de cérémonies ce soir, je n'ai pas d'uniforme à saluer.

— Est-il vrai que vous venez de la mer Herbeuse, monsieur ?

Debout dans la chaude nuit d'octobre, je leur racontai mon histoire, tandis que la torche projetait sur les murs tachés de boue de la forteresse de dansantes ombres fantomatiques. Ce me fut un soulagement de constater que les deux soldats me croyaient.

— Aurais-tu supposé qu'Oscéola viendrait ici, comme ça, Grady ? demanda Simpson. Est-ce qu'il vient se rendre, capitaine Paige ?

— Oscéola vient à la requête du général Jesup, pour discuter la mise en liberté du roi Philip comme prix de paix.

Je me mordis la langue juste à temps : la vue de ces uniformes familiers avait rompu le cercle de prudence qui entourait mon cerveau — et je me rendis compte que je ne devais pas trop vite en dire trop long.

— Faites comme vous voudrez, monsieur, bougonna le sergent. Le général Hernandez est dans ses appartements. Si vous voulez attendre à la salle des gardes, je vais le faire avertir de votre venue. Tout de même ! on n'a pas idée d'Oscéola arrivant comme ça !...

Il sortit, gloussant de surprise. Je ne dirai pas que je fus gardé à vue pendant son absence, mais le caporal Grady resta attentivement au port d'armes, le fusil paré à faire feu, le flambeau planté dans un porte-lanterne, au mur, derrière nous.

En temps voulu, un certain capitaine Towers, que je connaissais aussi quelque peu, parut pour me conduire chez le commandant. Je sentis tout le long du parcours que, comme

Simpson, il me considérait avec une silencieuse stupeur. Le terrain de parade — enclos de quatre côtés par des palissades — semblait, ce soir, fourmiller de soldats et, venant des écuries, on entendait de prodigieux hennissements comme si un escadron de cavalerie s'y était installé au grand complet. Quelles que fussent les espérances du général Jesup concernant Oscéola, il s'était immédiatement préparé à recevoir le Séminole avec tous les honneurs militaires.

Le général Hernandez était seul dans la cabine du commandant, en plein dans les paperasses. La lampe à huile de baleine, qui tirait de vifs reflets de son crâne chauve, lui donnait une curieuse ressemblance avec les premiers prophètes chrétiens, et le fait qu'il n'était vêtu que d'une chemise de nuit plissée augmentait la ressemblance. Nous nous étions fort bien connus naguère, grâce à mon père adoptif, et il me fit un accueil chaleureux. Sans qu'on le lui demandât, Towers s'amena avec une dame-jeanne et remplit deux verres.

— Asseyez-vous, Charles. Etes-vous aussi las que vous en avez l'air ? Comme vous voyez, je ne vous attendais plus aujourd'hui.

— Si j'en crois vos hommes, monsieur, Oscéola n'était aucunement attendu.

Hernandez adressa un froncement de sourcils mécontent au capitaine, qui se retirait, et ne parla plus jusqu'à ce que la porte fût refermée derrière lui.

— Toutes sortes de rumeurs circulent, mon garçon, dit-il. Je ne sais d'où en proviennent la moitié. L'envoyé d'Oscéola a été arrêté à Fort King et son message est allé directement et secrètement au général Jesup : le fait que nous sommes prêts à discuter une solution terminant les hostilités n'est pas connu de tous.

— Oscéola est désireux d'effacer les menaces de guerre, dis-je. Vous avez déjà reçu ses conditions et le colonel Campbell les a contresignées.

Une grimace plissa le visage de Hernandez à la mention de Campbell, mais il reprit aussitôt le masque affable qui était habituellement le sien.

— Le rapport du colonel Campbell est parvenu depuis longtemps, Charles, et bonne note est prise de son contenu.

— Souhaiteriez-vous discuter ce soir même l'offre des Séminoles ?

— Demain fera très bien l'affaire, dit Hernandez. A franchement parler, j'ai besoin de quelques heures pour rassembler mes esprits. Je ne puis encore croire que cet astucieux rebelle est disposé à nous rencontrer face à face.

— On ne saurait traiter Oscéola de rebelle, monsieur, dis-je avec raideur. Et je ne vous rappellerai pas que, jusqu'ici, les astuces ont été du côté de l'armée.

— Il n'y a pas lieu d'en discuter à présent, mon garçon. Pas si nous devons nous rencontrer demain sous une branche d'olivier. Dix heures, cela vous convient-il ?

— Le général Jesup pourra-t-il être présent d'aussi bonne heure ?

— Sa présence ne sera pas indispensable. Il ne s'agit que d'une rencontre préliminaire. Cependant les choses doivent être faites en style : j'ordonnerai à la garnison de sortir en grande tenue...

— Est-ce nécessaire, monsieur ?

— Ordre du général Jesup. Il tient énormément aux galons d'or en de telles occasions. Il ne faut pas que notre seigneur rouge pense que nous n'apprécions pas sa visite. Puis-je vous offrir le gîte et le couvert pour ce soir ?

— On m'attend au camp indien, monsieur. Si vous n'avez rien de plus à me dire, je vais me retirer.

— Rien de plus, Charles, rien du tout. Sauf Dieu vous bénisse. Et vous avez parfaitement raison, vous devez rester jusqu'au bout avec nos visiteurs. Je ne puis m'empêcher de croire qu'ils s'évanouiront dans le vide de l'air si vous n'êtes pas là pour les retenir !

II

DEUX CENTS FANTASSINS
ET AUTANT DE CAVALIERS CONTRE
DES PARLEMENTAIRES ET UN DRAPEAU BLANC

Beaucoup de choses ont été écrites à propos de ce fatal matin d'octobre. Et, selon celui qui écrivait, le résultat fut celui d'un brillant acte stratégique, ou celui d'un acte de traîtrise sans autre exemple dans les annales militaires.

Une fois de plus, je ne puis raconter ces événements que comme je les ai vus.

Juste avant l'aube, et selon leur coutume invariable, Oscéola et Coacooche se baignèrent dans la rivière, au bas du camp ; ils se revêtirent de daim blanc neuf et du turban de cérémonie que réclamait la circonstance, alourdi d'amulettes d'argent et des plumets noirs, signe de leur sang. Bien que nous fussions convenus depuis longtemps que nous entrerions sur la prairie en un groupe, il fut décidé au dernier moment que l'escorte du chef resterait à l'ombre des chênes verts, de crainte que sa présence sous les murs du fort soit considérée comme un déploiement de force. Ainsi qu'il convenait à un porte-parole, je devais marcher de quelques pas en tête, avec l'aigrette blanche.

Au premier coup de dix heures, nous nous mîmes en marche suivant cet ordre. Sur le conseil que je leur murmurai, les Indiens massés, hommes et femmes, sous les chênes verts, déposèrent leurs armes sur une couverture pour les préserver de la saleté. Oscéola et Coacoochee en firent autant lorsque nous fûmes parvenus au milieu de la prairie en pente douce, puis s'arrêtèrent, les bras croisés, attendant la venue de l'homme blanc.

Jusque-là, pas un seul soldat n'avait encore montré son visage au-dessus de la palissade, mais on entendait le piétinement d'hommes en marche et, dans les paddocks, un indubitable remue-ménage. Puis un clairon sonna l' « A vos postes ! » et les portes du fort s'ouvrirent au large. Dirigés par le capitaine Towers en grande tenue (y compris le bonnet à poil en peau d'ours), quelque deux cents hommes de la milice sortirent dans le clair matin d'automne, firent demi-tour et se déployèrent en formation en V, la pointe touchant le portail de la forteresse.

En même temps deux escadrons de dragons, resplendissants dans leur uniforme à col droit, cartouchières croisées sur la poitrine, débouchèrent des écuries en un tonnerre galopant, pivotèrent selon un dressage précis et se formèrent en double colonne derrière le mur de la milice.

Deux commandements lancés par Towers, et les crosses des fusils touchaient le sol, au repos de parade. Le beau capitaine, saluant les chefs l'un après l'autre, fit demi-tour face au portail. Le général Hernandez sortit enfin — faisant un peu la roue, se pavanant légèrement dans des bottes vernies qui semblaient un rien trop étroites, un rouleau sous le bras.

Deux assistants marchaient sur ses talons, avec l'habituelle table de campagne, un troisième avec l'inévitable siège de campagne. Je me souvins du powwow de l'Oklawaha et du rituel de Fort Dade, et je fermai un instant les yeux sur cette exhibition, me demandant si cette fois-ci c'était vraiment un rêve.

— Faut-il deux cents soldats pour rencontrer un chef de guerre ? gronda Coacoochee.

— Le général Hernandez vous a promis les honneurs militaires...

— Il n'est pas trop tard pour se retirer du champ.

En dépit de mon calme extérieur, je ne pus m'empêcher de regarder plus attentivement la double rangée de dragons. Pendant toute la guerre, ces hommes avaient dû se battre à pied. A présent qu'ils avaient pris leur véritable stature de cavaliers, je les trouvais un peu plus grands que nature... Os. éola, qui avait saisi mon coup d'œil, considérait avec calme la file nerveuse des cavaliers.

— Suis-je un lâche, pour craindre des hommes en uniforme montés ? questionna-t-il. Charlo nous dit que Hernandez nous fait honneur par cet étalage militaire. Acceptons l'honneur et écoutons-le.

Hernandez s'assit. Je fus choqué de voir que ses mains tremblaient, qu'il ne levait pas les yeux et que son chapeau à plumes cachait presque son visage : tous ces signes de manifeste hésitation me semblaient menaçants, mais je m'obligeai à repousser cette crainte. Après tout, c'étaient des troupes faisant partie de l'armée des Etats-Unis, commandées par des gentlemen qui tenaient leur rang du président lui-même. De tels hommes ne pouvaient ignorer les règles de la guerre même en traitant avec des sauvages...

Hernandez hésitant toujours, je crus comprendre qu'il m'incitait à parler le premier. Tenant haut l'aigrette blanche du parlementaire, j'avançai vers la table, claquai des talons en un salut correct et enfonçai profondément en terre la hampe symbolique.

— Oséola, parlant au nom de la nation séminole, vient, sous l'égide du drapeau parlementaire, discuter les conditions de paix.

J'avais prononcé en séminole la formule officielle. Simpson, qui comprenait assez bien cette langue, murmura la traduction à l'oreille du général. Sur un signe de celui-ci, Oséola avança et posa la main gauche sur la plume d'aigrette blanche. Sa main droite était levée, paume tournée vers le dehors, selon le geste séculaire d'amitié. Coacoochee avança à son tour et se tint debout à côté de son chef, les bras croisés. Cela ressemblait tout à fait au Chat Sauvage de se tenir au-dessus de ce jeu solennel jusqu'à ce qu'il en comprenne la portée véritable.

— Le général nommé Jesup m'a demandé de venir ici, dit Oséola. Il m'a fait savoir par mon frère Coacooche qu'il souhaite discuter la paix entre nos peuples. Pourquoi n'est-il pas ici, lui-même, en ce jour ?

Hernandez parla pour la première fois, et d'une voix rauque, sans naturel :

— Je suis le délégué du général.

— Le chef de guerre des Séminoles venant en personne doit-il discuter avec des députés ?

Je vis les joues du général passer au cramoisi quand Simpson lui murmura la traduction. Quand il se leva d'un bond, il parut enfler dans sa tunique bleu ciel, comme un coq de combat qui accepte l'éperon de l'adversaire. Sa voix, cependant, gardait le même ton rauque, les mêmes inflexions lointaines et mal assurées, tandis qu'il levait son rouleau de papier.

— Le général Jesup demande si vous êtes disposés à livrer les esclaves volés à nos citoyens blancs...

La question — de toute évidence la première d'une série — me prit par surprise à tel point que j'eus du mal à retrouver la parole. Puis, entendant les deux chefs gronder à l'unisson, je me souvins qu'ils comprenaient l'anglais.

— Pourquoi ne les avez-vous pas rendus depuis longtemps ainsi que Coi-Hadjo l'avait promis ? *Pourquoi avez-vous manqué à votre parole à Fort Brooke ?*

Oscéola recula à cette dernière question comme il aurait reculé à un coup porté en plein corps. Quand il se ressaisit, il parut plus magnifique que jamais : l'impact perçant de son regard suffit à réduire Hernandez au silence.

— Parle pour moi, Charlo, dit-il. J'étouffe.

— Oscéola est ici sur invitation formelle, dis-je. Il est venu pour discuter avec le général Jesup en personne des moyens de terminer la guerre. Pas pour cette farce.

Hernandez retrouva sa voix — dans une certaine mesure, car les mots ne lui venaient que pareils à des croassements, et, connaissant l'homme comme je le connaissais, j'étais certain qu'il remplissait une tâche imposée qui lui répugnait profondément.

— Vous vous apercevrez que nous sommes extrêmement sérieux, capitaine Paige. Veuillez vous reculer.

— Je ferai mieux, dis-je en me tournant vers Oscéola. Venez, *jefe,* nous allons regagner la mer Herbeuse.

J'avais employé l'espagnol, un langage qu'Hernandez comprenait sans le besoin d'aucun interprète.

Coacoochee se retourna volontiers. Mais pas un muscle d'Oscéola ne bougea. En cet instant déjà, j'en ai la certitude, il sentait toute l'ampleur de la trahison. Ce ne fut pourtant que lorsque le capitaine Towers aboya l'ordre de fermer les **rangs** que sa main tomba instinctivement sur le couteau de chasse fixé à sa ceinture — geste involontaire qui fit aussitôt bondir un sergent, baïonnette au canon.

Towers parla froidement, à l'intention de l'aide de camp qui prenait des notes à la table :

— Remarquez qu'Oscéola menaça le général et fut retenu à temps...

A côté de moi, j'entendis Coacoochee rassembler ses forces pour bondir, mais je fus plus prompt que lui. Arrachant le fusil des mains du sergent, je me servis de la crosse comme d'un bélier pour l'envoyer s'étaler à distance. Aveuglé, étourdi que j'étais par ma colère et par ma honte, je n'entendis même pas le commandement suivant de Towers, mais, quand ma vision redevint claire, le cercle des baïonnettes étincelait.

Quelque part un clairon sonna : la parade de repos en V de la milice se transforma en un carré qui nous emboîtait solidement, si même nous nous étions risqués à défier tout cet acier nu. Du coin de l'œil, je vis les dragons se déployer sans à-coup, former un triangle d'enfoncement et faire fuir à toutes jambes le groupe d'Indiens restés sous les chênes verts, qui, s'ils voulaient tenter de sauver leurs vies, n'avaient même pas une chance de récupérer leurs fusils.

Les yeux de Coacoochee flambaient littéralement de rage concentrée et son corps tremblait comme un ressort d'acier tendu, prêt à craquer sous un excès de puissance. Pourtant, même au comble de sa fureur, le Chat Sauvage avait trop d'expérience et de jugement pour s'empaler bénévolement sur une baïonnette. Quant à Oscéola, il était toujours immobile dans ce cercle étincelant, le couteau de chasse sur sa paume. Avec un haussement d'épaules chargé de mépris, il lança l'arme aux pieds de Hernandez.

— Oscéola et Coacoochee sont pris, monsieur, ainsi que vous en aviez donné l'ordre, dit le capitaine Towers.

Hernandez regarda fixement l'officier avant de rencontrer mon regard : c'était la première fois que ses yeux cherchaient les miens depuis le début de cette tragique comédie.

— Les ordres, dit-il, étaient ceux du général Jesup, pas les miens. Vous pouvez prendre les prisonniers en charge, capitaine.

Towers marcha jusqu'à l'endroit où les deux chefs avaient déposé leurs rifles, rejeta la couverture du bout de son épée, puis, cette fois encore à l'intention du scribe, déclara :

— Remarquez, monsieur, qu'ils étaient armés. Nous en étions avertis et avons pris les mesures nécessaires pour protéger votre personne.

— Cela suffit ! dit Hernandez. Je crois que vous avez complété l'enregistrement du procès-verbal. Vous pouvez emmener les prisonniers à Fort Marion, ainsi que l'a commandé le général Jesup.

— Emmenez-moi aussi ! hurlai-je. Je lui ferai entendre raison.

La main d'Oscéola tomba sur mon bras tandis que je bondissais en avant.

— Ce qui est fait est fait, dit-il. Ce n'est pas ta faute si certains parmi les plus haut placés de tes compatriotes sont des gens sans honneur.

— Il y a une erreur, criai-je, entendant ma voix résonner dans un vaste silence. Si je puis voir le général Jesup...

— Le général blanc n'écoutera rien, Charlo. Tu le sais aussi bien que moi. Ne te blâme pas, toi, de ce que nous sommes venus nous faire prendre à l'appât comme des pigeons.

Le commandement de Towers, aboyé sur le mode stentorien, coupa ma protestation désespérée :

— Caporal de la garde !

Oscéola ne bougea pas quand le peloton d'escorte s'avança. Ainsi que chacun des détails de cette horrible rencontre, les hommes avaient visiblement répété la manœuvre — si parfaitement qu'en un clin d'œil je fus repoussé de côté. Pendant quelques instants, maintenant qu'avait disparu la froide menace de l'acier au clair, Coacoochee se débattit comme son homonyme pour parvenir à s'échapper, jusqu'à ce qu'un pistolet venant s'appuyer à son oreille l'immobilisât.

Oscéola tendit la main.

— Le général blanc a remporté aujourd'hui une belle et grande victoire. Enchaînez-moi, afin qu'elle soit complète.

En revoyant cette scène, je me rends compte que ce fut bien plus la reddition dans sa voix que dans son geste qui m'arracha enfin à moi-même. Je me souviens d'avoir foncé sur le caporal les deux poings en action — et je suis certain que l'un au moins rencontra vigoureusement une mâchoire militaire.

Towers, conduisant les deux captifs à travers le terrain de parade sans même donner un regard en arrière, lança un dernier ordre tandis que je continuais à échanger des coups de poing avec mes compatriotes. Une crosse de fusil, manœuvrée avec juste ce qu'il fallait de vigueur, prit contact avec la base de mon crâne et me fit passer dans un pitoyable anéantissement.

III

OU D'ACCABLANTES REVELATIONS ATTENDENT CHARLES PAIGE

La prophétie d'Oscéola ne se vérifia que trop exactement : un temps considérable s'écoula avant que je puisse me trouver en face de Jesup.

Le coup qui m'avait assommé à Fort Peyton était sans gravité. Ce fut peut-être une bénédiction déguisée. Je n'aurais très certainement pas pu répondre de mon propre avenir si j'avais été d'aplomb quand les deux chefs séminoles furent conduits à Saint-Augustin sous bonne garde et enfermés dans un cachot à Fort Marion. Puisque le destin d'Oscéola était déjà scellé — je l'avais clairement compris avant que la crosse descendît, — toute précipitation de ma part eût été plus qu'inutile — dangereuse.

Je le compris mieux encore quand, beaucoup plus tard — mais je n'avais aucun calendrier pour me guider, — je m'assis dans mon lit à l'hôpital du docteur Sanchez. A mon appel, le docteur lui-même entra en clopinant dans la pièce, pour me calmer. Un coup d'œil à sa grimace en coin me fit entendre que j'étais encore en liberté, en ce qui concernait !'armée des

Etats-Unis : le fait que je m'éveillais dans l'hôpital privé du docteur Sanchez, dans Charlotte Street, au lieu de m'éveiller dans l'infirmerie de la prison de la caserne Saint-François, m'en était une assurance complète.

— Combien de temps ai-je dormi ?

— Pendant une quarantaine d'heures. La fièvre a vraiment cédé avant-hier ; un opiat léger semblait indiqué.

— *La fièvre ?* Je croyais que je souffrais d'un coup ?

— C'était bien cela, en effet, Carlos, lorsqu'on t'a apporté ici. Le coup n'était pas trop terrible : les jeunes gens d'aujourd'hui ont la tête dure. Par malheur, tu as été pris, à retardement, de la fièvre d'été avant que j'aie pu te relâcher.

Je me laissai aller sur mon oreiller sans répondre. Si mon ancien maître avait décidé de raconter des bêtises, je n'étais pas d'humeur à discuter. Le fait demeurait que mon dernier souvenir cohérent était trop clair pour en parler et le partager : un cercle de baïonnettes, deux prisonniers au milieu, le choc d'une crosse derrière l'oreille quand je luttais pour franchir le cercle et rejoindre les captifs.

— Il semble que la maladie ait mis beaucoup de retard à se manifester, soit restée longtemps latente, dit Sanchez. Ton petit fracas à Fort Peyton n'a fait qu'en hâter le cours. Un mois de lit, c'est long pour une fièvre — mais tu avais besoin de ce repos, tu l'avais gagné.

— Un mois ? Vous avez bien dit *un mois* ?

— Tout d'abord, je te l'ai dit et tu le savais, il y a eu le coup et la commotion ; tu as beaucoup déliré, si bien que j'ai craint la fièvre cérébrale. Quand elle s'est déclarée, la fièvre était une « fièvre intermittente » comme il y en a tant eu ces dernières années. Tu n'y étais plus du tout ! Je t'ai bourré de quinine et d'opiats ; pendant une semaine, il a fallu te sangler sur ton lit — si ardent était ton désir d'aller rendre visite au général Jesup.

Je fermai les yeux tandis que la voix du vieux médecin continuait à ronronner : je n'étais désormais que trop désireux d'écouter la suite. La rage folle qui m'avait catapulté — un contre l'armée — s'était évanouie, il ne me restait qu'une pâle curiosité. Je pouvais imaginer les paroles suivantes de Sanchez avant qu'elles eussent quitté ses lèvres.

— Oscéola et Coacoochee sont toujours en prison. Tous deux souffrent des conséquences de l'humidité affreuse du cachot, mais ils vivent encore. Le roi Philip également, bien qu'il ne soit plus qu'une ombre.

— Quels sont les plans de Jesup ?

— Il attend des ordres de Washington. On dit qu'il espère envoyer les trois chefs hors des frontières de Floride.

— Dans combien de temps pourrai-je lui parler ?

— Quand tu seras suffisamment rétabli.

— Mes forces sont revenues. Il faut que je quitte ce lit.

— Peut-être demain, si de nouveaux indices fiévreux ne se manifestent pas.

— Jesup est décidé à les garder prisonniers ?

Sanchez me dédia un sourire apitoyé.

— D'autres pensent comme toi, Carlos. Quand les captifs ont été conduits à travers les rues le mois dernier, de beaucoup de balcons de Charlotte Street on a crié que c'était une honte. Le fait est, pourtant, que la majorié de nos citoyens ont fermé leurs volets et sont restés chez eux. Un sentiment de soulagement assez général fait dire qu'à présent que ces deux brandons ardents sont derrière des barreaux les Séminoles, privés de leurs chefs, ne se battront plus.

Je n'avais pas oublié le côté faible du vieux docteur et je ne discutai point. Je savais que sa voix était celle de la majorité des colons blancs du territoire. Le haussement d'épaules avec lequel il annula la traîtrise de Fort Peyton était l'épitaphe d'Oscéola.

— N'y a-t-il eu aucune pétition demandant justice ?

— Pas que je sache, répondit sèchement Sanchez. Justice est un mot qui a beaucoup d'acceptions et très diverses. Pour les Floridiens en général, Oscéola est un destructeur qui a enfin touché des épaules. C'est la vieille — et éternelle — histoire de la fin qui justifie les moyens. Quand on écrira l'Histoire, Jesup ne s'en tirera pas trop mal. Ni, pour ce qui est de cela, le colonel Campbell.

— Quelle part a-t-il dans ce complot ?

— Tu seras dans le vrai en le considérant comme le principal auteur. Lorsqu'il a écrit à Jesup, depuis sa prison dans la mer Herbeuse, il l'a averti qu'Oscéola y était bien retranché et trop fort pour qu'on pût l'y attaquer.

— C'était *mon* message, et celui de Marie. Nous l'avons forcé à le signer sous peine de mort.

— C'est ce qu'il a fait, Carlos. Seulement il a envoyé *aussi* un message verbal, via lieutenant Beaufort.

Une grande lumière éclata soudain dans mon cerveau et il fallut toute la force d'Arnaldo Sanchez pour me maintenir dans mon lit.

— Est-ce que vous me dites que Campbell a dressé le plan de cette capture depuis la mer Herbeuse ?

— *Precisamente,* mon ami. C'est lui qui a suggéré que les dragons guettent, cernent et capturent le roi Philip. C'est sur son conseil que Coacoochee a servi de messager vers Oscéola, avec la proposition d'une entrevue : il savait que rien d'autre ne ramènerait Oscéola vers le nord. L'histoire est racontée au complet dans le rapport que Jesup a envoyé à Washington : je l'ai vu et lu de mes propres yeux.

Je me laissai une fois de plus envahir par une rage bouillante et futile tandis que je retombais sur mes oreillers. J'imaginais parfaitement le colonel Alan Campbell, donnant ses ultimes instructions à Beaufort, et l'allégresse profonde qui devait être la sienne pendant qu'il en attendait l'exécution, — comme un montreur de marionnettes qui tient tous les fils... Non, pensai-je soudainement *Pas tous !* Campbell est encore prisonnier des Séminoles. Quand la nouvelle de sa perfidie parviendra à la Terre de l'Aigle des Tempêtes, il découvrira qu'en matière de vengeance l'Indien est passé maître.

— Cette traîtrise est-elle connue à Saint-Augustin ?

— Pas en dehors du castillo, jusqu'à présent. Je te raconte cela en confiance et en confidence, pour un motif spécial : le général Jesup espère que tu seras guéri assez à temps pour pouvoir ramener le colonel Campbell et lui assurer une bienvenue de héros !

— Pour le quart d'heure, ce qui me plairait le mieux, ce serait de le voir brûler vif et à feu doux.

— Agis à ta guise, Carlos. Je connais ta sympathie pour

le noble homme rouge, mais tu dois, toi-même, admettre que son temps est fini depuis le jour où ils ont piégé Oscéola.

— Je n'admets rien du tout, sinon que Campbell mérite vingt fois la mort.

— Et sa femme ? Oublierais-tu qu'elle aussi est otage ? Dieu sait ce que feront ces diables rouges quand ils apprendront la vérité complète ! Nous ne pourrons pas la garder éternellement sous le boisseau.

Je gémis alors profondément, car je sentis le poids affreux de mon dilemme. Je ne pouvais croire qu'il arrivât jamais de mal à Marie tant qu'elle demeurerait sous la protection de Chechoter, mais pourtant il n'était pas possible de préjuger avec exactitude jusqu'où irait la fureur des Séminoles — et leur vengeance — lorsqu'ils apprendraient qu'Oscéola était pris — et comment il avait été pris.

— Que feriez-vous à ma place, docteur ?

— J'irais vers les otages, si je le pouvais. Tu es probablement le seul homme en Floride qui puisse s'aventurer aujourd'hui dans les glades et en revenir vivant. Peut-être arriveras-tu trop tard ? En ce cas, Jesup pourra faire à Campbell des funérailles *in absentia,* des funérailles de martyr, tu sais...

— Il est vivant. Je parierais n'importe quoi là-dessus.

— Dans ce cas, ton devoir est de faire tout ton possible pour le ramener. N'oublie pas que, bien que tu aies démissionné de ton grade de la milice, Jesup peut toujours te donner des ordres.

— Je le sais très bien. Mais il ne peut pas me suivre dans la mer Herbeuse pour s'assurer que je lui obéis.

— Il n'en aura nul besoin, fit Sanchez. Il lui suffira de te demander ta parole.

— On peut dire que vous êtes un curieux médecin ! clamai-je, furibond. Comment pourrai-je guérir, si vous insistez pour que je me dévoue pour mon ennemi ?

— Et toi, ne serais-tu pas un curieux chrétien, si tu oubliais la doctrine qui veut qu'on pardonne à ses ennemis ? Car tu es chrétien, n'est-ce pas ?

— Je me le demande quelquefois, grommelai-je.

Mais je savais que la discussion était perdue d'avance. La conscience dont, depuis si longtemps, je me plaignais s'agittait de nouveau à mesure que je me remettais à vivre. Dès que je serais debout, mes pieds me mèneraient vers la mer Herbeuse.

— Repose-toi, à présent, Carlos. Tu seras plus fort quand tu te réveilleras.

Je fermai les yeux avec obéissance et avec la conviction que j'allais passer dans mon lit des heures d'insomnie. Pendant quelques minutes, je sus que Sanchez allait et venait près de la porte, un verre de laudanum à la main. Le somnifère fut inutile, car soudain je glissai dans un profond sommeil.

IV

OU LE MESSAGER PERPETUEL
QUITTE SON AMI PRISONNIER
POUR FAIRE RENDRE LA LIBERTE
A SON ENNEMI

Après ma conversation avec Arnaldo Sanchez, mes forces revinrent rapidement. Un jour plus tard, je pus demeurer assis à l'ombre du patio. Au bout de la semaine, j'étais sur pied et formais des plans pour mon voyage vers la mer Herbeuse.

Mon entrevue avec Jesup, quand elle eut enfin lieu, fut brève et très au point. L'homme n'éprouvait apparemment pas le moindre doute — simplement une scandaleuse conviction dans la voie qu'il avait choisie, et une assurance totale que Charles Paige, et nul autre, pourrait sauver à lui seul les deux prisonniers. A n'importe quel autre moment, cette opinion de mes prouesses m'aurait amusé ; aujourd'hui, tout ce que je pouvais faire était d'obtenir les meilleures conditions possibles et murmurer une silencieuse prière intérieure quand je quittai sa présence... Au reste, ma décision était prise : je libérerais Campbell si la chose était humainement possible et je le rendrais à son commandement.

C'était une promesse que j'avais faite à Dieu cette nuit-là sur mon lit de malade. Ce qui se passerait ensuite serait, bien entendu, l'affaire de Campbell et la mienne.

Je m'étais tenu à l'écart du castillo pendant que je prenais mes dispositions de départ. J'irais dire adieu au Chat Sauvage et à Oscéola — mais c'était une visite que je voulais faire au dernier moment.

Le plan de mon expédition était simple mais défini. Pendant que ma santé se rétablissait, un courrier était parti pour Fort King afin de m'assurer des chevaux et une petite escorte. D'autres poneys nous attendraient à Fort Dade et j'avais donné des ordres pour qu'un canoë fût prêt au bord du lac où Oscéola avait campé avant la migration.

Pour des gens en uniforme, c'eût été la mort certaine de s'aventurer plus loin ; j'avais donc décidé de faire seul le reste du parcours. Puisque je n'avais aucune idée de ce que je découvrirais à la Terre de l'Aigle des Tempêtes, je ne fis pas l'effort d'imaginer des plans au-delà.

Mon intention était de passer la première nuit à Millefleurs, d'y prendre le plus grand de nos sloops pour remonter le fleuve jusqu'à mon mouillage habituel, à côté de la source sulfureuse, et de là de faire route par voie de terre avec mon escorte.

Le matin de mon départ, je me rendis au castillo. Passant à cheval sous le porche, je fus surpris d'entendre des clairons mener tapage dans la cour ; avant même d'avoir pu lancer la bride à mon ordonnance, je m'étais rendu compte que quelque chose d'inaccoutumé s'était produit.

Ma conviction devint une certitude quand je vis un personnage non moindre que le général Jesup lui-même, debout sur le terre-plein et mâchonnant un cigare éteint, surveiller de haut l'organisation hâtive d'une patrouille, de ces yeux d'un bleu métallique que j'en étais arrivé à détester. Je lui offris toutefois mon meilleur salut, sachant que je devais continuer à jouer prudemment mes cartes. J'avais résolu de rendre visite à Oscéola et n'entendais pas en être empêché.

— Sommes-nous attaqués, monsieur ?

— Coacoochee a fait le mur de la prison cette nuit, répondit Jesup. (L'éclat bleu de son regard se fixa droit sur moi, tandis qu'il aboyait un dernier ordre à l'adresse de la patrouille.) Comme vous voyez, nous allons essayer de le reprendre. Non que j'aie grand espoir.

Une fois le premier choc encaissé, je ne fus pas surpris à l'excès : comme son homonyme, le Chat Sauvage n'était pas fait pour vivre en cage.

— Il était sûrement bien gardé ?

— Sentinelles à la porte de la cellule jour et nuit, dit Jesup. Et pas de fenêtre à *cette* boîte-là, sauf, à dix pieds au-dessus du sol, une fente par laquelle seul un squelette aurait pu passer. Ce qui est exactement ce que ce diable rouge de malheur a fait.

— Je crains de ne pas vous suivre, monsieur.

— Alors écoutez attentivement et ne m'interrompez plus. Etant vous-même malade et au lit, vous n'avez pu vous trouver au courant de ceci, mais les deux chefs se sont plaints d'être en mauvais état de santé depuis que je leur avais mis la main au collet. Il va de soi que je ne voulais pas que ces vermines me meurent sur les bras avant que le président ait décidé de leur sort...

— Cela va de soi, en effet, monsieur, dis-je, attentif à ne laisser percer aucun mépris dans ma voix.

— Nous leur faisions prendre de l'exercice dans la cour, chaque jour à midi. Quand ils demandèrent s'ils ne pourraient plutôt marcher dans les douves et cueillir des herbes pour se faire de la médecine, je n'y vis point d'objection. Comment aurais-je pu deviner que, pendant un mois, ils allaient se purger pour pouvoir passer par cette meurtrière ?

Je tins mes yeux baissés, luttant contre une folle envie de rire. Connaissant l'art des Séminoles dans l'emploi des herbes, je m'imaginais clairement la ruse de Coacoochee. J'avais vu avec quelle facilité les guerriers, en guise de purification pour certains rites religieux, parvenaient à n'avoir plus que la peau sur les os.

— Vous disiez que la... fenêtre était à dix pieds du sol, monsieur. Comment Coacoochee a-t-il pu l'atteindre ?

— Il a commencé par couper une couverture en lanières, avec un fort bâton noué à l'un des bouts pour ancrer cette manière de corde à la fenêtre, après quoi, il a grimpé sur les épaules d'Oscéola et il est parti la tête la première. Je n'arrive pas à comprendre comment il ne s'est pas cassé le cou.

— Oscéola ne l'a pas suivi ?

— Il est trop affaibli pour avoir pu se hisser par ses propres moyens. Il fallait que ce fût l'un ou l'autre. Il a ordonné à Coacoochee de partir seul.

— Puis-je visiter la cellule pendant quelques minutes ?

— Si vous y tenez — mais je vous ai raconté tout ce qu'il y a d'important.

Pas tout à fait tout ! pensai-je. A haute voix je dis seulement :

— Je me suis arrêté ici pour leur faire mes adieux à tous deux. Vous ne me refuserez certainement pas de saluer celui qui reste. N'oubliez pas que nous avons été amis.

— A votre guise, Paige. Mais faites vite. Je veux que vous soyez sur la piste d'ici une heure et que vous soyez en avance sur Coacoochee au coucher du soleil.

J'avais souvent assisté le docteur Sanchez quand il soignait des captifs ici. Je savais que l'escalier des cachots descendait en spirale à partir d'un court corridor suintant qui aboutissait à la salle de garde. Je traversai la cour à grandes enjambées, constatant avec une sombre satisfaction qu'il y avait aujourd'hui des soldats en nombre et de tous côtés dans cette prison moisie. Une compagnie entière fouillait les douves dans le fallacieux espoir d'y découvrir quelques indices sur la route prise par Coacoochee.

Simpson somnolait dans la salle de garde quand je passai vivement devant la porte. J'appelai pour qu'il apportât une lanterne et descendis dans le puits de pierre aussi vite que je l'osai. L'humidité me frappa à la poitrine comme un coup. Quand j'atteignis le niveau inférieur, bien au-dessus du niveau des douves, les vieux murs de coquina pleuraient par toutes leurs coutures. Sous mes pieds, les pierres étaient couvertes d'un pouce d'eau — une eau verte, fétide, gluante, d'où s'exhalait une aura presque visible de pourriture.

Il n'y avait pas à se tromper sur la porte d'Oscéola : une couple de sentinelles la gardaient, baïonnette au canon. Simpson les écarta et me mit la lanterne dans la main.

— Vous devez le voir seul, capitaine, dit-il. Il ne pro-
noncera pas une parole s'il voit un uniforme dans la pièce.

Le cachot du roi Philip était juste à côté ; le vieux chef
y était accroupi avec les quatre membres de sa suite qui
avaient été capturés avec lui à l'Oklawaha. Tous levèrent
vers moi des yeux sans éclat, comme si je n'avais été qu'un
étranger curieux. Je me détournai, anxieux à la perspective de recevoir le même accueil de la part d'Oscéola.

Avant que la lanterne pût le découvrir, j'avais entendu
sa toux, une exhalation sèche, un bruit de crécelle qui, à
l'oreille d'un médecin, ne pouvait signifier qu'une chose. Le
cachot était relativement vaste, vingt pieds carrés peut-être,
et ses dimensions ne faisaient qu'en souligner l'affreuse nudité.
En dehors d'un lit primitif et sommaire, soutenu par des
blocs de coquina au-dessus du sol mouillé, il n'y avait aucun
meuble dans le cachot. Oscéola était assis sur ce lit, la tête
entre les bras, un vieux sac sur les épaules. Si la toux ne
l'avait pas trahi, j'aurais pu croire que la cellule était vide,
l'homme lui-même n'était plus qu'une statue immobile.

— Entre, Charlo, dit-il enfin. Je t'attendais.

Je posai la lanterne à terre et m'approchai du lit, incertain en cette minute même du motif de mon intrusion. Il
n'y avait rien que je puisse dire ou faire pour soulager sa
peine ; notre premier coup d'œil m'avait montré que le chef
de guerre des Séminoles avait passé la frontière qui sépare
les vivants des morts. Même les yeux qu'il leva sur moi
étaient froids comme l'agate, et la main qu'il me tendit aurait
pu être tendue par-dessus le bord d'une tombe.

— Je vois que tu connais la nouvelle, murmura-t-il, avec
un regard vers la porte entrouverte.

Je fus heureux de constater que Simpson avait ordonné
aux gardes de rester éloignés de quelques pas afin que nous
puissions causer en paix.

— Pourquoi es-tu resté, *jefe* ?

— Coacoochee m'a posé la même question, mais toi et lui
connaissez la réponse. Tu vois bien que je ne puis plus
combattre.

— Tu aurais pu du moins retourner vers ton peuple.

— Le Chat Sauvage est jeune et fort. Sa colère contre

l'homme blanc brûle d'une flamme vigoureuse. Il est de son droit de se brûler lui-même dans cette flamme jusqu'à ce qu'il n'en reste rien. Regarde la fenêtre de notre prison, Charlo : elle est trop haute pour que j'aie pu l'atteindre.

— Si tel est ton souhait, répondis-je, je n'en dirai pas davantage.

» Je sors moi-même du lit où la fièvre m'a cloué depuis le jour de votre arrestation. Aujourd'hui même, je pars vers le sud, vers la mer Herbeuse. As-tu un message à faire parvenir à Chechoter ? »

Je m'étais attendu à ce qu'il change de visage en entendant le nom de sa femme, mais son masque de cuivre n'eut pas un frémissement.

— Dis-lui que je suis mort, fit-il. Que pourrais-tu lui dire d'autre ?

— Permets-moi de faire venir le docteur Sanchez. A présent que Coacoochee est parti, il n'y a plus de motif pour que tu te laisses mourir de faim.

Il secoua la tête, et ses doigts déchiquetèrent le bord des chiffons qui lui servaient de literie.

— Ce qui est fait est fait. Aucune médecine ne pourrait plus me sauver désormais.

— Bien des hommes de ta tribu ont réchappé de la maladie de l'homme blanc, *jefe*. Permets que je parle au général Jesup pour qu'il te mette dans un cachot plus haut que le niveau du sol.

— Ma maladie est plus profonde que le puits, dit-il.

— Je ne peux pas te laisser mourir ainsi et ici.

— Mais je suis déjà mort, Charlo ! Coacoochee le savait quand il a passé par la fenêtre. Pourquoi ne peux-tu pas ou ne veux-tu pas le voir, toi aussi ? Tu es son frère de sang.

Si je me détournai en entendant cela, c'est que je ne le comprenais que trop bien. Il n'y avait plus rien à dire, mais je ne pouvais encore me résoudre à partir.

— Où Coacoochee se rend-il, maintenant ?

— D'abord sur l'Oklawaha, pour refaire ses forces. Le village du roi Philip est encore caché aux soldats blancs et le Chat Sauvage y trouvera des amis. Pourquoi le demandes-tu ?

283

— Pour être sûr que tu as toujours confiance en moi, *jefe*.

— Je n'ai jamais cessé d'avoir confiance en toi, Charlo.

Me souvenant de ce que Jesup avait dit, j'eus un frisson d'épouvante.

— Le Chat Sauvage sait-il que c'est Campbell qui a préparé le piège pour votre capture ?

— Bien sûr ! C'est un potin qui courait partout. Les soldats ont parlé librement, croyant que nous ne comprenions pas l'anglais.

Un spasme l'interrompit que suivit une quinte de toux. Il ne tenta pas de parler quand la toux eut cessé, mais il posa ses doigts glacés sur ma main et leva vers mes yeux un regard plein d'ombre qui ne me quittera pas jusqu'au tombeau.

— Ne m'en demande pas davantage, Charlo. Veux-tu toujours te rendre à la mer Herbeuse ?

— Je crains bien que je ne le doive, *jefe*.

Les yeux de granit n'eurent pas un cillement, mais j'aurais juré qu'une apparence de sourire retroussait le coin de ses lèvres. C'était douloureux de voir trop clairement son visage.

— Tu es un homme obstiné, Charlo, dit-il en espagnol. Presque aussi obstiné que moi. *Vaya con Dios.*

— *Vaya con Dios, jefe.*

Je le quittai sur ces paroles, car je savais que tel était son désir.

Ce ne fut que dans le corridor que je me rendis compte que le chef de guerre des Séminoles et moi-même avions échangé nos adieux en une langue étrangère.

TREIZIEME PARTIE

LA FIN D'UN MISÉRABLE
ET LA MORT D'UN BRAVE

I

VOYAGE DE RETOUR

JE NE M'ATTARDERAI pas sur les détails d'un voyage qui fut cette fois une galopade à tombeau ouvert à travers les broussailles de la Floride, galopade que n'interrompaient que les arrêts les plus brefs pour le repos et pour le sommeil.

Mes instructions avaient été suivies à la lettre. Quand nous mîmes le sloop à la voile vers mon mouillage préféré sur la berge du Saint John's, de robustes poneys de cavalerie nous y attendaient pour la course vers Fort King.

Tout au long de la route, des montures de relais étaient prêtes et sellées, de sorte que nous parvînmes sans encombre à l'emplacement de l'ancien campement séminole quatre jours après mon départ à fond de train de Saint-Augustin.

Nous avions d'abord formé le projet de voyager de nuit en profitant de tous les abris possibles. Une fois sur la piste, j'avais renoncé, en faveur de la vitesse, à cette façon de procéder. Quand nous atteignîmes la berge du lac du Doigt, j'avais la conviction que nous avions dépassé Coacoochee.

Je savais qu'Oscéola avait ordonné à ses guetteurs et sentinelles de rester en dedans des limites de la mer Herbeuse ;

j'avais donc des motifs d'espérer que notre approche était passée inaperçue.

Nous étions six en tout. Le caporal Grady, vieil habitué de la piste, et quatre volontaires choisis parmi ceux de la caserne Saint-François. Nous avions emmené deux poneys supplémentaires, avec l'espoir que mon expédition dans les glades serait couronnée de succès.

Le canot que j'avais commandé de Fort Dade était déjà à l'eau, bien abrité dans un bourbier envahi de broussailles ; il était bourré de rations d'urgence et muni d'avirons supplémentaires, pour le cas où il nous servirait de moyen d'évasion.

Jusque-là, notre expédition de sauvetage avait marché trop régulièrement, trop facilement, pour que cela parût tout à fait vrai. Le poids accablant de ma tâche descendait sur mes épaules pendant que je m'aventurais dans le lac, au crépuscule, et mesurais la distance nous séparant du premier bourbier qui coulait vers le sud.

L'avant-poste, l'île des signaux, où se dressait le manglier géant, n'était distant de cette côte que de quelques heures en canoë. Une fois que je l'aurais atteint, j'étais certain d'être hélé. Pourtant, quel que fût le péril, je savais avec force que je devais continuer seul.

Quand j'aurais serré dans les miennes les mains de Marie Campbell, quand je me serais assuré qu'elle du moins était saine et sauve, peut-être trouverais-je l'inspiration qui jusqu'alors m'avait fui. Toute ma mission demeurerait sans résultat, mes efforts seraient anéantis en un clin d'œil, si les Séminoles se rendaient compte que, sur le bord du lac, cinq réguliers de l'armée étaient prêts à donner tout le secours possible au prisonnier des Séminoles, à leur ennemi le plus (et le plus légitimement) détesté.

II

SI LES SEMINOLES AVAIENT SU TOUTE LA VERITE !

— Et maintenant, monsieur ?

La question murmurée par Grady, tandis que nous étions accroupis côte à côte entre les roseaux qui frangeaient la rive, m'arracha à mes vaines spéculations.

— Pour l'instant, dis-je, deux choix s'offrent à moi. Je puis descendre les bourbiers pendant la nuit et camper avant l'aube sur une île d'avant-poste. Si on me permet d'aller plus loin, je devrais avoir atteint le camp au soleil couchant. D'autre part, les éclaireurs peuvent être pris de soupçon si j'apparais à leur avant-poste comme un fantôme en pleine nuit. Je crois que je fais mieux de camper ici avec vous et, même s'il en résulte une perte de quelques heures, de me mettre en route à l'aurore.

— Comme il vous plaira, capitaine Paige. Vous êtes bien sûr de ne pas désirer un volontaire à bord ?

— Vous avez trop d'expérience pour en douter, Grady. Votre affaire est de vous tenir prêt avec les chevaux. La mienne est de faire disparaître votre colonel hors des glades et de l'amener ici. Comme par enchantement. Si la chose est possible.

— Puis-je vous demander votre plan d'action ?

— Je vous avoue que je compte sur l'inspiration...

En vérité je ne pouvais lui répondre que je ne voyais qu'une seule ligne de conduite : d'entrer au camp séminole comme si rien ne s'était passé et de demander ma squaw.

— Croyez-vous qu'ils vous laisseront emmener le colonel et Mrs. Campbell sans un ordre d'Oscéola ?

— Cela dépendra de leur humeur du moment — et de ce qu'ils savent réellement. Une fois que je me retrouverai au milieu d'eux, je saurai quelle décision prendre — et quel risque courir.

— Oscéola, Chechoter, Coacoochee étaient vos amis, remarqua Grady. Mais les autres ?

D'un haussement d'épaules fataliste, je me débarrassai de cette menace implicite : jusqu'ici je l'avais tenue écartée à longueur de bras.

— Il n'en est pas moins certain que je dois les rejoindre ouvertement. S'ils sont au courant de votre présence ici, il est très probable qu'aucun de nous ne reviendra vivant. D'autre part, le temps semble encore jouer pour nous : il est tout juste possible que la femme du colonel et moi puissions ensemble le faire passer de ce côté-ci...

Il restait à peine assez de clarté pour nous permettre de piqueter un corral pour les chevaux, assez loin dans la brousse. Nous mangeâmes des rations froides au bord du lac, sans oser nous risquer à allumer un feu, et nous installâmes assez confortablement dans les aiguilles de pin pour y dormir. Encore qu'il fût assez peu probable que nous fussions attaqués en terrain découvert, nous nous relayâmes pour monter un guet continu pendant toute la longue obscurité hivernale. C'était une précaution que nous avions prise à chacune de nos haltes précédentes — elle semblait ici doublement nécessaire.

Le voyage du lendemain obsédant mon esprit, je dormis mal, après mon propre tour de quart. Juste avant l'aube, cédant à une fatigue plus profonde qu'une simple fatigue de chair, je sombrai dans un lourd sommeil. J'avais dit à Grady de m'éveiller avant que le jour fût levé : ma montre marquait neuf heures quand je me dressai sur mon matelas d'aiguilles de pin, un juron aux lèvres à cause de sa négligence.

Je fus plus fâché encore quand je vis le bivouac désert. Au jugé, les cinq dragons semblaient groupés en pleine vue sur la berge, abritant leurs yeux pour pouvoir regarder dans la dure clarté du sud.

— A l'abri, bande d'idiots ! criai-je. Avez-vous perdu l'esprit ?

— Excuses, capitaine, fit Grady. Il semble que notre mission se termine ici même.

— Que racontez-vous là, mon garçon ?

— Voyez vous-même, monsieur.

J'arrachai le télescope qu'il tenait à la main et m'associai à ce jeu solennel qui consistait à regarder au loin de ce miroir aqueux que commençait à brouiller la brume de chaleur qui montait avec le jour. Un mirage ? Non, l'incroyable vision était toujours là quand je regardai de nouveau — un petit dugout à fond plat monté par deux rameurs courbés sur leur tâche. En dépit de la distance, il était indubitable que la personne qui pagayait à l'avant était Marie Campbell et que l'homme à l'aviron de queue était son mari.

— Qu'est-ce que vous en dites, monsieur ?

— Sont-ils seuls ?

— Ils *doivent* être seuls, capitaine. J'ai souvent chassé dans ces écumeurs de rosée : avec un passager de plus, il ne flotterait pas ainsi.

Grimpé à la fourche d'un arbre pour mieux voir, je pus vérifier l'exactitude de cette observation. La petite nef était vide de passager supplémentaire et de bagages, en dehors de deux rouleaux de couvertures sur le banc de nage avant. Les deux pagayeurs tiraient sur le manche de leurs rames comme si le diable était à leurs trousses, bien que cette grande étendue de lac fût vide.

— Est-ce que nous leur signalons notre présence ici, monsieur ?

— Mettez-vous à couvert comme je l'ai dit. Ce peut encore être un piège en cet instant même. J'enlève la première tête qui se montre au-dessus des buissons. Compris ?

Accroupi dans ma propre embuscade, je refusais d'en croire mes yeux. Déjà le canoë était assez proche pour qu'on pût distinguer les détails. Marie, en tunique de daim, ses cheveux noirs nattés en diadème, était encore plus brûlée de soleil que ne me la rappelait mon souvenir : en dépit de l'allure éreintante adoptée par son mari, elle ne manquait pas un seul coup de rame.

De son côté, Campbell donnait (désespérément !) toute sa force à sa propre pagaye, employant en même temps l'aviron de queue comme gouvernail pour maintenir le dugout dans la direction convenable. Vêtu simplement de son caleçon, ses boucles héroïques ébouriffées dans la brise, sa ressemblance avec un dieu grec — un dieu des batailles — était plus frappante que jamais. Je comprenais le gloussement joyeux de Grady tandis qu'il s'agenouillait à mon côté.

— On peut faire confiance au colonel Campbell ! Il ferait campagne en enfer et en sortirait souriant.

— Il ne sourit pas pour le moment, dis-je. Si vous me demandez ce que j'en pense, je vous dirai qu'il cherche son salut dans la rapidité de sa fuite.

— Si vous voulez, monsieur, dit Grady. Mais sa chance tient toujours.

— Jusqu'au bout, dis-je.

Grady à présent était debout sans avoir attendu un ordre, et les autres dragons en avaient fait autant, leurs cris de bienvenue accueillaient le canoë. Je vis Marie manquer de laisser choir sa pagaye et j'éprouvai une étrange répugnance à me lever. Le dugout était à présent dans les eaux peu profondes du bord du lac, mais une étrange illusion persistait : bien qu'elle fût presque à portée de ma main, Marie ne m'avait jamais paru plus éloignée de mon souvenir, de ma connaissance...

Je sus que c'était une illusion quand elle me reconnut et retint un cri de joie. J'en fus assuré quand elle franchit le plat-bord à toute vitesse, mit pied à terre comme si elle allait s'élancer dans mes bras et me tendit la main. Campbell, à qui les dragons, oubliant le grade dans leur joie, donnaient d'enthousiastes claques sur les épaules, parut à peine me reconnaître. Seule une grimace en coin le trahit. Avant même que nous ayons pu échanger une parole, je vis que son triomphe était complet.

III

CAMPBELL PUISSANCE TROIS !

L'histoire que racontèrent les fugitifs était simple. Quand je les eus entendus jusqu'au bout, je pus aisément dégager leur présence de toute idée de miracle. Ce qu'il y avait de plus miraculeux, c'était notre arrivée au moment précis où le colonel Campbell pouvait nous utiliser au mieux, et même cela n'était qu'une conséquence de la fortune qui s'attachait toujours à ses pas.

Ce fut un récit conté par bribes tandis que les dragons préparaient le petit déjeuner et faisaient tout ce qui était en leur pouvoir pour alléger la fatigue des arrivants. De temps à autre, quand je rencontrais les yeux de Marie, je constatais qu'elle aussi acceptait la réunion de nos forces comme naturellement due à son mari : ce fut Campbell qui parla presque tout le temps, esquissant leur parcours d'évasion dans le sable des bords du lac.

La nouvelle de l'arrestation d'Oscéola était parvenue depuis longtemps à la Terre de l'Aigle des Tempêtes, à mesure que divers membres de son escorte revenaient dans les glades, épuisés, à la débandade. Avec chaque nouvelle arrivée, le compte rendu variait : les Indiens s'étaient trouvés trop loin dans la prairie pour pouvoir juger exactement de la façon dont l'arrestation avait été opérée, mais ils s'accordaient à reconnaître que le chef de guerre séminole avait été amené par ruse à se présenter au général... Assez curieusement, aucun rapport n'avait été établi entre tout cela et les deux otages. Marie, qui continuait à travailler parmi les squaws, au côté de Chechoter, était depuis longtemps acceptée comme membre de la tribu. Campbell, boudant solitaire sur son île, était à l'écart des événements du jour autant que les hérons qui gîtaient dans les carex.

Telle était la situation dans le village séminole quand Marie avait rendu une de ses rares visites à l'île de Campbell. C'était sa première tentative de prise de contact depuis mon départ — et pour une fois le colonel s'était montré d'humeur à la recevoir. Méditant sombrement sur ses chances de survie et les sentant diminuer avec chaque jour qui passait, il lui avait raconté dans le détail le complot qui avait abouti à la capture d'Oscéola. Après quoi, lui rappelant une fois de plus les vœux du mariage, il avait insisté pour qu'elle arrange son évasion.

Marie avait cédé à ses supplications — et je comprenais assez bien les motifs de cette soumission. Elle s'était rendue auprès de Chechoter à qui elle avait répété toute l'ignoble histoire avant même de s'en remettre à sa pitié. Désespérée qu'elle était par la perte de son mari, la femme d'Oscéola l'avait pourtant écoutée : elle s'était vraisemblablement élevée au-dessus des mesquines pensées de vengeance et, puisque Marie était son amie, elle accepta de l'aider de son mieux.

Une fois leur entente conclue, le départ effectif s'était trouvé une tâche presque absurdement facile. La discipline s'était fort relâchée dans le village. Alligator et les jeunes chefs s'absentaient fréquemment, n'eût-ce été que pour distraire leur esprit de la perte d'Oscéola. Le vieux guerrier qui avait pour fonction la surveillance de Campbell et de son îlot s'était mis à boire, était assez souvent ivre depuis que le *jefe* n'était plus là. Deux nuits plus tôt, Chechoter avait fait en sorte qu'il fût plus parfaitement ivre qu'à l'accoutumée. Et, ce soir-là, la nuit avait été épaisse et moelleuse comme du velours, lourde de pluie non tombée. Marie — qui avait averti son mari de se tenir toujours prêt — s'était rendue paisiblement à la plage en pagayant dans l'obscurité, sans se retourner...

Grâce à nos nombreuses excursions parmi les canaux-bour-biers, les carex et les joncs, elle avait pu ensuite s'y reconnaître. Avec Campbell à l'aviron de queue, ils avaient pris le plus de distance possible pendant une rafale de pluie qui dura toute la nuit et trouvé un abri avant l'aube, à un mille environ de l'île des signaux. Tout le long du jour, ils avaient vaille que vaille déchiffré les plumets de fumée et, comme rien ne leur fit supposer que leur absence eût été découverte, ils osèrent respirer.

Sur son îlot, Campbell était nourri chaque jour au crépuscule, quand son vieux gardien n'oubliait pas d'effectuer la traversée, et, depuis longtemps, on avait cessé de l'enchaîner au piquet de sa hutte une fois la nuit close. Quant à Marie, elle avait toujours eu l'habitude d'errer par les canaux dans la journée, pour tromper sa solitude. Seule Chechoter savait que le mari et la femme avaient tenté ce départ vers la liberté — et Chechoter n'en avait parlé à personne.

La nuit dernière, pendant que les guetteurs dormaient sur la plate-forme du manglier, le dugout, sans plus de bruit qu'un fantôme, était reparti en direction du nord. Au soleil levant, il entrait dans le lac, et les deux pagayeurs, ainsi que Grady l'avait remarqué, souquaient ferme pour cette dernière étape de leur course vers la terre... Maintenant qu'ils étaient allongés à l'aise près de notre feu de camp, disaient par bribes un peu haletantes la fin de leur récit, je ne pus retenir complètement un sourire amer.

Ainsi que je l'ai dit, ce fut presque tout le temps Alan Campbell qui parla. En orateur. Arrangeant déjà au mieux certains détails pour illustrer et mettre en valeur sa propre part dans l'aventure. A voir les bouches béantes et les yeux ronds autour du feu de camp, je sus que les dragons, à l'exception de Grady, acceptaient tout cela comme argent comptant.

— Arrêtez un instant et reprenez votre souffle, dis-je — et j'espérais que ma voix ne trahissait pas le sentiment de frustration qui m'envahissait. Si c'était si simple que cela de filer à l'anglaise, pourquoi n'avez-vous pas déguerpi en vitesse depuis longtemps ?

— Répondez vous-même à cette question, Paige, dit flegmatiquement le héros, tout en acceptant une seconde tournée de pain de maïs et de lard grillé. Ou plutôt retournez à Fort Marion et posez-la à votre ami Oscéola. Tant qu'il fut en activité, j'étais *réellement* surveillé. Il va de soi que son intention était de me tuer au moment de son choix — et selon sa technique particulière.

— Avez-vous oublié qu'à l'endroit même où nous sommes il a voté pour qu'on vous laissât la vie sauve — et que c'est son vote qui a emporté la décision ?

— Uniquement parce que je ferais un prisonnier de valeur, dit Campbell, avec toujours la même exaspérante sérénité. Il m'aurait écartelé à loisir une fois que j'aurais cessé de lui être utile.

Je laissai, sans réponse, continuer la voix égale — j'étais trop furieux pour parler. Même dans ce bivouac en plein désert, avec la mort hurlant sur sa trace dans le sud, et une menace jumelle descendant depuis l'Oklawaha, il s'offrait le luxe de poser, de prendre une attitude. L'avide attention des dragons était une preuve suffisante de son habileté oratoire ; depuis longtemps était oublié le fait que, tout autant qu'Oscéola, j'avais réussi à lui sauver la vie à ce même powwow. Oublié surtout que, dans son chagrin profond dont il était l'auteur, la femme d'Oscéola avait trouvé assez de grandeur d'âme pour l'affranchir, lui, de ses liens.

— N'oubliez du moins pas tout à fait que, sans l'aide de Marie, vous seriez encore en train de tourner en rond dans les marais, dis-je aigrement.

— Ma femme aura dans mon rapport tout l'honneur qui lui revient.

— Ou que vous auriez encore pu être repris et réemprisonné, si nous ne nous étions pas trouvés à point donné pour vous fournir l'appui indispensable.

— Le caporal Grady a opéré avec une louable promptitude, dit Campbell. Je recommanderai que lui soient octroyés les galons de sergent.

— C'est le capitaine Paige qui nous commande, monsieur, fit doucement Grady. Ne devrions-nous pas le remercier, *lui aussi* ?

Campbell leva les sourcils.

— Rectification, caporal. A ce que j'ai compris, Paige n'était que notre éclaireur civil.

Marie, qui s'était enfoncée dans un long et douloureux silence près du feu, leva enfin les yeux.

— J'ai la certitude que Charles n'attend aucun éloge, Alan, dit-elle calmement. Ni, Dieu sait ! moi non plus. Vous avez certainement sali assez d'eau propre pour une matinée ?

— Vraiment, ma chère, répliqua-t-il avec un irréprochable sourire, je ne saisis pas ce que vous voulez dire.

— Pour le moment, je ne veux dire que ceci. Si vous êtes suffisamment reposé, nous pourrions nous mettre en route. Ou n'avez-vous pas entendu que Coacoochee s'est évadé de Fort Marion ?

— Si vous croyez que j'ai peur d'un simple renégat, après ce à quoi j'ai survécu...

Ici, j'éclatai, obscurément satisfait de constater que ma voix était devenue aussi violente qu'un cri :

— Cessez de poser au chevalier errant, voulez-vous ? Vous êtes encore à trois cents milles de la sécurité, et Coacoochee a juré de vous tuer dès qu'il vous apercevra.

— Merci pour l'avertissement, Paige. C'est une menace que j'accueillerai à ma propre manière.

— Pas tant que je suis responsable de votre sécurité. Grady a des chevaux sellés qui attendent. Si vous êtes reposé, nous allons partir et à fond de train.

— Un soldat n'a besoin que de peu de repos en campagne. Je ne saurais exiger de ma femme plus que ses forces ne le permettent.

— *J'ai dit* que je suis prête, Alan ! cria Marie. Charles nous sauve la vie une fois de plus, que cela vous plaise ou non. Ne sentez-vous pas quand il convient de suivre un ordre ?

— A compter de cet instant, ma chère, *c'est moi* qui donne les ordres. Pourtant, la remarque de notre éclaireur est juste, il *est* grand temps que nous partions. Veuillez amener les chevaux, Grady, et prenez la tête de colonne à droite.

Je vis Marie se mordre la lèvre, puis la colère l'emporter sur la prudence.

— Quelle honte, Alan !

— Veuillez vous tenir en dehors de ceci, ma chère. Grady, faut-il que je répète mon ordre ?

Le caporal leva les yeux au ciel, sans oser regarder carrément de mon côté, et tint bon.

— J'ai été adjoint au capitaine Paige à Saint-Augustin, monsieur...

— Et en campagne je vous relève de ce poste. Paige n'est qu'un officier subalterne. Je suis colonel de l'armée régulière. Voulez-vous faire vite ? Ou faut-il que je supprime cet avancement ?

Grady claqua des talons en un salut de parade et se tourna vers le corral. Déjà les autres dragons se précipitaient pour désentraver les poneys.

— Alors, Paige ?

Mon poing était déjà serré ; juste à temps je me souvins que Campbell n'aimerait rien tant qu'une menace de bagarre. Si bien que je me plantai en face lui, les yeux dans les yeux, et laissai ma main se détendre et pendre à mon côté. Dans leur actuelle humeur d'idolâtrie, ces cinq dragons m'auraient ramené prisonnier à Saint-Augustin si j'avais tenté de le punir comme il le méritait.

— Alors, *capitaine* ? Vous connaissez le pays. Vous pourrez encore être utile. Voulez-vous nous ramener et éviter les embuscades ?

— Je ferai de mon mieux, colonel, répondis-je entre mes dents serrées.

Je sentais à mon côté Marie, tendue par la fureur.

— Parfait. Vous pouvez prendre la tête de colonne à gauche et donner les instructions.

IV

COMME LE SABLE COULE DANS LE SABLIER...

Cette rencontre au bord du lac — et je puis dire ceci sans amertume quand j'en considère les conséquences grotesques — indique le ton de notre voyage de retour. Aimant mieux abandonner mon commandement que risquer les arrêts, je m'émerveillais de l'aisance avec laquelle Campbell tint en main les rênes. Si je pris la place d'éclaireur — avec Grady couvrant notre flanc droit et les quatre dragons déployés en arc pour protéger nos arrières, — ce ne fut que par instinct de conservation.

Notre avance à travers la Floride centrale aurait pu servir dans un manuel comme démonstration de tactique ; quand je revois en esprit cette impeccable parade en grande tenue à travers la brousse, je me demande encore comment nous avons survécu.

Dès le début, je constatai que la foi de Campbell en ma compétence était absolue, et aussi sa certitude que, délivrant Marie des mains des sauvages, je devais le délivrer en même temps. Grady avait apporté dans un sac de voyage un des uniformes de Campbell et, par ordre de la señora Hernandez, une amazone pour Marie. Une douzaine de fois, quand je serrais les rênes à une bifurcation de la piste et regardais venir côte à côte le colonel et sa femme, au petit galop tranquille, je me suis dit qu'il était éternel et que j'avais été créé et mis au monde pour servir ses caprices.

Il avait réclamé Marie pour son épouse — aucun doute sur ce point. Certes, à chaque nuit de bivouac, ils dormaient dans des ponchos séparés, mais ces ponchos étaient placés l'un à côté de l'autre ; certes, les yeux de Marie cherchaient parfois les miens, tandis que nous chevauchions vers la Withlacoochee, mais pas un instant elle ne sortit du rayon visuel de son mari. Nous n'avions guère échangé que quelques mots parfaitement impersonnels, et devant lui, et je comprenais parfaitement cette réserve.

En ces moments, la surveillance était tout ce qui importait. Quand nous aurions atteint le Saint John's et le sloop qui nous conduirait à Millefleurs, elle redeviendrait mienne, elle deviendrait mienne avec tout ce que le mot impliquait. Il n'y avait même pas lieu d'en discuter : quelle que dût être ma décision, je savais qu'elle l'approuverait sans réserve.

Chaque journée écoulée me faisait l'esprit plus libre : si les Séminoles avaient eu l'intention de nous rattraper, je savais que nous serions tombés sous les balles de leurs fusils avant d'atteindre la piste conduisant à Fort Dade. Je ne protestai pas trop vivement quand Campbell, dédaignant ce raccourci vers la sécurité, ordonna que notre groupe se dirigeât sur Fort King. Grady, qui avait souffert tout autant que moi pendant cette première partie du voyage, haussa silencieusement les épaules et reprit sa place en tête et à droite. La troupe du colonel, conservant sa formation précise, tourna par la piste la plus large qui menait aux savanes Alachua. Si je quittai alors ma place d'éclaireur et retournai au petit trot jusqu'à la gauche de Campbell, ce ne fut que pour la forme.

— Nous pouvons être à l'intérieur de la palissade ce soir, dis-je. Pourquoi forcer notre chance ?

Le colonel me gratifia d'un reniflement distingué.

— Comme éclaireur, vous êtes parfait, Paige. Pour ce qui est des décisions à prendre, veuillez me les laisser.

Je regardai les mains gantées, reposant à l'angle correct

sur les rênes ; il y avait une carabine dans la sacoche et un pistolet fixé à sa ceinture. Je ne doutai pas qu'il ne dût employer l'un ou l'autre sans la moindre componction si je me rebiffais contre ses ordres.

— Vous rejetez donc mon avis ?

— Il est inutile de jouer au poltron, mon garçon. Vous savez lire les signes indiens mieux que quiconque ; *vous,* entre tous, éviterez les embuscades. Je n'ai pas besoin de préciser pourquoi.

Je vis un éclair dans les yeux de Marie et je repris cœur en y lisant une haine aussi profonde que la mienne.

— Si vous insistez, faites donc à votre guise, dis-je calmement.

— Grand merci, Paige. C'est exactement mon intention.

Le parcours était long, jusqu'à Fort King, et nous fûmes retardés au passage de la Withlacoochee par une tempête qui, pendant deux jours pleins, transforma le gué en un rapide furieux. Grâce à cette halte, nos poneys étaient bien reposés quand nous atteignîmes la bifurcation. Tout accoutumé que j'étais au raisonnement tortueux de Campbell, je ne pus retenir un sursaut d'étonnement quand il ordonna à Grady et aux dragons de continuer vers l'enceinte et d'annoncer que nous nous dirigions sans escorte sur le Saint John's.

— Vous pouvez ouvrir la marche, Paige, dit-il. Mrs. Campbell ira de votre côté, et je servirai d'arrière-garde.

— Nous sommes encore en territoire indien, lui rappelai-je, autant pour les oreilles de Grady que pour les siennes. Fort King n'est qu'à une demi-heure de cheval vers le nord : il sera plus sûr de nous y reposer jusqu'au matin et de continuer jusqu'au Saint-John's avec le prochain convoi d'approvisionnement.

— Je ne vous rappellerai pas que je suis attendu depuis longtemps à Saint-Augustin, répliqua-t-il. Et qu'en outre ceci n'est *plus* territoire indien depuis le traité de Ford Dade.

— N'oubliez pas que demain nous longerons les marais de l'Oklawaha.

— C'est là votre problème, mon garçon, et non le mien. A vous de nous tirer d'affaire.

Je compris que lui aussi parlait pour les oreilles de Grady.

— Jusqu'à présent, vous avez évité vos amis les aborigènes ; veillez à ne pas gâcher cette réussite, mon garçon !

Sur quoi il s'engagea sur la piste principale, me laissant à la fourche avec Grady. Le caporal m'adressa un clin d'œil solennel tandis que nous nous serrions la main.

— Il est un peu fou, capitaine, dit-il. Mais c'est une folie qui obtient des résultats.

— Seulement, cette fois-ci, j'ai un pressentiment, rétorquai-je, la voix sombre. Allez droit au fort et, là, rassemblez un peloton. Tâchez de nous rejoindre avant la tombée de la nuit.

— Je n'oserais pas le risquer, monsieur ! Il me casserait. N'oubliez pas qu'à Saint-Augustin il est le merle blanc soimême.

Je lançai un coup d'œil sur la piste. Campbell attendait patiemment, bien assis sur sa selle, en cavalier modèle ; même à cette distance, je ne pouvais pas ne pas voir l'éclair de ruse dans ses yeux. Une grande vague d'horreur m'envahit quand je compris soudain toute l'étendue de sa stratégie — y compris le motif pour lequel il voulait que nous fassions seuls cette dernière étape.

— Priez pour nous, sergent, dis-je. Et, pendant que vous y serez, brûlez un cierge de plus pour lui. S'il y a des Indiens sur le sentier de la guerre sur l'Oklawaha, il est un homme marqué.

— Depuis quand la tribu du roi Philip a-t-elle envoyé des hommes sur le sentier de la guerre, monsieur, avec le vieux chef en prison ?

Je serrai la main de Grady et repris le trot vers la piste. Marie attendait à la courbe de la route charretière. Sur un geste brusque de Campbell, je me mis au petit galop pour aller la rejoindre. Grady et les autres avaient serré les rênes à la bifurcation pour nous regarder partir vers l'est ; quand le colonel ralentit le pas jusqu'à ce que nous fussions hors de portée de voix, la dernière pièce du puzzle fut en place.

Pendant un bon moment, Marie et moi chevauchâmes de front, Campbell demeurant à une centaine de mètres en arrière. Même à cette distance, je sentais ses yeux sur moi.

J'ignorai leur menace et, me penchant par-dessus la crinière de mon poney, je pressai la main de la jeune femme.

— Pouvez-vous croire que nous sommes vraiment parvenus vivants jusqu'ici ?

— Vous avez été merveilleusement patient, mon chéri.

— Je serai patient jusqu'au bout, dis-je. Pouvez-vous me donner une idée de ses projets ?

Elle secoua les épaules.

— Voilà longtemps qu'il a cessé de me les confier.

Connaissant la réponse à ma propre question, je tenais cependant encore à dire et à entendre la vérité.

— Demain soir nous serons à Millefleurs. Le lendemain, il fera son rapport au général Jesup et il sera célèbre. Avez-vous pensé à un moyen de rompre avec lui ?

— J'ai tiré des plans — tous, je le crains, moins pratiques les uns que les autres — jusqu'à ce que mon cerveau ne réagisse plus ! Si j'exposais sa trahison à Fort Brooke et la façon dont il a joué Oscéola, la part qu'il a prise dans sa capture, cela ne ruinerait-il pas sa carrière ?

— Je crains bien que non ! C'est sur des coups de ce genre qu'il l'a établie tout entière, sa carrière ! Quand le général Jesup fera son éloge à Washington, il est assuré d'avoir son étoile. Si nous avons la guerre avec le Mexique, il en reviendra héros national. Il se peut même qu'il aboutisse à la Maison-Blanche.

— C'était pourtant ma seule espérance. S'il ne voulait pas m'accorder le divorce, mon intention était de l'exposer tel qu'il est aux yeux du monde.

Je secouai la tête.

— Il a trop brillamment couvert ses voies, tout le monde serait dépisté. Si vous osez le calomnier, le monde ne peut que l'applaudir davantage. C'est ainsi que le monde traite ses héros.

— Avez-*vous* un plan, Charles ?

— Oh ! très simple ! Le laisser faire à sa tête. Et lutter avec ses propres armes.

— Je crains de ne pas comprendre.

— N'essayez pas trop, ma chérie. Faites-moi confiance... et faites ce que je vous dirai...

300

— Bien sûr !

— Nous camperons ce soir à Loon Lake. Avec de la chance, nous pouvons être sur le Saint John's demain avant midi. Mais, pour cela, il faudra faire vite : quand je prendrai le galop, restez à ma hauteur.

— C'est un cavalier résistant, Charles. Nous ne pourrons jamais le distancer.

— Nous pouvons essayer, dis-je — et je touchai le flanc de mon poney de la mèche de ma cravache.

Tout le long de cette journée, nous jouâmes à cache-cache dans les palmiers nains. Comme Marie l'avait dit, son mari était un cavalier habile : chaque fois que nous partions au grand galop, il rendait la bride à sa monture et parvenait presque toujours à nous garder en vue. Toutefois, la piste suivait un trajet en zigzag jusqu'à Loon Lake et il s'y trouvait plusieurs raccourcis dont Campbell n'avait pas connaissance.

Grâce à ces gagne-temps, nous pûmes prendre constamment une avance d'un demi-mille. Quand enfin nous atteignîmes le bord du lac, j'eus soin de mettre pied à terre en laissant entre Campbell et moi la masse de mon poney. Quand il arriva en trombe sur le terrain de campement, j'étais activement occupé à nettoyer ma carabine et à viser de temps en temps une cible imaginaire.

— Au regret de vous avoir fait courir, colonel, mais ce campement est le seul convenable au-dessous de l'Oklawaha, et je tenais à y parvenir avant le coucher du soleil.

— La fois prochaine, mon garçon, c'est *moi* qui choisirai notre camp.

— Il n'y aura pas de fois prochaine, dis-je, en glissant ma carabine dans ma sacoche. Demain vous dormirez à Millefleurs.

Je regardai sa main descendre sur la crosse du revolver à sa ceinture.

— En effet, Paige, c'est ce que je ferai. Merci de m'en faire souvenir.

Lui et moi savions fort bien ce qu'il sous-entendait.

Marie, qui déballait les vivres de notre souper et se trouvait près du feu, n'avait rien entendu de notre conversation.

Je vis le doigt de Campbell se crisper sur la crosse de son revolver et je tendis mes muscles pour un plongeon derrière mon poney si le moment choisi par lui était venu. Mais il se contenta de vérifier l'amorce avant de mettre pied à terre.

Le Saint John's et le mouillage du sloop étaient encore à quelques heures de cheval de notre camp. Et, si peu de trajet qu'il restât à faire, le colonel Alan Campbell se perdrait encore dans le désert s'il ne m'avait pas pour guide. Le temps, à ce qu'il me semblait, continuait à jouer pour moi, maintenant que j'étais certain de ses intentions. Mais le temps aussi diminuait — pour chacun de nous.

Assez étrangement, ce que je voyais en ce moment dans mon souvenir, c'était Oscéola, et ce geste qu'il avait eu de laisser filtrer le sable entre ses doigts...

V

LA JUSTICE VIENT TARD,
MAIS PARFOIS ELLE VIENT

Au bout de nos longues journées sur la piste, le sommeil ne se faisait jamais attendre près de nos feux de camp. Ce soir, les heures me parurent interminables avant que Campbell m'octroyât son dernier coup d'œil malveillant, accrochât son uniforme à la branche basse d'un pin voisin et déroulât son poncho. Marie, déjà, dormait profondément sur un lit de branchages à côté des cendres tièdes. Un peu plus tôt, tandis que je le regardais étendre sa couverture à côté d'elle, j'avais senti que j'aurais étranglé son mari sur place s'il avait seulement osé lui toucher le bras.

En guise de bonnet de nuit, il avait incliné son sombrero de campagne sur son nez, de sorte qu'il m'était impossible de savoir si sa respiration régulière était véritable ou feinte. Epuisé comme je l'étais, j'avais besoin de toute ma concentration d'esprit pour lutter contre une somnolence qui alourdissait mes paupières. J'avais une demi-douzaine de fois au moins sombré dans un demi-sommeil inconfortable quand enfin m'atteignit un ronflement régulier — pareil aux sons assourdis d'un flûteau, — tel que même un acteur aussi consommé que Campbell n'aurait pu l'imiter.

Je fis silencieusement glisser ma couverture et, me redressant sur les mains et les genoux, fis en rampant le tour du foyer et gagnai l'arbre où nos poneys étaient attachés. Ce fut chose simple et facile que de fausser l'âme de sa carabine sans laisser de trace, chose plus simple et plus facile encore que de retirer le pistolet de sa gaine et d'en briser le ressort de gâchette.

Pour un officier supérieur de l'armée, mon ennemi était, pensai-je, curieusement vulnérable cette nuit. J'eus peine à retenir un rire d'allégresse en retournant à ma couverture, où je sombrai instantanément dans le sommeil le plus calme et le plus profond que j'eusse connu depuis des mois.

Le soleil était levé quand l'arôme du lard grillé me réveilla. Nous déjeunâmes en silence — un silence qui n'était ni plus gêné ni moins pesant qu'à l'ordinaire. Si Campbell s'aperçut de ma présence, il n'en fit rien paraître quand, repoussant son assiette, il s'en fut seller sa monture. C'était la seule besogne à laquelle il daigna se livrer tout au long du voyage — le rassemblement des ustensiles, l'emballage de nos dernières rations dans les sacoches avaient été notre tâche, à Marie et à moi.

Quand nous fûmes tous prêts au départ, il me signifia — d'un dédaigneux mouvement de son gant — d'avoir à reprendre ma place et mon poste d'éclaireur.

J'avertis Marie d'un murmure :

— N'essayez pas de le distancer ce matin.

— Ne pouvez-vous me dire votre plan ?

— Pas jusqu'à ce que cette affaire soit terminée. Vous verrez alors pourquoi.

En moins d'une heure, nous pénétrâmes dans la savane sèche où Coacoochee et moi avions chassé le cerf en une certaine — et déjà lointaine — matinée de printemps. Bien avant midi, nous apercevions au loin les groupes de cyprès qui bordaient le grand fleuve et nous respirions les premiers effluves sulfureux annonçant la proximité de la source près de laquelle nous avions si souvent dressé notre camp.

Jusque-là, Campbell n'avait pas prononcé un mot, bien qu'il fût toujours à quelques mètres seulement en arrière de nous. Quand, enfin, il me parla, je sentis un frisson d'excitation crépiter tout le long de mon échine — encore que ce qu'il dit fût assez inoffensif.

— Presque arrivés, Paige ?

— Vous verrez la crique à distance dans quelques minutes. Elle est juste au-dessous du déversoir qui s'écoule de la source dans le fleuve. Le sloop y sera au mouillage. Aussitôt là, nous pourrons partir pour l'aval.

— Et les chevaux ?

— Il y a un corral tout proche. La prochaine patrouille les emmènera.

Nous étions à présent parvenus dans une clairière de cyprès qui aboutissait au bord de la source. La terre sèche, semblable à de la tourbe, était comme un matelas sous le pied des poneys qui, appréciant ce changement après leur dur galop de la matinée, prirent d'eux-mêmes un pas nonchalant.

Dansant au gré du courant, le sloop attendait, ses voiles soigneusement carguées et serrées, son beaupré déjà pointé vers l'aval, où les ondes argentées du Saint John's s'élargissaient entre des rives boisées. C'était bien la fin de notre voyage.

Lorsque Campbell donna brusquement l'ordre de mettre pied à terre, j'obéis sans poser de question, bien que Marie, elle, parût légèrement surprise de constater que nous nous arrêtions avant d'atteindre notre objectif. Je lui tendis les bras pour l'enlever de sa selle et la déposer au sol du hammock, à côté de moi.

— Charmant tableau ! dit le colonel. Voulez-vous garder la pose un instant de plus ?

Grâce à sa selle de cavalerie, il nous dominait de haut, sous cette arche de cyprès dorés. La carabine posée en travers de sa selle complétait son apparence menaçante. Le sourire qui retroussait ses belles lèvres et l'éclat cruel de ses dents blanches n'étaient pas plus rassurants. Quand il se tourna vers Marie, sa voix se fit moitié sarcasme, moitié venimeuse caresse.

— Je sais que tu aimes ce lourdaud, ma chère. Je sais exactement ce que vous avez été l'un pour l'autre.

— *Non, Alan !*

— Nieras-tu que tu en sois amoureuse et qu'il soit amoureux de toi ? Nierez-vous que votre intention était de vous débarrasser de moi aujourd'hui ?

— *C'est faux ! Ne dis pas de choses pareilles !*

— Je dirai ce qu'il me plaît, ma chère — et ce que je dis ne demande pas de réponse. Toute la matinée, vous avez été dans ma ligne de tir. Comme vous voyez, j'ai choisi le moment de lâcher la détente : il se trouve que cela m'amuse de vous expliquer *pourquoi* vous êtes sur le point de mourir et pourquoi je ne supporterai pas le blâme de votre mort.

— Vous serez pendu pour ceci, Alan !

— Que non ! Pas quand j'expliquerai au général Jesup que nous avons dû nous défendre par les armes contre une attaque indienne, au moment même de nous embarquer sur le sloop. La prochaine patrouille trouvera vos cadavres mutilés et privés de chevelure.

Marie oscilla et serait tombée sans le soutien de mon bras. J'étais heureux qu'elle se fût évanouie si vite ; cela rendait plus facile mon propre rôle dans ce drame sordide.

— Vous n'arriverez pas à ça, dis-je. Au dernier moment vos nerfs vous lâcheront, Campbell. Je vous donne cette chance...

— Ne parlez pas de mes nerfs, riposta-t-il hargneusement. Je vous avais marqué pour ma victime en cette nuit même où nous nous sommes rencontrés à Saint-Augustin. Aujourd'hui, j'ai décidé de m'offrir en même temps le rôle de veuf éploré.

Tout en parlant, il avait levé sa carabine — lentement, comme s'il dégustait et savourait chaque mouvement.

Marie était évanouie dans mes bras. Je me déplaçai légèrement, de telle sorte que son corps fût devant le canon du fusil — pour hâter l'instant où l'autre presserait la détente. Le choc en retour de l'explosion ne le délogea pas complètement de sa selle, bien que la déchirure de l'arme se fît avec une force suffisante pour arracher la chair de sa joue droite. Son poney, effrayé par la violence subite de la détonation, se cabra furieusement et faillit nous piétiner pendant qu'il projetait son cavalier sur le sol et partait en un galop forcené.

J'eus tout juste le temps de mettre le corps de Marie à l'abri du péril et de m'élancer sur Campbell, étendu sur le fenouil sauvage. Je le remis durement sur pied et le projetai contre un tronc de cyprès. Le sang qui lui coulait dans les yeux l'aveuglait presque pendant qu'il se penchait pour décrocher le pistolet de sa ceinture. J'entendis siffler le ressort cassé au moment où j'enlevais la carabine de ma selle. Quand il rejeta loin de lui l'arme inutile, il était déjà en plein dans ma ligne de tir ; je l'y gardai, sans baisser mon arme, je le vis tomber à genoux et joindre les mains en un appel à la pitié.

— Vous ne ferez pas cela — la voix était à peine humaine à présent, un croassement douloureux, — *vous ne pourrez pas...*

Je déposai la carabine assez longtemps pour arracher de ses épaules la tunique bleue de l'armée. L'empoignant par la peau du cou, je l'envoyai tête la première entre les palmettes.

— Courez, lui dis-je. Courez pour sauver votre peau si vous le pouvez. Je vous donne *encore cette* chance...

Il se redressa en tremblant sur les mains et les genoux et, lentement, parvint à se tenir debout. Il y avait sur son visage de la boue du marais mêlée au sang. Mais il semblait aspirer du courage avec chaque douloureuse respiration.

— Vous ne tirerez pas ! dit-il. *Vous ne pourrez pas ! Je vous* aurais descendu il y a un instant, avec une joie intense. Mais c'est au-delà de *vos* moyens — et je vais vous en donner la preuve !

Pas à pas, il avait reculé. Et soudain, tournant sur lui-même, il se mit à courir, faisant d'adroits détours entre les cyprès pour me présenter le minimum de cible. J'épaulai mon fusil et le couchai en joue. Puis, quand mon doigt se plia sur la détente, je rejetai l'arme avec un cri de désespoir. Alan Campbell avait gagné cette bataille après tant d'autres — le meurtre, en effet, était au-delà de mes moyens.

Dans mon accès de désespoir, je m'étais couvert les yeux d'une main que je retirai juste à temps pour le voir atteindre la crique, puis s'acharner à défaire les amarres qui retenaient le sloop au mouillage. Alors j'entendis vibrer la corde d'un arc...

Le cri aigu de Campbell couvrit la dernière note de cette vibration et fit s'envoler — blanche touffe de plumes — une aigrette qui nichait dans le bourbier.

La flèche, tirée de près, avait pénétré en plein dans le corps d'Alan Campbell. Je n'eus pas besoin de voir la houppe de plumes rouges qui dépassait pour savoir qu'elle avait été tirée par Coacoochee. Quand mon frère de sang sortit de sa cachette et approcha de sa victime, allongée raide morte, sur la berge vaseuse, je sus que, dès le commencement, je m'étais attendu à le trouver là.

VI

ORAISON FUNEBRE D'UNE CANAILLE ET PRIERE POUR LES VIVANTS

— Cet homme était stupide ! fit paisiblement Coacoochee. Il a cru qu'il pourrait quitter la mer Herbeuse et disparaître ensuite sans être observé ! Au fond de ton cœur, Charlo, tu savais bien que ce n'était pas possible. N'est-ce pas vrai, mon ami ?

Il était assis sur ses talons à côté du corps ; son couteau à scalper venait, en trois coups adroits, d'accomplir sa besogne. Le Chat Sauvage examina son affreux trophée pendant quelques instants avant de l'accrocher à sa ceinture.

— Va d'abord voir si la femme-des-livres n'a pas besoin de soins, dit-il avec un sourire. Je te raconterai ensuite mon histoire, elle ne prendra que peu de minutes.

— Elle s'est évanouie, mais commence déjà à reprendre ses sens.

Je regardai le cadavre de Campbell.

— Il vaudrait mieux qu'elle ne voie pas ton... ouvrage de mains...

— Beaucoup mieux, en effet, Charlo.

Mon frère de sang arrondit ses mains en coupe et fit entendre un doux appel d'oiseau. Durant toute la matinée, j'avais entendu ces trilles dans le marais. Une douzaine de têtes sombres apparurent instantanément le long de la rive du Saint John's. Au commandement de Coacoochee, l'un des Séminoles s'avança, jeta le corps de Campbell sur son épaule avec un grognement de dégoût et disparut dans la broussaille.

— J'aurais préféré — de beaucoup ! — le tuer lentement, reprit le Chat Sauvage. Il est extrêmement regrettable que tu ne nous aies pas laissé le choix sur ce point. Nous pourrons du moins employer certaines parties de son corps en médecine. Veux-tu emporter ses cheveux ?

— Continue ton histoire, dis-je. Il fut ta cible et non la mienne.

— C'est bien ça, dit Coacoochee. Il a fallu que je vise et tire vite quand tu as jeté ton fusil. *Pourquoi* l'as-tu épargné, Charlo ?

— Longue histoire ! dis-je. Et je ne vois pas comment la raconter convenablement. Au surplus, je préférerais de beaucoup écouter la tienne. Quand et où as-tu relevé notre trace ?

— Au moment même où tu es sorti des portes de Saint-Augustin.

Coacoochee répondit à mon regard perplexe par un sourire qui signifiait que la chose allait de soi.

— Avant mon évasion du castillo, j'avais déjà deviné que tu retournerais à la mer Herbeuse... et que tu t'efforcerais de sauver à la fois la femme-des-livres et Campbell.

— Ce fut donc tellement simple de me suivre ?

— Très simple en vérité. Souviens-toi que nous avons chassé ensemble plus de cent fois dans la région ; de nombreuses pistes y sont marquées par ta hache, ou par la mienne. Je connaissais tous tes endroits de campement, je pouvais deviner, à moins d'une journée près, le temps qu'il te faudrait pour atteindre le lac du Doigt. Ce fut chose facile encore que d'envoyer, de la tour du signal, un message à Chechoter afin qu'elle prenne les dispositions qu'il fallait pour que la femme-des-livres et Campbell te rejoignent.

— Es-tu en train de m'expliquer que c'est toi qui as organisé leur évasion ?

— Ce fut le dernier vœu que m'exprima Oscéola. Il voulait que nous livrions l'homme nommé Campbell entre tes mains. C'est pourquoi Chechoter s'est arrangée pour... comment dire... pour laisser entrouverte la porte de la prison... Oscéola, vois-tu, te connaissait et te comprenait parfaitement : il savait que Campbell devait retourner libre au monde de l'homme blanc avant que tu puisses te venger de lui.

— Pourquoi aurais-je traversé toute la Floride pour le sauver si je souhaitais sa mort ?

Coacoochee lança un regard vers Marie, qui venait de gémir faiblement. Je me hâtai d'aller la prendre dans mes bras en attendant qu'elle rouvre les yeux.

— L'homme nommé Campbell était entre toi et la femme-des-livres, reprit le Chat Sauvage. Tant qu'il vivait tu ne pouvais jamais partager ni ses richesses ni son amour. N'était-ce pas un motif suffisant pour désirer sa mort ? *Même* s'il n'avait pas tenté de vous tuer tous les deux ?

— Tu m'as vu jeter mon fusil, protestai-je. Dans mon monde, nous rendons le bien pour le mal — quand nous le pouvons.

— C'est bien ce que je craignais, repartit toujours flegmatiquement mon frère de sang. C'est pourquoi j'ai pris moi-même ta piste, depuis l'instant où vous vous êtes séparés des soldats et les avez renvoyés vers Fort King.

— Je sais que je devrais te remercier pour ta besogne de ce matin, dis-je... Mais je ne sais pas comment t'expliquer... je ne trouve pas les mots qu'il faudrait.

— N'essaye pas, Charlo. Voilà longtemps que nous avons cessé de parler le même langage. Retourne à Millefleurs avec ta squaw, tu y rentreras du moins les mains propres.

Je soulevai Marie dans mes bras, car elle commençait à s'agiter. Un pied sur le plat-bord du sloop, je rencontrai pour la dernière fois les yeux de Coacoochee. Je questionnai :

— Faut-il que la guerre continue ? Est-ce que ceci ne pourrait pas marquer la fin des tueries ?

— C'est le général Jesup qui en décidera. Les nôtres sont en route pour le Sud ; je reprendrai le manteau de mon père et conduirai la nation du mieux que je pourrai. Tu connais la mer Herbeuse, Charlo : si l'homme blanc respecte nos frontières, nous n'aurons plus jamais besoin de combattre. Est-ce trop espérer à présent que nous avons pris notre revanche ?

Beaucoup trop, pensai-je. Beaucoup trop ! Encore que tu agisses librement aujourd'hui — et tires gloire de cette liberté — le tableau changera demain.

Oscéola avait vu clairement ce tableau : il mourrait en prison, il préférerait mourir en prison que de rallumer le flambeau de la guerre, espérant que sa mort amènerait la paix. Mais je ne pouvais guère exprimer de telles pensées en cet instant. Coacoochee apprendrait sa propre leçon quand son propre temps serait venu.

— Peut-être l'homme blanc verra-t-il la lumière, répondis-je. Peut-être se rendra-t-il compte qu'il y a ici et là une abondance suffisante pour nous tous. Prie le Grand Esprit de lui ouvrir les yeux. J'adresserai la même prière à mon propre Dieu.

VII

LES ROUTES S'ECARTENT,
LES FRERES SE SEPARENT,
TELLE EST, HELAS ! LA LOI DU MONDE

Coacoochee était encore debout dans le Saint John's avec de l'eau jusqu'aux genoux quand les voiles du sloop se gonflèrent.

Dansant sur l'eau, courant une longue bordée vers l'aval, j'avais besoin de toute mon attention pour tenir mon cap : je n'eus pas le temps de regarder en arrière, ni même de lever la main en signe d'adieu. Je savais que Coacoochee n'attendait pas ce geste. S'il restait près du bord du fleuve pour nous regarder disparaître au prochain coude, c'était pour l'amour du passé — silencieuse acceptation de la découverte que toute vie change et qu'il n'est guère de fraternités qui puissent durer toujours.

Marie s'agita à mon côté et ouvrit les yeux : le sourire qu'elle m'offrit était noyé d'amour et à peine marqué par les suites de sa secousse nerveuse.

— Sommes-nous encore vivants, mon chéri ? questionnat-elle. Où sommes-nous dans un autre monde ?

A présent que nous avions dépassé la grande courbe du Saint John's, le fleuve s'ouvrait devant nous comme une mer intérieure, route lumineuse vers le portique de Millefleurs. En pensée, j'en voyais clairement les piliers et je voyais les riches arpents qui étaient restés inviolés à travers toutes ces années de guerre.

— Appelle cela un autre monde, dis-je. Un jour je te raconterai qui l'a rendu possible.

NOTE DE L'AUTEUR

L'histoire de la guerre des Séminoles est l'une des grandes sagas de l'histoire américaine. Sous la conduite d'Oscéola, la nation séminole tint en échec toute la force militaire des Etats-Unis.

Après sa mort, les Indiens s'établirent fermement dans la forteresse aqueuse des Everglades et résistèrent à tous les efforts tentés pour les en déloger. Après la bataille d'Okeechobee (livrée sur les rives de ce lac le jour de Noël 1837), la plupart des chefs, y compris Coacoochee, abandonnèrent la lutte pour l'existence en Floride et émigrèrent vers l'ouest. Quelques autres continuèrent la guérilla jusqu'en 1842. A cette époque, il ne restait plus en Floride que trois cents Séminoles vivants. Ceux-ci, sans renoncer à leur identité en tant que nation, finirent par s'installer sur une réserve dans les Everglades, où leurs descendants vivent encore aujourd'hui.

Le plus beau tribut offert à Oscéola fut peut-être celui de ce correspondant anonyme du *Nile's Daily Register*, écrivant de Charleston au lendemain de la mort d'Oscéola dans sa prison de Fort Moultrie :

Nous n'écrirons ni son épitaphe ni son oraison funèbre, et pourtant il y avait quelque chose dans son caractère qui n'était pas indigne du respect du monde. D'enfant vagabond qu'il était, il devint l'esprit même d'une guerre longue et désespérée. Il s'est fait lui-même — nul homme au monde n'a jamais moins dû à l'accident, au hasard. Hardi et résolu dans l'action, mortel mais consistant et logique dans la haine, sombre dans la vengeance, froid, subtil et sagace dans les Conseils, il établit un irrésistible ascendant sur sa tribu adoptive. Il parlait peu dans les Conseils — faisant des autres

*chefs ses instruments, et ce qu'ils énonçaient en public était
la suggestion secrète de ce maître invincible.*

*Tel fut Oscéola — de qui on se souviendra longtemps
comme de l'homme qui, avec les moyens les plus faibles,
obtint les effets les plus terribles.*

La nation à laquelle Oscéola s'opposa, aux armées de
laquelle il fut livré par traîtrise, tandis qu'il se présentait à
elles sous le drapeau des parlementaires, l'a honoré de cette
simple inscription sur son tombeau :

OSCÉOLA

*Patriote et guerrier
Mort à Fort Moultrie
le 30 janvier 1838*

Il avait trente-quatre ans...